MEDJUGORJE
LES ANNÉES 90

Le Triomphe du Cœur

COMMENT CONNAÎTRE... ?

... LE MESSAGE du 25 :

- <u>Par Répondeur Téléphonique</u> 24h sur 24h :

Cambrai :	03 27 78 74 61
Landerneau :	02 98 20 90 33
Lyon :	04 72 71 07 72
Montpellier :	04 67 65 59 50
Nantes :	02 40 25 72 86
Paris :	01 64 26 17 98
Perpignan :	04 68 87 78 09
Rouen :	02 35 98 10 84
Strasbourg :	03 88 67 88 22
Belgique :	(00 32) 85 51 18 68 / 10 84 06 10
Canada :	(00 1) 418 774 20 64
Luxembourg :	(00 352) 44 61 93
Suisse :	(00 41) 25 65 34 98

- <u>Par Minitel</u> : 3615 IMMACULÉE

- <u>Par Internet</u> :
  (en français) :   http://www.asi.fr/frat/medj/
  (en anglais) :   http://www.nd.edu:80/~mary/Emmanuel.html
  Centre InformationMIR (paroisse) : http://www.tel.hr/medjugorje

... LES NOUVELLES DE MEDJUGORJE (bi-mensuelles)
par Sœur Emmanuel :

- <u>Par Répondeur Téléphonique</u> :

Montpellier :	04 67 65 59 50
Nantes :	02 40 69 63 92
Strasbourg :	03 88 65 12 24
Belgique :	(00 32) 85 51 18 68
Canada :	(00 1) 418 774 44 55

- <u>Par Minitel, Internet</u> : mêmes numéros/codes que ci-dessus.

- <u>Par Robot-Fax</u> :

Des USA (en français et en anglais) : composer le (00 1) 219 287 56 83, sur le combiné du Fax et suivre les instructions...
Copie originale en français : touche 3 ; traduction en anglais : touches 1 et 2.

SŒUR EMMANUEL

MEDJUGORJE
LES ANNÉES 90

Le Triomphe du Cœur

4e édition

Éditions des Béatitudes

En employant l'expression « la Vierge apparaît... », l'auteur et l'éditeur de ce livre n'entendent nullement devancer le jugement de l'Église quant à l'authenticité des apparitions de Marie à Medjugorje. Ils ne font que donner ici leur opinion personnelle ou celle de témoins des faits qui se déroulent à Medjugorje actuellement.

Ils déclarent publier ce livre dans un but d'information et se soumettront au discernement de l'Église dès que celle-ci se prononcera.

ISBN 2-84024098-X
© Éditions des Béatitudes
Société des Oeuvres Communautaires, 1996
Burtin, F- 41600 Nouan-le-Fuzelier

Photos de couverture :
(1) Mirjana et sa fille Marija, 1992 © Béatitudes
(2) Père Jozo Zovko, 1992 © Béatitudes
(3) Marija en extase, 25 mars 1994 © Cilento
(4) Scène de Medjugorje, au fond l'église © Joseph Mixan

TÉMOIGNAGE D'ÉVÊQUE

Medjugorje ! Cela dure depuis plus de quinze ans. Et ce n'est pas fini. Les « voyants » continuent à... voir et à recevoir des « messages ». Les événements sont en cours. L'Église ne peut pas encore prononcer une parole définitive. Elle s'attache à un examen attentif et ouvert à tout ce qui s'y passe.

Et si tout cela venait du Diable ? Il serait un pauvre diable pas trop malin et pris à son propre piège. Car alors, il détruirait lui-même son action et son fiel d'iniquité. En effet, tout Medjugorje déploie une stratégie de retour à Dieu. Pour un monde qui trouvera sa paix dans la paix donnée par Dieu.

Bavarde, cette « Vierge des Balkans » ? Certains ironisent effrontément. Auraient-ils des yeux pour ne pas voir et des oreilles pour ne pas entendre ? A l'évidence, c'est une femme maternelle et forte qui parle dans les messages. Elle ne dorlote pas ses enfants mais les éduque, les exhorte et les provoque à la responsabilité vis à vis du devenir de notre planète : « *Une grande partie de ce qui va arriver dépend de votre prière.* »

Quelle prière ? Pas de la bigoterie, mais une vie pour la joie ! Une décision de renoncement et d'ascèse pour une dynamique de résurrection à la suite de son Fils. Un choix radical au souffle de l'Esprit. Il s'agit avant tout de vivre la foi « *non par des paroles ni par la pensée, mais par l'exemple* ». Rien de nouveau sinon l'extrême urgence de mettre en pratique le commandement nouveau de l'amour de Dieu et du prochain. Inséparablement. Conversion. Dans tous les domaines.

Voilà ce que m'apporte « *Le Triomphe du Cœur* ». Sœur Emmanuel nous donne là un livre fort qui renvoie à la profession de foi de la nuit pascale : renonciation à Satan et à ses séductions, prise au sérieux de la Parole de Dieu, du credo, des sacrements, de la vie. Avec le jeûne et le rosaire.

Il faut savoir donner du temps à Dieu pour que tout le temps et tout l'espace soient transfigurés devant la Sainte Face de Celui qui est, qui était et qui vient. Dieu est l'avenir des hommes. Et lui-même, dans le cœur à cœur permanent de Jésus et de Marie, confirme aujourd'hui par des signes, l'œuvre de l'Esprit. Certains témoignages m'ont ému jusqu'aux larmes. Un jaillissement de grâces pour toi aussi. Prie. Laisse-toi réconcilier. Aime. Agis.

Dans mon diocèse, j'avais déjà remarqué de bons retournements personnels suite à la sollicitude de la Gospa ! Sur un appel intérieur, j'ai voulu me rendre à la Source...

En plein hiver, je suis allé secrètement à Medjugorje avec le poids de mes vingt ans d'épiscopat. Pardon et merci. La montée du Krizevac m'a trouvé parfois sur les genoux, des larmes sur le visage. Et dans ma poitrine battait un cœur doux et humble qui n'était pas le mien. Mais alors ? Mon Dieu ! Ce n'est plus moi qui vis... A cinquante-trois ans, je suis reparti avec la force d'un cœur nouveau et d'un esprit nouveau pour la mission qui me brûle et me porte à la fois. Joie et espérance, justice et paix. Avec Marie. Aujourd'hui je témoigne.

Ce livre ? Une pièce au « dossier Medjugorje », une interpellation, un chemin de conversion. Deo gratias, Magnificat !

Monseigneur Gilbert Aubry
Évêque à La Réunion

Le 15 août 1996
en la fête de l'Assomption de Marie

Je sais que cet ouvrage de notre sœur Emmanuel fera beaucoup de bien. Les témoignages de conversion sont si nombreux qui jalonnent son inlassable travail, livres et conférences, pour hâter le triomphe du Cœur Immaculée de Marie.

Sans bien sûr anticiper sur le jugement de l'Église en ce qui concerne les événements de Medjugorje, nous pouvons constater que nous assistons à un réveil marial sans précédent, comme une amplification du renouveau dans l'Esprit. Les plus humbles sont touchés par le message évangélique et se tournent vers les sacrements. Par centaines de milliers, hommes et femmes s'engagent dans le jeûne et dans la prière du rosaire. Tous ces fruits ont poussé la Communauté des Béatitudes à se mettre au service des pèlerins afin que les fruits demeurent et servent au plus grand bien de l'Église.

Ephraïm, diacre,
fondateur de la Communauté des Béatitudes

BREF APERÇU SUR L'ÉVÉNEMENT MEDJUGORJE

Au cœur de l'Herzégovine, en ex-Yougoslavie, un village croate de mille âmes, niché au pied de deux collines, Krizevac et Podbrdo, d'où le nom de Medjugorje qui signifie « entre les monts ». Une population exclusivement paysanne qui réussit, tant bien que mal, à survivre par le dur labeur du tabac et de la vigne. Une situation politique opprimante, car la milice communiste est omniprésente. Une paroisse franciscaine animée par un curé de feu, le Père Jozo Zovko.

Le 24 juin 1981, en la fête de saint Jean-Baptiste, le Précurseur, l'événement survient, qui devait bouleverser la vie du village : quelques adolescents *voient* une silhouette féminine lumineuse sur le petit chemin qui longe Podbrdo. La *Dame* tient un enfant dans ses bras. Le 25 juin, elle revient et décline son identité : « *Je suis la Bienheureuse Vierge Marie.* » Le groupe des six voyants se forme définitivement avec Marija Pavlovic, Vicka Ivankovic, Mirjana Dragicevic, Ivanka Ivankovic, Ivan Dragicevic et Jakov Colo.

La *Gospa* (nom croate de Notre-Dame) reviendra chaque jour, donnant aux enfants des *messages* pour eux-mêmes, pour la paroisse et pour le monde : messages de paix, de conversion, d'amour, pour ramener au Cœur de Dieu l'humanité qui marche loin de lui, dans les ténèbres. Depuis 1987, ces messages sont mensuels. La Gospa donne aussi à chaque voyant des secrets, qui se révéleront à l'heure fixée par elle, par l'intermédiaire d'un prêtre choisi par le voyant.

Très vite, le Père Jozo croit aux venues de la Vierge car il la voit lui-même un jour dans l'église. Mais, après y avoir adhéré lui aussi, l'évêque de Mostar, Monseigneur Zanic, déclare qu'il s'agit d'un montage des franciscains. Une déchirure s'amorce qui dure encore. En 1986, Monseigneur Zanic remet au Cardinal Ratzinger un rapport négatif sur les apparitions, mais celui-ci le dessaisit du dossier et confie l'enquête à une nouvelle Commission, formée d'évêques yougoslaves, sous la présidence de Monseigneur Komarica (Banja Luka). Cette Commission est ouverte, ses travaux ne sont pas encore achevés. En avril 1991, elle accepte officiellement Medjugorje comme lieu de prière et autorise le culte : les pèlerinages privés sont autorisés. Le 21 août 1996, le Docteur Navarro Valls, porte-parole du Saint-Siège, précise la position de Rome : « Tous peuvent se rendre à Medjugorje s'ils le veulent. »

Depuis le 25 juin 1981, plus de vingt millions de pèlerins sont venus prier et se convertir à Medjugorje, faisant de ce lieu l'un des sanctuaires les plus visités du monde.

AVANT-PROPOS

Cette nuit-là, le sentier pierreux qui descend de la colline ressemble plutôt à un fleuve de lumière, drainant mille lumignons qui tremblotent sous le ciel d'été. Il est presque minuit, la Gospa vient d'apparaître sur Podbrdo, et des milliers de pèlerins affluent maintenant vers la plaine de Medjugorje, où ils vont retrouver leur gîte.

Dans l'amalgame quasi-inextricable des taxis, autobus et quatre-roues de tout acabit, le cri d'un enfant s'élève dans la foule.

Le petit n'a que trois ans, et il hurle. Ses parents s'étonnent. Tout allait bien pour lui jusqu'au moment où il réalisa que c'était fini, qu'il fallait maintenant aller dormir. Alors, il refuse d'entrer dans le taxi et de grosses larmes de chagrin dévalent sur ses joues :

- Il est tard, mon chéri ! Allez, il faut rentrer ! lui dit sa maman.
- J'veux pas ! supplie-t-il en s'arc-boutant de toutes ses forces.
- Mais pourquoi tu ne veux pas ? On ne va pas te laisser tout seul ici...

Mais le chagrin du petit ne fait qu'augmenter, et il ne trouve même plus les mots pour l'exprimer. Les parents n'y comprennent rien et optent pour la douceur :

- Ecoute, si tu ne veux pas rentrer dormir, qu'est-ce qu'on va faire de toi, alors ?
- J'veux y retourner !
- Mais retourner où, mon chéri
- Là-haut !
- Là-haut, sur la colline ? Mais pourquoi ? Tout est fini !
- J'veux la r'voir ! J'veux la r'voir !
- Mais revoir qui ?
- La dame !

Cette nuit-là fut longue pour ce tout petit français, qui vécut la première nuit spirituelle de sa vie. Avoir vu et ne plus voir... Mais son inconsolable chagrin parla plus fort que tous les livres sur Medjugorje !

Car Medjugorje, c'est cela : un lieu où les cœurs commencent à brûler, parce que là, le ciel s'ouvre chaque jour, et que le grand don du ciel, c'est le feu de l'Amour. Marie en est le calice débordant ! Il n'existe pas de mots pour dire cela.

Un nouveau livre sur Medjugorje était-il nécessaire ? Ni Vicka, ni Jakov, ni Mirjana ne croient beaucoup aux livres, pourquoi y croirais-je ? Jésus n'a jamais rien écrit, si ce n'est quelques mots sur le sol pour être bien sûr que tout serait effacé...

Je ne crois guère aux livres sur Medjugorje, je crois aux missions du Saint-Esprit. Je ne crois guère aux shows télévisés sur les voyants, je crois au Cœur de Marie et au plan d'amour qu'elle a conçu pour ramener au Père tous ses enfants, par ses moyens à elle, toujours déroutants.

Pour changer le monde, je ne crois guère aux interviews savantes qui font la une des journaux, je crois à ceux qui se taisent et qui, à l'insu des hommes, aiment Dieu jusqu'à la ressemblance.

Je crois aux enfants qui sont trop petits pour parler, mais qui, par leur innocence et leurs souffrances secrètes, maintiennent le monde.

« *La prière avec le cœur ne s'apprend pas dans les livres*, nous dit la Sainte Vierge à Medjugorje, *on ne l'apprend pas en étudiant. On l'apprend en la vivant !* » Le réalisme de l'Incarnation est l'un des traits les plus enthousiasmants de la personnalité de la Vierge. Une vraie maman juive !

Pourtant, ceci étant bien clair, j'espère ne choquer personne en avouant tout simplement la Sainte Vierge m'a appelée à écrire ce livre avec une insistance que je n'ai pu étouffer. J'ai résisté des mois durant, essayant de la prendre par les sentiments : « Regarde toutes ces heures où je pourrais prier à tes intentions plutôt que de gratter du papier... » Mais rien n'y faisait ; les vagues très douces et très fermes de sa demande frappaient sans relâche mon cœur, si bien que le livre... le voilà aujourd'hui entre vos mains !

Car les messages que donne Marie à Medjugorje, il nous faut les transmettre par tous les moyens. Son désir est qu'ils rejoignent tous ses enfants, dans le monde entier, et nous sommes encore loin du compte. Voulait-elle un nouveau recueil de ses messages ? Mais ces recueils comportent un manque, le côté « listing » a quelque chose d'un peu froid. Des commentaires de messages ? Beaucoup de revues en publient, et certains sont excellents. Pourquoi en ajouter ?

Non, ce que la Gospa désirait de ma part, c'était de manifester un « mariage » - deux choses que Dieu a unies et qu'il n'appartient pas à l'homme de séparer - à savoir la parole qui vient d'En-Haut et l'action transformante de cette parole dans la pâte humaine. Car, si la Gospa nous parle chaque mois, cette parole ne fait qu'accompagner et éclairer son action, son prodigieux travail dans les cœurs et dans la vie de ses enfants. Elle parle et elle agit, c'est indissociable !

Il me fallait donc faire le travail d'un petit scribe qui, non seulement transmet les messages, mais capte aussi les témoignages les plus bouleversants de ce que Marie réalise ici. Dans l'Évangile, nous n'avons pas un listing des paroles de Jésus, mais tout le contexte dans lequel se sont incarnées ces paroles. Grâce aux témoins, nous voyons vivre Jésus, nous le suivons sur la montagne, dans la barque de Zébédée, nous connaissons la diversité de son entourage, nous nous régalons de la personnalité de Pierre ou de l'amour de Marie de Magdala, nous sommes rassurés par les gaffes de tel ou tel apôtre...

A Medjugorje, la Vierge a choisi aussi un contexte humain particulier pour recevoir ses messages, les porter, les vivre... Rentrer dans cette incarnation est nécessaire pour comprendre les messages avec le cœur et rencontrer celle qui vient chaque jour avec son corps, son sourire et ses larmes, pour voir et toucher des enfants bien réels, bien croates, bien paysans, bien normaux et nous toucher nous aussi, à travers eux, dans notre réalité bien humaine, nos joies et nos galères d'aujourd'hui.

Chaque message mensuel est donc suivi d'un chapitre qui raconte une histoire. Les plus beaux témoignages sont bien sûr les plus humbles, ces centaines de pèlerins qui nous écrivent : « Je n'ai rien vu ni rien senti d'extraordinaire sur place mais, de retour à la maison, j'ai commencé à prier, à aimer, à mettre Dieu à la première place. Je goûte maintenant une joie profonde, ma vie ne sera plus jamais la même... »

Mais j'ai surtout décrit d'autres expériences plus spectaculaires, car elles sont exemplaires et illustrent les mille manières d'agir de notre Mère, qui utilise l'électronique avec la même aisance que les astres dans le ciel ou le chagrin d'un enfant, pour dire son amour (j'ai parfois changé les prénoms dans les témoignages, quand l'anonymat m'était demandé). Ces récits parallèles ne sont pas toujours chronologiques, mais plutôt comme des touches impressionnistes qui inoculent amour et admiration pour cette femme prodigieuse qui s'appelle Marie de Nazareth, Marie de Medjugorje.

Ce livre couvre (et continuera à couvrir, si Dieu le veut) les années 90, car je suis arrivée dans le village en décembre 1989. Il fait suite au livre « *Paroles du Ciel* »[1], où vous avez les messages donnés par la Vierge à Medjugorje dans les années 80, depuis le 25 juin 1981.

---

[1] « *Paroles du Ciel* », Éditions des Béatitudes.

On m'a demandé :

- Le *Triomphe du Cœur,* oui, mais le cœur de qui ?

Il s'agit bien sûr du Cœur de Marie, son Cœur Immaculé qui, ici plus qu'ailleurs, marche de victoire en victoire. Car, parmi tous les villages du monde, Medjugorje est comme le talon de Marie qui écrase la tête du Serpent, pour ces temps qui sont les nôtres. Il s'agit du Cœur de Jésus, l'unique source et l'unique but des victoires de Marie. Enfin, il s'agit de nos cœurs de pécheurs, et de votre cœur à vous qui lisez ce livre ; car il n'est pas d'ombre, de misère ou de secrète désespérance que la Reine de la Paix ne veuille toucher aujourd'hui en vous, pour qu'à l'instar de François, Karine, Colette..., cités dans ce livre, vous puissiez aussi connaître jusqu'au fond de vos entrailles que la puissance de l'Amour triomphe de tout, en toute situation, si toutefois vous lui ouvrez votre cœur.

Sœur Emmanuel,
Communauté des Béatitudes

Bijakovici, le 18 novembre 1996

ANNÉE
1990

Message du 25 janvier 1990

« *Chers enfants, aujourd'hui, je vous appelle à vous décider à nouveau pour Dieu et à choisir Dieu avant tout et au-dessus de tout ! Ainsi il fera des miracles dans vos vies, et de jour en jour votre vie deviendra joie avec Dieu. C'est pourquoi, petits enfants, priez et ne laissez pas Satan agir dans vos vies par des malentendus, des incompréhensions et le fait de ne pas vous accepter les uns les autres. Priez pour comprendre la grandeur et la beauté du don de la vie. Merci d'avoir répondu à mon appel.* »

TRIPLE DOSE POUR RAPHAËL !

Déjà la nuit tombe et aucun panneau pour indiquer ce village perdu au nom imprononçable. Existe-t-il seulement ? Qu'est-ce que je fous là ? Moi, le voyou converti à grands coups de Saint-Esprit et rebaptisé par immersion dans une église protestante libre. Raphaël, le pourfendeur de cathos, au pays des diseurs de chapelets. Si le pasteur me voyait... Mais je voulais en avoir le cœur net.

Alors j'ai dit au Seigneur : « OK, les cathos ont l'Esprit Saint, même à genoux devant des statues de plâtre, mais je veux que tu m'expliques cette histoire d'apparitions de Marie ! »

Après Ars, cap sur Rome et Medjugorje, sans horaire, sans programme. Nous sommes tous plus protestants les uns que les autres, sauf Pierre, un homme d'affaires en pleine déprime, pas croyant, deuxième tentative de suicide. Je l'ai embarqué avec ses deux gosses, de peur qu'il ne se poignarde à nouveau en notre absence. Je jette un coup d'œil au rétro, il discute joyeusement avec Alex, le prof mennonite (fondamentaliste protestant). Catherine une *fille de Luther*, parle chiffons avec ma femme.

Au détour de la route apparaissent les deux tours de l'église si claire, plantée au bord d'un village sorti de nulle part.

« Il n'y a rien ici, pas d'hôtel, pas de restau, même pas un magasin. Deux mille bornes pour voir cette église au milieu des champs. »

Pierre râle un peu. Un paysan nous a prêté quelques mètres carrés d'ombre, pour planter les tentes. Il faut être discret à cause des communistes. Juste là-haut, il y a cette immense croix monolithique, visible à des kilomètres. On s'organise, les paysans partagent leur eau, malgré la faible nappe qui stagne au fond du puits. Il ne pleut plus depuis des mois.

Toute cette vallée baigne dans une lumière soyeuse. Le temps est suspendu sur la coupole pastel, posée sur les montagnes qui l'entourent. Le lendemain après-midi, je lis la Bible dans l'église. Soudain, je sens un vent d'agitation derrière moi. Quelqu'un crie quelque chose en croate. Moulinets de signes de croix, on se bouscule presque à la sortie. Un coup des cocos ? Je sors. Une cinquantaine de personnes regardent en direction de la croix sur le Krizevac. J'écarquille mes yeux qui se remplissent de ces immenses lumières qui moutonnent sur plus d'un kilomètre autour de la croix. Le ciel danse autour de la croix ; comme si d'interminables soleils d'une couleur bleu pastel inconnue s'élevaient et s'évanouissaient l'instant d'après. Pourtant, il n'y a pas un nuage à cet endroit et le soleil n'est pas dans cette direction pour nous éblouir. Ça y est, j'ai disjoncté ! Regarder ailleurs, ne pas se laisser influencer. Tout est normal aux alentours. Un chien renifle le bas d'un arbre. Coup d'œil en l'air et la danse des lumières continue pendant un bon moment. Je rentre sous la tente, perplexe.

Le troisième jour, nous pique-niquons sous le couvert des arbres, les conversations vont bon train. Les enfants de Pierre jouent le long d'une vigne.

- Hé, venez voir, ça tourne !
Le petit Michel trépigne à côté de moi. Personne ne lui prête attention. Il me tire par un bout du tee-shirt. De guerre lasse, je me lève.
- Qu'est-ce-qui t'arrive ?
- Regarde, elle tourne ! fait-il.

Il pointe son petit index vers la colline. Je sors de dessous le couvert des arbres et lève les yeux vers la croix. Ma première pensée : hallucination. L'immense croix tourne sur elle-même. J'ai beau me frotter les yeux, regarder mes sandales, penser à mon entreprise, attraper une poignée de terre bien dure, la croix tourne toujours, de plus en plus vite, elle devient transparente, disparaît même.

Pourtant mes neurones ont l'air de pulser correctement. J'appelle Alex, le prof, discrètement, sans l'affoler, sans rien dire. Geste vague.

- Tu vois quelque chose, Alex ?
Il a une grimace à la Louis de Funès et ses lunettes font un bond jusqu'à la pointe de son nez.
- C'est pas vrai, la croix, elle tourne !!!
- Tais-toi, ne dis rien.

J'appelle les autres, sans les informer et bientôt nous contemplons le phénomène tous les sept pendant presque un quart d'heure, montre en main.

L'avalanche continue. Pierre porte une longue cicatrice due au couteau qu'il a voulue s'enfoncer dans l'abdomen après le départ de sa femme. Nous sommes souvent torse nu au campement. Il s'approche de moi, les lèvres en « ô ».

- Regarde !

La cicatrice a quasiment disparu.

Je n'en peux plus de tous ces signes. « Non, Seigneur, je ne peux pas prier Marie, réciter des prières comme une fable cent fois répétée. Permet que j'assiste aux apparitions dans la chapelle. Je sais que c'est réservé aux religieux, mais tu peux le faire. »

Ce soir-là, j'attends près de la porte de la chapelle. Un franciscain monte la garde. Je prie intérieurement. Quelqu'un m'attrape par la manche, c'est le moine. Il me dit quelque chose que je ne comprends pas et me pousse à l'intérieur de la chapelle. Je me trouve au premier rang lorsque les voyants arrivent. Je prie Dieu de me garder du Malin : les voyants commencent à prier l'Ave Maria. J'observe discrètement les gens plongés dans cette prière. Puis il y a un grand « Boum » et, dans un synchronisme parfait, les voyants s'écrasent à genoux, les jambes sabrées. J'ai mal aux rotules pour eux. Les premiers posent la main sur l'épaule des voyants. Je pose la mienne sur le bras de Vicka.

J'ai lu dans un livre que les voyants en extase deviennent complètement insensibles à la douleur et aussi lourds que des blocs de pierre. Personne ne me regarde, je pince Vicka, de plus en plus fort. Aucune réaction. Bof, les fakirs s'enfoncent bien des aiguilles dans le corps. Alors je la pousse, doucement d'abord - on aurait l'air malin si on basculait tous les deux à plat ventre. Rien... je me cale bien, fesses sur talons. Vicka prie « en équerre », aucun équilibre et je pousse de toute la force de mes quatre-vingt kilos, alors c'est la rencontre avec le surnaturel. Je pousse un bloc de granit et j'ai devant moi une adolescente. Frisson, il se passe quelque chose ici...

Je sors mon périscope et je sens la paix de cet endroit tellement réelle qu'elle en est palpable. Je demande encore à Dieu de me garder, peut-être que je passe à côté de l'essentiel. Pour la première fois de ma vie, je prie la Vierge :

- Si tu es là, si tu es dans le plan de Dieu, montre-le-moi. Que j'en sois sûr.

Je lève les yeux vers cet endroit au-dessus de la table qui fascine les voyants.

Une lumière apparaît, comme un rayon de soleil au travers d'une vitre, mais de l'épaisseur d'un jeune arbre et je vois ce rayon descendre timidement vers moi et pénétrer mon cœur. Dès que le rayon de lumière a touché ma poitrine, je sens toutes mes craintes se diluer et s'évanouir. Je n'ai jamais encore ressenti une plénitude aussi profonde. Tout mon être se dissout dans un bain de douceur, d'amour. Plus rien n'existe que cette tendresse enveloppante. Et j'aurais pu mourir là, de pur amour...

Mon souvenir reprend sur le sentier proche de la tente. Alex me regarde et dit en fronçant les sourcils :

- Qu'est-ce-qui t'arrive ? On dirait que ton visage rayonne de lumière.

Trois. J'ai mis trois mois à redescendre sur terre. Trois mois où tout était tellement facile, prier, aimer, mourir.

J'étais réconcilié avec l'Église, Marie et moi-même. Pierre s'est converti est devenu responsable dans un groupe de jeunes chrétiens.

Gloire à Dieu.

Message du 25 février 1990

« *Chers enfants, je vous invite à l'abandon à Dieu. En ce temps, je souhaite particulièrement que vous renonciez aux choses auxquelles vous vous êtes liés, mais qui font du mal à votre vie spirituelle. Ainsi, petits enfants, décidez-vous entièrement pour Dieu et ne laissez pas Satan pénétrer dans vos vies par ces choses qui vous font du mal, à vous et à votre vie spirituelle.*

Petits enfants, Dieu s'offre entièrement à vous, mais vous ne pourrez le découvrir et le connaître que dans la prière. C'est pourquoi, décidez-vous pour la prière ! Merci d'avoir répondu à mon appel. »

JE SUIS LE DEUXIÈME CURÉ D'ARS

Ce matin-là, à Medjugorje, je donne une conférence à des pèlerins français, dans la petite salle vidéo attenante à la chapelle de l'Adoration. Ayant largement développé l'appel à la sainteté lancé par Marie au monde[1], je me dis : « Il leur faut maintenant un exemple très fort, dont ils se souviendront... » Et me revient à l'esprit une anecdote sur la vie du Curé d'Ars[2].

- Vous connaissez tous le saint Curé d'Ars. Vous savez à quel point il attirait les plus grands pécheurs pour les ramener à Dieu. Sa sainteté était très grande, et les nombreuses victoires qu'il obtenait pour les âmes irritaient énormément Satan. Celui-ci venait souvent le tourmenter pour lui faire abandonner sa tâche. Même la nuit, il l'empêchait de dormir par ses sarcasmes, tentait de faire brûler son lit..., etc. Un jour, alors que le saint Curé lui avait encore arraché un grand nombre d'âmes, Satan ne se contint plus et, furieux, lui lâcha cette confidence : « Si en France j'en trouvais seulement trois comme toi, je ne pourrais plus y mettre les pieds ! » Trois grands saints comme le Curé d'Ars auraient donc suffi à empêcher Satan de faire sa sinistre besogne en France ? Alors, quelle inimaginable puissance revêt la sainteté d'un seul homme ! Un saint en lui-même est plus puissant pour son pays et pour le monde qu'un Président de la République ! Seulement voilà, il n'y avait pas en France les deux autres saints qui auraient pu compléter cette protection.

Et, avisant le groupe devant moi, je lance :
- Qui parmi vous veut bien faire ces deux saints qui manquent ?

Consternation générale. Personne ne s'attendait à un tel appel ! Comme j'attendais les réactions, montrant clairement que je ne continuerais pas avant d'avoir vu deux doigts se lever, je vis deux petites menottes au premier rang qui se désignaient volontaires.

- Moi, ma sœur, moi !
- Et moi aussi !

Deux petites filles de sept et huit ans acceptaient le défi ! Elles seraient les deux saintes indispensables à la France. J'avale ma salive pour empêcher mes larmes de couler... Faut-il que ce soient des enfants qui répondent, et de tout leur petit cœur pur !

Après la conférence, je leur explique comment devenir saintes, et combien la Gospa est heureuse de leur décision. Combien elle va les aider, jour après jour, sans jamais les lâcher, et combien leur OUI généreux est précieux, infiniment précieux pour elle. Elles prennent ensemble la résolution de vivre les messages et de s'y aider mutuellement. Et les voilà parties...

---

[1] « Sans la sainteté, chers enfants, vous ne pouvez pas vivre, je suis venue ici pour guider chacun de vous vers l'entière sainteté. »

[2] Voir cassette de Sœur Laure « Le Curé d'Ars » - Maria Multimédia.

Trois ans plus tard, je donne une conférence près de Nice. Une grande foule s'était rassemblée. Tandis que je teste le micro avant de prendre la parole, je sens une petite main qui tire mon scapulaire. Je me retourne et vois une petite frimousse de dix ans me sourire jusqu'aux oreilles et me dire :

- Ma sœur, vous me reconnaissez ? Je suis le deuxième Curé d'Ars !

Comment pourrais-je ne pas me souvenir ! A nouveau, les larmes me montent aux yeux et j'ai bien du mal à les retenir.

- Oh, formidable ! dis-je dans un souffle.
- Et elle, ma sœur, vous la reconnaissez aussi ? C'est le troisième Curé d'Ars !

Ces deux petites bichettes avaient tenu bon leur promesse à la Sainte Vierge, contre vents et marées, et trois ans plus tard elles venaient me l'annoncer avec fierté !

- C'est dur, me dit l'une après la conférence, surtout à l'école. Beaucoup se moquent de nous. Mais on ne se laisse pas faire, on sent que la Sainte Vierge nous aide, c'est super !

Tiens, je voulais vous demander : l'autre jour, un gars m'a carrément insultée devant tout le monde, et méchamment en plus. Vous croyez que j'aurai la couronne du martyre ?

Le Royaume des Cieux appartient aux enfants, et à ceux qui leur ressemblent. La petite Sophie continue à m'écrire. Elle pense à une vocation, prions tous pour elle !

Message du 25 mars 1990

« Chers enfants, je suis avec vous, même si vous n'en avez pas conscience. Je veux vous protéger de tout ce que Satan vous offre et par quoi il veut vous détruire. Comme j'ai porté Jésus en mon sein, de même vous aussi, chers enfants, je veux vous porter vers la sainteté.

Dieu veut vous sauver et vous envoie des messages par l'intermédiaire des hommes, de la nature et par de nombreux autres moyens, qui ne peuvent que vous aider à comprendre qu'il faut changer la direction de votre vie. Ainsi, petits enfants, comprenez la grandeur du don que Dieu vous accorde par moi, pour que je puisse vous protéger de mon manteau et vous porter vers la joie de la vie. Merci d'avoir répondu à mon appel. »

LES RENDEZ-VOUS DE LA CROIX BLEUE

Ce soir encore, autour d'un énorme plat de spaghettis qu'elle nous a préparé, Marija raconte...

- C'est incroyable ce que certains guides peuvent inventer sur les événements des premiers jours ! Tiens, par exemple : un pèlerin m'a demandé si vraiment la Gospa avait choisi cette couleur bleue pour peindre la Croix Bleue. Imagine !

Bonne introduction, me dis-je, nous allons découvrir du nouveau...

- Pour la Croix Bleue, continue-t-elle, en fait tout a commencé lorsque la milice a interdit au peuple de monter sur la colline. Nous (les voyants) passions par là et soudain la Gospa nous est apparue. C'était tout à fait inattendu ! Alors nous avons prié, nous avons chanté. A ce moment-là, les miliciens nous recherchaient et ils parcouraient toute cette zone, très en colère. Ils passèrent par là, tout près de nous, mais ils étaient comme aveuglés : ils ne nous ont pas vus ! Ils n'entendaient pas non plus nos chants. C'était incroyable, ils avançaient et se parlaient comme si nous n'étions pas là, alors que nous chantions à quelques mètres d'eux.

A partir de ce jour, la Gospa nous est apparue là très souvent, et jamais la milice ne nous y a trouvés. C'était un peu notre refuge. Un jour, quelqu'un a dressé une croix et l'a peinte en bleu. On a commencé à dire : « On va à la Croix Bleue ». Mais ce n'est pas la Gospa qui a choisi la couleur !...

Le petit Michaël se met à pleurer, et Marija se lève pour le nourrir. Pour Marija, tout appartient à une seule et même réalité, voir la Gospa, allaiter comme elle son enfant... elle passe de l'un à l'autre avec cette aisance typique des cœurs purs.

- Peu de pèlerins connaissent la Croix Bleue, mais on devrait les encourager à venir y prier, dit-elle. C'est un lieu que la Gospa a choisi.

Oui, Marija a raison. Et la Croix Bleue appartient à ces lieux caractéristiques choisis par Marie : il n'y a rien ! Je veux dire, rien d'extraordinaire. Situé à quelques mètres en amont de la route qui longe la colline, ce haut lieu d'apparitions (des centaines !) respire l'humilité du paysage local : quelques pierres saillant de la terre rouge, quelques arbustes trop frêles pour abriter du soleil, quelques buissons épineux grâce auxquels on ne peut se mouvoir sans se piquer un minimum, et par terre presqu'aucune surface assez plane pour espérer s'agenouiller sans perdre vite l'équilibre !

La Croix Bleue n'a jamais cessé d'être visitée par Marie, car le groupe de prière d'Ivan s'y réunit encore fréquemment, les mardi et vendredi soir. J'ai personnellement été témoin de grandes grâces répandues en ce lieu, pour les pèlerins et pour moi-même (quand j'ai un poids sur le cœur, j'y vais et j'en repars toujours apaisée).

Un soir, une foule se rassemble autour d'Ivan devant la Croix Bleue, et une prière monte, fervente, vers le ciel. Tout à coup, les voix s'interrompent car la Mère de Dieu se tient là devant nous, c'est le grand silence de l'apparition. Trois minutes se passent ainsi lorsqu'un bruit d'éboulis brise le silence. Chuchotements, agitation sur le côté gauche... que s'est-il passé ?

Une très jeune fille me raconte toute l'affaire. Incroyante, et bien sûr non pratiquante, elle vit comme tous les jeunes Français de son âge, sans grand souci de ce Dieu bien lointain dont personne ne lui parle. Le caté ? Il a vite été oublié. Seule la grand-mère va encore à la messe le dimanche. Oh, il faut la laisser, elle est âgée, c'est son truc, on ne va pas la contrarier avec ça...

Mais voilà que la grand-mère décide d'aller à Medjugorje, en car, elle qui a si peu de santé. Et elle y tient ! Elle propose alors à sa petite fille de l'accompagner ; le marché est le suivant :

- Je te paie le voyage, tu verras, la Yougoslavie c'est très beau, et en échange tu t'occuperas de moi.

Le mirage de la Yougoslavie fait son effet, marché conclu !

Ce soir-là, Valérie accompagne sa grand-mère à la Croix Bleue. Elle sait que tous ces gens prient et attendent que la Sainte Vierge arrive... mais elle n'attend rien du tout. Tout ça, c'est des histoires ! La grand-mère se tient debout car elle ne peut s'agenouiller, tandis que la jeune fille se retrouve coincée par des gens qui lui bouchent toute la vue. A peine le silence s'étend-il sur toute l'assemblée que Valérie voit la Sainte Vierge. Elle regarde, regarde encore... oui, c'est bien la Sainte Vierge. Elle est là, elle est venue, elle sourit d'un sourire qui n'est pas de cette terre. Deux minutes s'écoulent, le jeune fille décide alors de la voir encore mieux, et monte sur une pierre posée là, contre le muret. Impossible de ne pas laisser échapper des exclamations même discrètes. La grand-mère comprend alors que sa petite fille « voit quelque chose » et - mal lui en prend - amorce une tentative pour la rejoindre sur sa pierre... C'est alors que l'éboulis se produit, elles tombent toutes les deux ensemble.

- Quand j'ai pu me relever, me dit la jeune fille, la Sainte Vierge n'était plus là, tout était fini.

Et elle ajoute avec un air presque coupable :

- Mais vous, ma sœur, dites-moi pourquoi c'est à moi qu'elle est apparue et pas à quelqu'un d'autre, alors que tous, vous veniez pour la prier ?

- Peut-être que c'est pour ça justement ! Tu étais la seule à ne pas la prier, à ne même pas l'attendre. Elle te cherchait depuis longtemps, alors hier soir elle a voulu que tu la trouves. C'est ta mère, elle ne te lâchera plus, tu sais !

- Oh moi non plus je ne la lâcherai plus ! Si vous aviez vu, ma sœur, comme elle était belle, mais belle !

Message du 25 avril 1990

« *Chers enfants, aujourd'hui, je vous invite à accepter avec sérieux et à vivre les messages que je vous donne. Je suis avec vous et je voudrais, chers enfants, que chacun d'entre vous soit le plus près possible de mon cœur. C'est pourquoi, petits enfants, priez et recherchez la volonté de Dieu dans votre vie de tous les jours.*

Je voudrais que chacun d'entre vous découvre le chemin de la sainteté, pour croître sur ce chemin jusqu'à l'éternité. Je prierai pour vous et je vais intercéder pour vous devant Dieu pour que vous compreniez la grandeur de ce don que Dieu m'accorde d'être avec vous. Merci d'avoir répondu à mon appel. »

LA FRANCE EST APPELÉE

A l'âge de quatorze ans, une inspiration forte occupait ses pensées : « Sauver la France. » Une âme de Jeanne d'Arc. Son nom : Florence de Gardelle. Mais cette lubie d'adolescente s'avéra des plus fugitives, car Florence réserva vite à Dieu la place que lui réserve encore l'écrasante majorité des Français : la dernière. Ou plus exactement, pas de place du tout. Elle adopta les us et coutumes familiaux. Dieu ? Connais pas !

Elle épouse Bernard qui, lui, va à la messe le dimanche et tient à sa présence à ses côtés à l'église « pour les enfants ». Elle n'y prie pas et accomplit la corvée en guettant le *Ite Missa est* pour pouvoir filer. Qu'y a-t-il au centre de sa vie ? La danse, le bridge, le théâtre, oh rien de bien malsain, mais... « le monde ». Chez les enfants, c'est pas la joie du tout.

Florence a un caractère timide et effacé, mais elle occupe un bon poste chez IBM et elle assure... Mi-novembre 1987, elle rencontre son amie Rosemonde qui revient de Yougoslavie, et qui lui raconte son voyage. Ce jour-là, la Gospa réussit sa toute première percée chez les Gardelle. Florence attrape le livre que Rosemonde lui a laissé : « *Medjugorje, récits et messages* », du Père Laurentin. Elle le dévore ! Il est fini dans la nuit. Et avant l'aube elle dit : « Il faut que je parte tout de suite ! Par n'importe quel moyen ! » L'appel est irrésistible.

Les jours suivants elle cherche, elle cherche... aucun prêtre ne peut la renseigner. Rien dans les journaux, inconnu des agences de voyage.

- Medjugorje ? Ah non, ce nom ne figure nulle part !

Mais Florence ne se laisse pas abattre, et début décembre, elle débarque à Medjugorje avec un petit groupe.

Pas de chauffage dans la maison croate, on se gèle à l'intérieur, à l'extérieur aussi et jusque dans l'église. Il pleut pendant cinq jours. Florence et son groupe errent, sans guide. Le temps paraît interminable, ils le tuent en marchant dans la boue... bref, tous se demandent vraiment ce qu'ils sont venus faire dans ce bled ! Dans sa naïveté, Florence pensait qu'elle verrait la Sainte Vierge. Elle la guettait depuis quatre jours, mais rien ! Le dernier jour, elle décide d'aller chez Marija et, avec ses amis, se joint à des Américains qui, par chance, avait pris rendez-vous avec la voyante. Il pleut à verse, tout le monde est tassé dans la minuscule cour de Marija que le traducteur abrite sous un immense parapluie. Florence est fascinée par le récit de Marija. Quand le groupe se disperse, elle ne peut plus faire un mouvement, elle est littéralement clouée sur place !

La lumière a baissé très vite, on est entre chien et loup. Comme d'habitude, Marija va remonter son petit escalier pour rentrer chez elle, mais non, elle s'arrête net sur une marche. Elle se tourne vers Florence qu'elle ne connaît ni d'Ève ni d'Adam et lui déclare en la regardant droit dans les yeux :

- La Gospa dit qu'il n'y a pas beaucoup de Français à Medjugorje, mais que vous qui êtes là, vous aurez beaucoup de grâces, et que lorsque vous rentrerez dans vos familles, il y aura beaucoup de grâces, parce que vous êtes appelés !

Et là-dessus, elle s'en va. (Aujourd'hui, Florence a encore dans l'oreille chaque mot prononcé par Marija, comme si elle venait de l'entendre.)

Florence et ses amis sont estomaqués. Déjà bouleversés par les messages transmis par Marija, voilà que nos pauvres petits Français isolés dans cette marée américano-germano-italienne se voient gratifiés d'un message tout spécial ! Florence se met à pleurer et garde le silence. Toujours en larmes, elle prend l'avion. Bernard l'attend à Nice.

- Alors ? questionne-t-il dans la voiture.

Et Florence la taciturne de se lancer dans un récit époustouflant sur la Sainte Vierge, sur Marija, sur les messages, sur ce moment unique du dernier soir... Bernard ne reconnaît plus sa femme. La voilà devenue volubile, il ne peut même pas en placer une ! Au cours du récit, Florence revit toute l'abondance de grâces reçues chez Marija, ce fleuve de paix indéfinissable qui envahit le cœur jusqu'à le faire craquer de bonheur, et c'est dans un torrent de larmes qu'elle partage son expérience. La voiture s'arrête devant la maison, mais ni Bernard ni Florence ne peuvent en bouger. Les larmes ont saisi aussi Bernard, et la scène tourne au jamais vu dans ce couple plutôt réservé. Ils sanglotent côte à côte un long moment et ce jour-là, la Gospa fait sa deuxième percée chez les Gardelle.

Florence a été retournée comme une crêpe. Elle ne peut plus se taire. On ne la reconnaît plus ! Elle met Medjugorje à toutes les sauces et nul n'échappe à ses récits. Le plus étonnant c'est que personne ne la prend pour une illuminée. Tous croyants comme les athées, sont suspendus à ses lèvres... la grâce coule et touche les cœurs. Les mondanités sont balayées au profit des rencontres sur Medjugorje et la Gospa commence ses ravages sur Nice. Les gens les plus inattendus se mettent à dire : « On veut y aller ! » Jusqu'au jour où Gaëtan, le plus récalcitrant des durs à cuire qui remballait fermement sa femme à chacune de ses tentatives pro-Medjugorje, Gaëtan l'irréductible du « Niet ! », déclare à Florence : « Florence, si on faisait un car ? »

C'est lui qui inaugure les pèlerinages du sud-ouest, car Florence avait besoin de ce soutien pour lancer la machine[1]. Et les fioretti se multiplient dans toutes ces familles touchées par Medjugorje. La Gospa n'est pas à un miracle près : guérisons de la drogue, de l'alcool, réunions de couples divorcés, réconciliations, jusqu'aux délicatesses les plus matérielles !

Un jeune qui inquiétait beaucoup ses parents fit une fugue, une nuit, par la fenêtre : quinze jours d'angoisse à l'état pur pour les parents qui ignoraient que sa fugue l'avait amené à... Medjugorje ! Mais, après deux semaines là-bas, voilà le jeune sans un sou. Il avise une voiture qui rentre aussi en France, mais ces braves gens ne sont pas mieux équipés que lui, il leur reste juste de quoi faire un plein d'essence. Ils prient et partent... ce plein d'essence qui ne devait guère leur permettre de dépasser Zadar les amena jusqu'aux bords de la Loire où ils habitaient ! Le jeune homme est maintenant en route vers le sacerdoce.

Bertrand, le fils de Florence, fréquentait davantage les discothèques que les églises. Un jour, sa mère lui annonce qu'elle part à Medjugorje.

- J'irais bien avec vous !

- Tu sais Bertrand, à Medjugorje, il n'y a pas de boîtes de nuit...

---

[1] Florence de Gardelle continue ses pèlerinages chaque mois en car.
Ses coordonnées : 122 avenue Brancolar, 06100 Nice - Tél. : 04 93 81 11 22
Fax : 04 93 53 69 63.

Mais à l'heure H, Bertrand est là pour le départ. A Medjugorje, il galère comme une âme en peine jusqu'au moment où il écoute le Père Jozo et ressent la présence de la Vierge (premier déclic). La dernière nuit, il décide de monter au Krizevac avec un copain.

Arrivé à la croix, nouvelle expérience et il voit trois flashs de lumière[1]. « Je n'aurai plus jamais peur ! » dit-il le lendemain à sa mère.

La belle-sœur de Florence est transformée, elle ne pense plus qu'à faire connaître la Vierge. Elle organise un charter pour Medjugorje. Ses dîners mondains ? les voilà changés en dîners-vidéo, où ses convives découvrent Medjugorje en soixante minutes avant de passer à table !

Un des plus beaux fruits, c'est la floraison des vocations. Les « cars pour Medjugorje » sont devenus les plus étonnantes pépinières de vocations ! Florence a su prendre le Seigneur par les sentiments. Dès le début, elle lui a dit :

- A chaque car, le Malin essaye de nous mettre des bâtons dans les roues, tu sais combien il est dur parfois de batailler contre lui. Tu peux compter sur moi pour ne pas me laisser décourager, mais en échange, je te demande pour ce car quatre vocations !

Et elle les obtient ! S'il y a plusieurs cars, elle augmente la mise. On ne compte plus les séminaristes (et autres vocations) qui ont germé à Medjugorje. D'ailleurs, ce saint chantage, digne des femmes de la Bible, a fait école et le Seigneur se révèle docile en affaires...

Je crois que ces nouveaux « maîtres chanteurs » ont trouvé là un bon filon !

Conclusion ? Les Français sont maintenant les plus nombreux à Medjugorje, parmi les pèlerins. Je ne peux évoquer cela sans que des larmes me viennent aux yeux, car j'y vois les lueurs de la résurrection de mon pays, prophétisée par Marthe Robin en 1936 au Père Finet :

« *La France tombera très bas, plus bas que les autres nations, à cause de son orgueil (...). Il n'y aura plus rien. Mais dans sa détresse, elle se souviendra de Dieu et criera vers lui et c'est la Sainte Vierge qui viendra la sauver.*

---

[1] Pour les voyants, ces trois flashs surviennent juste avant l'apparition. Ana, la sœur de Vicka les voit aussi.

*La France retrouvera alors sa vocation de Fille aînée de l'Eglise,
elle sera le lieu de la plus grande effusion de l'Esprit et elle enverra à
nouveau des missionnaires dans le monde entier.* » [1]

Dans cette « Sainte Vierge qui viendra sauver la France » de son
tragique désert spirituel[2], ne pourrait-on pas reconnaître la Gospa de
Medjugorje[3] ? Comment ne pas ouvrir les yeux sur le magnifique
ouvrage de la Reine de la Paix, qui restaure de l'intérieur le tissu de la
chrétienté française, minée par le prince des fausses lumières et des
sociétés secrètes qui torpillent les commandements de Dieu en toute
légalité ?

La Gospa nous réserve encore bien des surprises, car rien n'arrêtera
maintenant la réalisation de son plan pour notre pays. Le Malin a voulu
le perdre en balayant l'amour au profit de l'orgueil. La Gospa est en
train de lui rendre la vie en ressuscitant les cœurs, nos yeux en sont déjà
témoins.

---

[1] Marthe prophétisa aussi en 1936 que parmi les erreurs mensongères qui allaient
sombrer, il y aurait le communisme et la franc-maçonnerie (cf Raymond Peyret,
« *Prend ma vie, Seigneur* » page 139), cela par une intervention de la Vierge. Marthe
évoquait souvent la vocation sublime de la France et combien la Vierge la tenait à
cœur. « De la France sont partis des milliers de missionnaires pour le monde, et en
repartiront ! La France se relèvera lorsque ses jeunes auront à nouveau le courage
d'annoncer leur foi. » Ils seront des intimes de Marie, comme l'a si bien décrit saint
Louis-Marie Grignion de Montfort. Une anecdote mérite d'être citée :
Le 25 mars 1966 la Sainte Vierge avait déposé elle-même sur le lit de Marthe un
petit livre de ce saint : « *Le Secret de Marie* » en lui disant : « *Voici le livre que je
veux voir répandu dans le monde entier.* » D'après Marcel Clément, le Père Finet
était très intrigué, car personne n'était entré dans la chambre de Marthe.
- Qu'est cela mon enfant ? demanda-t-il.
- C'est la Maman, mon Père, avait alors répondu Marthe.
[2] En octobre 1993, après son voyage de noces en France, Marija m'a dit :
« Pour nous, voir la France a été une tragédie. Vos églises sont vides, poussiéreuses,
la foi y est morte ! Celles qui sont entretenues sont transformées en musées, la prière
a disparu. Mais je vois que la Gospa vous attire nombreux à Medjugorje. Ici, elle va
convertir la France. »
Je l'ai un peu grondée : « Si, au lieu de venir incognito, tu étais allée prier dans des
lieux de renouveau spirituel... tu aurais vu des merveilles ! » (Marija allait dans une
église chaque jour pour son apparition. C'est ainsi que la Gospa est apparue, entre
autre, au Sacré-Cœur et à Notre-Dame de Paris.)
[3] Sans exclure évidemment l'œuvre remarquable des Foyers de Charité et celle des
communautés nouvelles.

Message du 25 mai 1990

« *Chers enfants, je vous invite à vous décider avec sérieux à vivre cette neuvaine. Consacrez du temps à la prière et au sacrifice. Je suis avec vous et je souhaite vous aider à croître dans le renoncement et la mortification, pour que vous puissiez saisir la beauté de la vie de ceux qui se donnent à moi de façon particulière.*

Chers enfants, Dieu vous bénit de jour en jour et il souhaite la transformation de votre vie. Ainsi, priez pour avoir la force de changer votre vie. Merci d'avoir répondu à mon appel. »

LES HUIT ET UNE NOCTURNES DE PODBRDO

Ce soir encore, Marija raconte le temps des premières apparitions :

- La Gospa nous demandait souvent de prier pour ses intentions et pour les plans qu'elle était en train de réaliser[1]. Un jour, elle nous demanda de faire une grande neuvaine pour quelque chose de très important et elle invita tout le village à se rendre sur la colline entre deux et trois heures du matin pour prier, pendant neuf nuits. Une grande partie du village a répondu. La Vierge nous apparaissait (à nous les voyants) et au cours de la neuvième nuit, il s'est passé une chose incroyable. Tandis que nous avions l'apparition, les villageois ont vu les étoiles tomber du ciel. Elles se dirigeaient vers l'endroit où la Gospa se tenait, comme si sa présence leur servait d'aimant. Les étoiles glissaient sur elle, lui faisant en quelque sorte un manteau de lumière, puis tombaient à terre. En touchant le sol, elles rejaillissaient vers le ciel en se multipliant à l'infini. Les villageois, voyant les étoiles tomber ainsi du ciel se mirent à avoir très peur et certains se mirent à crier[2]. Ils disaient : « Voilà, c'est la fin du monde ! C'est la fin du monde ! » Ils eurent si peur qu'ils restèrent toute la nuit à prier sur la colline.

Mais nous, les voyants, nous n'avions rien vu de cela car, durant l'apparition, la Gospa était comme chaque jour, et nous ne voyions ni le ciel, ni les étoiles, ni rien de ce qui se passait autour de nous. Après l'extase, les villageois nous ont tout raconté.

---

[1] Vicka m'a dit que la Gospa gardait secrets ses plans, mais que parfois elle lui précisait de quoi il s'agissait.

[2] Comme à Fatima le 13 octobre 1917 !

Alors nous nous sommes beaucoup réjouis, car à cette époque nous étions constamment menacés d'être mis en prison. Nous nous sommes dit : « C'est bien, lorsque nous serons en prison, c'est tout le village qui pourra témoigner à notre place de ce que la Gospa fait ici. Elle a maintenant de nouveaux témoins ! »

Message du 25 juin 1990
(9ème anniversaire des apparitions)

« Chers enfants, aujourd'hui, je veux vous remercier pour tous les sacrifices et pour toutes les prières. Je vous bénis de ma bénédiction spéciale de Mère. Je vous appelle tous à vous décider pour Dieu et à découvrir de jour en jour sa volonté dans la prière.

Chers enfants, je voudrais tous vous inviter à la conversion complète, pour que la joie soit dans vos cœurs. Je suis heureuse de vous voir ici aujourd'hui en si grand nombre. Merci d'avoir répondu à mon appel. »

LES CRÉATURES DE LA TETKA

Tetka commença son métier de bergère à l'âge de sept ans et ne le quitta jamais. Elle appartient à cette race noble et solide que la Gospa a choisie à Medjugorje, dont la foi est sans mélange car Dieu est Dieu. Son cœur vibre constamment à l'unisson de la nature comme du Créateur. Elle connaît chacune de ses quarante brebis par son nom comme elle connaît chaque pierre, chaque buisson, chaque recoin de la vallée de Medjugorje. Vous la trouverez encore aujourd'hui assise sur une pierre du côté de Sivric, filant la laine au rythme du rosaire et gardant son troupeau d'un œil vigilant. Chaque soir, lorsqu'approche l'heure de la messe, elle se fait toute belle pour se rendre à l'église, empruntant ces petits sentiers rouges truffés de cailloux qui serpentent entre les champs. Rien ne l'arrête, ni le verglas, ni la «boura», ce vent glacé de l'hiver qui décornerait les bœufs, ni les canicules de juillet ; car son vrai toit est le ciel et sa vraie sécurité est de marcher avec Dieu.

Je me régale de sa compagnie et son seul visage de lumière suffirait à nous faire comprendre pourquoi la Gospa a choisi ce village. Pas de théologie, pas de subtilité de langage, aucune connaissance livresque, mais des siècles d'humble écoute des murmures de Dieu dans le cœur. Car, pour ce peuple qui a arrosé de ses larmes et de son sang ces vallons d'Herzégovine, Dieu est le seul grand ami, l'ami sûr, le Dieu dont le Credo a résisté à la doctrine de Mahomet et celle de Marx.

A ses côtés, j'apprends Dieu mieux que dans les monastères, car tout devient simple et limpide. Comme tous les Croates d'ici, elle parle des choses les plus tendres avec les décibels de quelqu'un qui haranguerait une armée rangée en ordre de bataille ; ça fait partie de son charme ! La ruée de pèlerins qui a envahi son domaine n'a rien changé à ses habitudes. Il est vrai que certaines choses l'étonnent de la part de ces étrangers, mais je la soupçonne de rendre grâce à Dieu d'être la plus heureuse des femmes, en gardant ses moutons loin d'un monde qui ne sait pas reconnaître sa droite de sa gauche.

Elle habite avec ses neveux, Petar, Vesna et Mladen, qui sont mes grands amis. Un jour, Petar me dit :

- Sister, plusieurs brebis sont malades, elles vont mourir et l'on craint que tout le troupeau ne soit contaminé...

Désolée de la nouvelle, j'exprimai deux mots banals pour lui montrer ma tristesse quand, tout à coup, une lueur fulgurante traversa mon pauvre esprit. Je me souvins en effet d'un message de la Gospa dans lequel elle nous demandait de « *transmettre sa bénédiction spéciale et maternelle à toutes les créatures* » (25-12-88). Souvent, je m'étais posé cette question : qu'entend-elle par « *toutes les créatures* »? Inclut-elle aussi les animaux ?

Pour cette famille, perdre tout un troupeau était une catastrophe, et il n'était plus temps pour moi de concocter des analyses exégétiques... Il fallait passer à l'action au plus vite.

- Petar, lançai-je pour le provoquer, la solution à ton problème se trouve une fois de plus chez la Gospa, dans son message sur la « bénédiction spéciale et maternelle »...

Tête de Petar : □◆✳▲◇!! ☙+ ✝

J'en étais sûre, il ignorait tout de ce message ! Cela aurait été dommage de rater l'occasion de le taquiner, aussi je lui lançai d'un air offusqué :

- Quoi ? Toi, un Croate né à Medjugorje, tu ne connais pas ce message ? Il faut que ce soit une étrangère qui vienne te dire ce que votre Gospa vous a dit dans votre langue, dans votre village ?

Je compris à son sourire que j'avais fait mouche, et qu'il n'oublierait plus jamais le fameux message que j'allais lui révéler.

- Elle a dit : «*[...] Aujourd'hui, je vous donne ma bénédiction spéciale, pour que vous la portiez à toute créature, pour qu'elle reçoive la paix. Merci d'avoir répondu à mon appel.*»

Et quand elle parle des «*créatures*», c'est sûr (je me promis de vérifier auprès de Marija), elle inclut les animaux[1]. Ça veut dire que tu vas aller vers ton troupeau et que tu vas prier pour qu'il reçoive la bénédiction de la Gospa...

Tête de Petar : ☐◆✳▲◆!! ✌☩ ?

J'en étais sûre, ce n'était pas dans ses habitudes, et on ne change pas comme ça les habitudes d'un paysan d'Herzégovine.

- Sister, je préfère que ce soit toi qui le fasses. Tu es une sœur, ça marchera mieux avec toi !

Adjugé ! Je lui promis de revenir dans l'après-midi avec mes frères et sœurs. L'heure venue, la Tetka sortit ses bêtes, et les six étrangers se mirent à prier. C'était la première fois que j'avais devant moi des petites

---

[1] En France, il fut un temps où le Christ avait davantage de place dans les cœurs, et où les paysans bénissaient aussi bien leurs champs que leur bétail. Au temps des rogations, on voyait des processions dans les campagnes, le prêtre en tête suivi des villageois, chantant leur Créateur et bénissant les terres cultivées. De toute évidence, la Gospa nous invite à reprendre cette belle tradition. C'est aussi une manière de débarrasser nos campagnes des pratiques plus ou moins glauques qui ont pris la relève, je veux dire le recours aux guérisseurs de toutes sortes, aux personnes qui détiennent des dons et des pouvoirs.

Il faut savoir en effet que beaucoup de ces pratiques prennent leur origine dans la sorcellerie (même si la dame a une statue de Lourdes dans son salon), et que certains «dons de guérison» acquis par l'un ou l'autre guérisseur proviennent de Satan lui-même, en amont de la filière, à quelques générations. Il faut savoir aussi que Satan est un destructeur et ne fait pas de cadeau, son don en réalité ne fait que déplacer la maladie sur une autre partie de l'être, pour faire croire au prodige mais surtout pour altérer la santé du cœur et de l'âme. C'est ainsi que l'on guérit apparemment d'un genou malade, mais que bizarrement on a des angoisses nocturnes ou une incapacité soudaine à supporter son conjoint. L'âme devient peu à peu prisonnière, même si physiquement telle ou telle partie du corps s'améliore provisoirement.

Les prières séculaires de l'Église ainsi que les bénédictions qu'elle propose sont autant de trésors à notre disposition pour répondre à nos besoins. A Medjugorje, la Vierge nous recommande d'y recourir, par exemple d'utiliser de l'eau bénite ou de porter des objets bénis sur nous.

Recourir à des moyens païens pour se protéger ou pour enrayer le mal est prendre le risque énorme d'introduire l'ennemi chez soi...

choses en laine plutôt que des êtres humains pour la prière, mais je sentis la joie du Créateur au milieu de nous et tout se passa dans une simplicité enfantine. J'expliquai à Petar que la Gospa n'avait indiqué ni formule ni geste particuliers pour cette bénédiction, et que l'on pouvait donc prier avec le cœur comme on voulait.

Il faut reconnaître que les brebis malades guérirent toutes très vite, et que le troupeau n'a plus été touché par la maladie ces dernières années. Sans doute Petar et Tetka ont-ils continué dans le secret (car ils sont très pudiques pour ces choses-là) à transmettre à leurs bêtes la bénédiction de la Reine de l'Univers.

Message du 25 juillet 1990

« Chers enfants, aujourd'hui, je vous invite à la paix. Je suis venue ici en tant que Reine de la Paix et je veux vous enrichir de ma paix maternelle. Chers enfants, je vous aime et je voudrais tous vous mener à cette paix que Dieu seul peut donner et qui enrichit chaque cœur. Je vous appelle à devenir les porteurs et les témoins de ma paix dans ce monde sans paix. Que la paix règne dans le monde entier, car ce monde est inquiet et désire la paix. Je vous bénis de ma bénédiction maternelle. Merci d'avoir répondu à mon appel. »

TONTON VICTOR NOUS CACHE QUELQUE CHOSE

Printemps 1995. Tonton Victor n'a vraiment pas envie d'accompagner sa femme à Medjugorje. Il préfère son jardin. Il faut dire que la pieuse Ginette, depuis son premier pèlerinage, un an plus tôt, ne cesse de le harceler pour qu'il aille se convertir aux pieds de la Gospa. Tandis qu'il bougonne « Me convertir, moi ? et puis quoi encore ?... », Ginette, très entreprenante, déniche un jour une maison à vendre, plus petite et donc plus pratique pour les deux retraités qu'ils sont devenus. Pourquoi ne pas déménager ?

Abandonner son jardin tant aimé, ah non ! Cette fois-ci c'en est trop pour tonton Victor ! Tant pis : il cède au chantage de Ginette « Si tu viens en pèlerinage avec moi, promis on ne déménagera pas ! » Son jardin vaut bien un sacrifice ! Bon gré, mal gré (plutôt mal à vrai dire), il accepte de partir avec elle en pèlerinage. Mais quel pèlerinage ! En Bosnie-Herzégovine !

- On a Lourdes chez nous, Paray-le-Monial, Lisieux... qu'est-ce que t'as besoin d'aller en « Bosnie-Herzégovine » ! Pourquoi pas le Kazakhstan Oriental ou la Sierra Nevada pendant que tu y es ?!

Courageusement, il s'embarque dans le car-couchette avec le groupe de pèlerins nantais[1]. Par chance, le guide est compréhensif et plein d'humour, et il ne les assomme pas avec des dévotions interminables. Il connaît son monde : pas trop de prière ni de jeûne à l'aller, car des tontons Victor il en a souvent, et il sait que la Gospa a d'autres tours dans son sac pour leur parler au cœur. Sur place, le tonton se poste un peu en retrait et observe le déroulement des opérations, non sans exprimer de temps à autre une petite réflexion pour se démarquer et faire réagir son auditoire. Mais il suit le groupe partout et se prête sans trop maugréer aux messes quotidiennes, chapelets, chemin de croix, visite, chez les voyants et même la colline des apparitions le dernier jour.

Ginette s'en étonne, elle qui avait craint le pire ! Mais c'est tant mieux, la Vierge semble exaucer un peu ses prières. Avant de repartir, Ginette se pose quand même des questions : tonton Victor a l'air bizarre, pas comme d'habitude... et contre toute attente, il lance à sa femme interloquée : « L'année prochaine, j'veux bien revenir ! »

Oh ! Là, il y a quelque chose ! Ginette guette, observe, scrute, attend, surveille... elle n'ose pas poser de questions mais ça la démange. A peine arrivé chez lui, tonton Victor prend son téléphone et convoque ses enfants pour le dimanche suivant : il a, leur annonce-t-il, une déclaration à leur faire, quand ils seront tous réunis.

Ginette semble n'avoir pas droit au secret avant l'heure H où les enfants entoureront leur père. Tous les échafaudages possibles lui passent alors par la tête et elle devient de plus en plus perplexe. D'autant que le tonton a changé : il ne la remballe plus à la moindre occasion, il est pensif, silencieux, même son jardin n'a plus autant d'importance pour lui. C'est sûr, il couve quelque chose.

Elle n'y comprend plus rien. Elle qui, au sein de la famille, s'est toujours sentie investie du « ministère de la parole » ronge son frein en se disant : « Mais que peut-il bien avoir à dire aux enfants !? »

---

[1] Avec J.C. Terrien, 9 rue Racine, 44000 Nantes - Tél : 02 40 73 54 01 - (pour de plus amples informations sur les pélerinages, voir Minitel 3615 IMMACULÉE ou 3615 FIS, COMMUNION MARIE REINE.)

Rien ne va plus comme avant. Elle confie à une amie : « Qu'est-ce qu'on a donc fait au Bon Dieu pour avoir mérité ça ? » Elle pleure toute la journée.

- Pourquoi, demande l'amie, ça ne s'est pas bien passé le pèlerinage ?
- Mais si, bien sûr... au contraire !

Et d'expliquer que si elle pleure cette fois-ci, c'est de joie et de reconnaissance !
Les voisins questionnent :

- Qu'est-il donc arrivé à votre mari, on ne le reconnaît plus ?

Jusqu'à leur petite fille de sept ans, espiègle comme pas deux, qui coince carrément son papi dans une chambre et lui demande avec le plus grand sérieux : « papi, dis-moi, rien qu'à moi... qu'est-ce qui t'est donc arrivé ? T'es tombé sur la tête ? T'es plus comme avant... »

A table, également, tout a changé. Tonton Victor n'avait jamais faim, aucun aliment solide ne passait, il rejetait la moindre bouchée, et seul le liquide passait. Maintenant ? Voilà l'appétit totalement revenu, il dévore à belles dents tout ce que son heureuse épouse lui prépare.

Et puis, surtout, lui qui jusque là vivait en reclus dans l'isolement de son jardin, se met à proposer à sa femme de la conduire ici ou là, lorsque l'occasion se présente, si ça peut lui rendre service...

Un matin, au réveil, Ginette lui déclare :

- Victor, qu'est-ce qui se passe ? Autrefois, toutes nos journées nous les passions à nous disputer. A présent, nous ne nous disons plus rien ! Et puis tout de même, qu'est-ce que tu peux bien avoir à dire aux enfants ?!?

Ce que tonton Victor a à dire aux enfants, c'est la clé de voûte de son incroyable changement.

Il faut d'abord préciser que deux ans plus tôt, la famille avait été secouée, ébranlée, voire disloquée à la suite d'un grand malheur. Chaque membre avait vu son cœur comme se briser de douleur. Un des fils de Victor et Ginette, Guy, âgé de trente et un ans et père d'une petite fille, avait disparu brutalement au cours d'un accident.

Et tonton Victor d'expliquer à sa femme :

- Tu te souviens, à Medjugorje, le dernier jour, quand vous étiez sur la colline des apparitions ? Moi j'étais derrière comme d'habitude. Soudain, j'ai vu monter du village, dans la vallée, un petit nuage aux rebords étincelants, tellement étincelants que je ne pouvais en détacher mes yeux. Autour, il n'y avait rien d'autre dans le ciel. Tu te souviens, il faisait un temps magnifique. Puis ce nuage est peu à peu monté jusqu'à moi, sur la colline. A mon grand étonnement, il s'est arrêté à environ un mètre du sol, là, juste devant moi ! A l'intérieur de ce nuage, il y avait deux personnes, ou plutôt une silhouette et une personne. De la silhouette, je ne voyais pas le visage... ne me demande pas qui cela pouvait être, je n'en sais rien. Mais la deuxième personne dans un habit comme un voile blanc, c'était... c'était...

Tonton Victor craque, les larmes l'empêchent de continuer. Mais la maman a déjà compris et tonton Victor lui confirme dans un souffle :

- C'était Guy, notre fils ! Bien vivant ! En plus de cela, il m'a parlé ! Il a dit : « Papa, je suis ton fils Guy, qui ne t'oublie pas. Je suis heureux. Dis à tous de prier pour la paix... surtout à mon frère, à mes sœurs et à ma fille. » Je voyais que ses pieds ne touchaient pas la terre. Après que Guy m'ait parlé, le nuage s'est élevé et il est reparti dans le ciel.

Ça y est ! Tonton Victor a livré son secret...

- Pourquoi ne me l'as-tu pas dit aussitôt ? demande son épouse, bouleversée jusqu'au fond de l'être.

- Vous m'auriez pris pour un fou !

Le dimanche suivant, les enfants écoutaient à leur tour le message envoyé par le ciel. Tous furent bouleversés ! D'autant que reçu par papi, l'incrédule, le bougon, le message portait !

Quant à mamie Ginette, exaucée au-delà de toutes ses espérances, elle continue à dire chaque jour :

- Mon Dieu, qu'avons-nous fait pour mériter une telle grâce ?!

Message du 25 août 1990

« Chers enfants, aujourd'hui je désire vous inviter à prendre au sérieux et à mettre en pratique les messages que je vous donne. Sachez, petits enfants, que je suis avec vous et que je veux vous guider tous au ciel par un même chemin, qui est beau pour ceux qui le découvrent dans la prière.

Pour cela, petits enfants, n'oubliez pas que ces messages que je vous donne, vous devez les vivre dans votre vie quotidienne, afin de pouvoir dire : « Voilà, j'ai fait miens les messages et j'ai essayé de les vivre. » Chers enfants, je vous protège par mes prières devant le Père céleste. Merci d'avoir répondu à mon appel. »

LA MAMAN D'IVANKA

Du groupe des six, Ivanka fut la première à voir la Dame, le 24 juin 1981, sur le chemin qui serpente au pied de Podbrdo, alors qu'elle se promenait avec Mirjana dans le hameau de Bijakovici.

Elle fut aussi la première à la questionner, le lendemain, car elle venait de perdre sa mère, Jagoda, deux mois plus tôt :

- *Elle est avec moi,* lui répondit la Dame. *Toi, tu dois obéir et ne pas t'inquiéter.*

Quelques temps plus tard, pour son anniversaire, la Vierge lui fit la surprise de lui apparaître avec sa mère, et Ivanka fut bouleversée de voir à quel point sa mère était belle. Belle comme jamais auparavant !

Mais la surprise ne s'arrêta pas là car le 25 juin 1991, juste après la naissance du petit Josip, la Gospa vint à nouveau avec sa mère[1] (cela arriva cinq fois). Lorsqu'Ivanka revit sa mère, elle ne pouvait en croire ses yeux ; sa mère était devenue encore plus belle, tellement belle !

D'où venait cette transformation ?

La réponse nous est donnée par Marija. Lorsque la Gospa lui montra le ciel et l'intense bonheur des élus, elle lui expliqua qu'au ciel, les saints sont de plus en plus heureux. Ce crescendo de bonheur est lié à la grandeur infinie de Dieu : Dieu est tellement grand qu'on n'aura jamais fini de le découvrir. A chaque nouvelle découverte de Dieu, notre amour

---

[1] En images et non en la transportant sur les lieux comme pour Jakov et Vicka.

augmente, et avec l'amour la beauté. C'est pourquoi la maman d'Ivanka avait gagné encore en beauté lors de sa deuxième venue.

« Je suis belle parce que j'aime », avait répondu la Vierge à Jelena Vasilj, étonnée d'une telle beauté, *« Si vous voulez être beaux, aimez »*.

Au ciel, rien ne saurait être figé, car l'amour implique le mouvement continuel de l'échange, comme au sein de la Trinité. Le ciel déborde d'activité.

Nous le voyons dans une autre expérience, racontée par Marija :

Tandis que les voyants priaient devant la Gospa, Marija remarqua que le visage de Marie se transformait, pour devenir de plus en plus joyeux. Comme si la moindre prière la nourrissait d'une nouvelle joie. Et à chaque nouvelle joie, son visage gagnait encore en beauté, en splendeur, en rayonnement. Alors Marija lui demanda :

- Pourquoi es-tu plus belle et plus joyeuse quand je prie ?

- *C'est parce qu'à chaque « Ave » que tu dis, ma joie augmente.*

Et, peu à peu, la joie de Marie s'imprégnait aussi en Marija.

Ce crescendo de bonheur, nous pouvons l'amorcer dès ici-bas, dans notre cœur, car toute vraie prière réalise déjà une percée de notre être vers le ciel. Vous voulez être beaux ? La Gospa vous a donné la solution, et ses cosmétiques à elle ne souffrent aucune concurrence !

Message du 25 septembre 1990

« *Chers enfants, je vous appelle à la prière avec le cœur, pour que votre prière soit un dialogue avec Dieu. Je souhaite que chacun d'entre vous consacre davantage de temps à Dieu. Satan est fort, il veut vous détruire et vous tromper de mille manières. Ainsi, chers petits enfants, priez chaque jour afin que votre vie soit un bien pour vous-mêmes et pour tous ceux que vous rencontrez.*

Je suis avec vous et je vous protège, bien que Satan veuille détruire mes plans et arrêter les désirs que le Père céleste veut réaliser ici. Merci d'avoir répondu à mon appel. »

LA GOSPA COLLECTIONNE LES PENDULES

- Ma sœur, ma sœur !!

Brigitte va repartir, son car l'attend, qu'est-ce qu'elle peut bien avoir à me dire de si important pour courir comme ça vers moi ?

- Juste un mot, une bonne nouvelle, me souffle-t-elle en haletant. Demain, quand vous irez sur la colline, approchez-vous du gros tas de cailloux qui est sous la croix. Vous soulèverez le caillou tout noir, à gauche... Dessous, vous trouverez mon pendule... je l'ai laissé, c'est fini... !

- Et qu'est-ce que je fais de la chose ? dis-je en riant.

Son car klaxonne, elle repart en courant et me crie :

- Vous le laissez, c'est pour elle !

Un de plus, me dis-je en la voyant partir. La Gospa se retrouve avec la plus belle collection de pendules au monde ; qui l'eût cru !

Cela me rappelle une histoire amusante. Soixante pèlerins de Paris avaient passé cinq jours à Medjugorje, et vraiment la grâce avait agi puissamment dans leurs cœurs. Tous s'étaient bien confessés, même les plus durs à cuire, et la Gospa pouvait s'estimer heureuse du résultat. Seulement voilà : on n'avait pas prévu le coup du Père Luciano, un franciscain italien, qui vint mettre la pagaille dans le groupe, bien involontairement.

- Venez nous parler de la Bible, lui avait innocemment demandé Geneviève B.

Le dernier soir, tout le groupe est suspendu à ses lèvres, car des lumières inattendues jaillissent de sa bouche. Au détour d'un commentaire sur la première des « dix paroles »[1] (Tu n'adoreras que Dieu seul), le voilà qui se lance dans un descriptif saisissant des idoles que propose aujourd'hui notre monde paganisé et que les gens gobent avec une inconscience totale. Tout y passe ! Certains pèlerins commencent à frétiller sur leur chaise, aucun n'échappe au tranchant de la Parole de Dieu. Toutes leurs idoles, petites ou grandes, sont flashées en pleine lumière, et il va falloir voir ça de plus près...

Le Père Luciano a posé le pied sur une fourmilière. Mais le clou de la soirée survient lorsqu'il lance à la cantonade :

- Par exemple, certains parmi vous ont-ils un pendule ?

On se regarde, on hésite, on s'agite, un malaise plane, quand soudain une religieuse des plus pieuses exhibe de sa poche un pendule en disant :

- Oui ! Moi !

Cinquante-neuf paires d'yeux la regardent et éclatent de rire. Son courage enhardit les plus hésitants et nombreux sont ceux qui, les uns après les autres, sortent un pendule de leur sac ou de leur poche. Soixante pèlerins, presqu'autant de pendules !!

Cette nuit-là fut très, très longue, la plus longue du pèlerinage car il y eut une cinquantaine de confessions avant l'avion du matin. Et cette fois encore, qui empocha les pendules ? La Gospa !

Mu par une inspiration subite, le Père Luciano avait fait mouche sur un point des plus névralgiques de notre société, et comme un bon berger, il avait déconnecté ses brebis d'une source d'eau polluée qui les minait, pour les brancher sur cette prodigieuse source de vie qu'est la Parole de Dieu.

- C'est simple, explique-t-il avant la nuit blanche aux si nombreuses absolutions, l'homme est souvent avide de « connaissances ». Or, Dieu seul donne la vraie connaissance, celle qui mène à la vie, à l'union d'amour avec lui. Mais Satan est malin, il va donc profiter de cette avidité de l'homme (et je ne parle pas de la femme !) pour lui proposer quelque chose qui ressemble à la connaissance : il propose des informations. Dès la Genèse, nous voyons son stratagème : *« Comment ! Dieu vous a interdit de manger de ce fruit ! Mais au contraire ! Vos yeux s'ouvriront, vous aurez la connaissance ! Vous serez comme des dieux ! »*

---

[1] La Bible n'a jamais fait allusion aux dix « commandements » de Dieu mais à ses dix « paroles ». Il s'agit de dix paroles qui donnent la vie et empêchent la mort.

Et devant cette séduction, cette attraction (cet « attrape-nigauds », il faut le dire), Ève est prête à brader son union avec Dieu au profit de la « connaissance ». Elle mange du fruit et, à cet instant précis, la mort entre dans le monde ! Aujourd'hui, c'est le même schéma. La vieille ruse de Satan s'avère plus efficace que jamais. Dans la Bible, la Parole de Dieu est limpide comme de l'eau de roche pour tout ce qui touche à la divination, à l'acquisition « d'informations » par des moyens spirites (cf Dt 18, 9-12). Cela est une « abomination ». Nombreux sont les versets où Dieu met en garde son peuple contre ces chemins de mort dans lesquels il se fourvoie au contact des païens.

En ce qui concerne les pendules et autres objets semblables qui sont sensés apporter des informations, le passage le plus significatif se trouve dans Osée 4, 12, lorsque Dieu reproche aux prêtres et au peuple de l'abandonner lui, le Dieu Vivant, pour se livrer à la prostitution : *« Mon peuple consulte son morceau de bois, et c'est son bâton qui le renseigne ; car un esprit de prostitution les égare, ils abandonnent leur Dieu pour se prostituer. »*

Et le Père Luciano de renchérir :

- On a réussi à vous faire avaler qu'une boule de papier mâché, un anneau au bout d'un fil ou un morceau de bois étaient capables de capter des informations qui allaient vous faire du bien ! Mais qui fait bouger votre pendule ? C'est le magnétisme qui fait bouger ma boussole, pour trouver le nord. C'est pourquoi je ne l'utilise pas pour chercher l'âme sœur, le bonheur ou mes clés. Mais le pendule, qu'est-ce qui le fait tourner ??? Comment du papier mâché en boulette peut-il me servir de panneau indicateur pour marcher dans les voies de Dieu ? Saint Jean me donne quatre conditions pour marcher dans la lumière : rompre avec le péché, observer le commandement de Dieu (celui de l'Amour), se garder du monde et se garder des antichrist (cf 1 Jn 3 - 4).

Si je cherche une information pour être heureux (argent, cœur, réussite, « sea, sex and sun... »), il faut constater objectivement que, pour le cœur, l'expérience prouve que le pendule vient faire rater les affaires de cœur. Pour la santé... si ça marchait, ce serait remboursé par la sécurité sociale. Pour l'argent, ça peut marcher, mais par le doigt de qui ? Devrai-je payer le prix de terribles angoisses ou d'idées suicidaires ? Seul Dieu est gratuit. Moi, fils du Père, il me suffit de soupçonner que ce qui fait tourner le pendule peut offenser mon Père ; et je n'ai besoin ni d'explications, ni de démonstrations pour m'abstenir, parce que j'ai peur d'offenser le Père. Je l'aime et j'aime sa Providence. Pendule ou Providence... choisissez !

Aujourd'hui, il y a une course à l'information à tout prix. Satan susurre le même boniment depuis le jardin d'Éden : « *Tu dois tout savoir[1], viens chez moi car ton Dieu te cache quelque chose.* » Non ! Ne troquez pas votre âme, votre vie éternelle contre ces fausses lumières ! En Jésus nous avons tout, il est le Chemin, la Vérité et la Vie. « *La vie éternelle, c'est de Te connaître, Toi le véritable Dieu, et Ton envoyé, Jésus-Christ.* » (Jn 17, 3)

Si la Gospa a pleuré à chaudes larmes en disant « *Vous avez oublié la Bible* », c'est parce qu'elle voit mourir les enfants de son amour. C'est le cri d'une mère qui voit le destructeur s'approcher de son petit et le séduire parce que ce petit n'a pas pris avec lui le glaive de la Parole de Dieu pour le terrasser.

Cette nuit-là, ce qui apparaissait aux pèlerins comme un trésor précieux devint un objet de rebut. Les années suivantes, plusieurs d'entre eux revinrent à Medjugorje, et tous déclarèrent combien ce « renoncement » les avait libérés. Le pendule, qui avait pris la place d'une idole sans qu'ils s'en rendent compte, les tenait avant en esclavage. Mais la Gospa avait dénoué ce lien !

Autrement dit, si vous avez un pendule, vous êtes invités à venir augmenter la grande collection de la Gospa, ici, à Medjugorje. Elle en a de toutes les couleurs !

---

[1] D'où les pièges actuels comme la sophrologie, la scientologie, l'anthroposophie etc. qui proposent une connaissance en grande partie déconnectée de la Bible.

Message du 25 octobre 1990

« Chers enfants, aujourd'hui, je vous invite à prier de façon particulière, et à présenter des sacrifices et des bonnes actions pour la paix dans le monde. Satan est puissant et il veut de toutes ses forces détruire la paix qui vient de Dieu. C'est pourquoi, chers enfants, priez de manière spéciale avec moi, pour la paix.

Je suis avec vous, je veux vous aider par ma prière, et veux vous mener sur le chemin de la paix. Je vous bénis de ma bénédiction maternelle. N'oubliez pas de vivre les messages de paix. Merci d'avoir répondu à mon appel. »

VICKA ET JAKOV ONT DISPARU !

En 1981, les voyants habitaient tous dans le même secteur de Bijakovici, au pied de Podbrdo. A cette époque, la milice s'acharnait sans merci contre eux, les gardant à vue, et elle maintenait leurs familles dans l'angoisse. Une menace permanente pesait sur eux car voir la Gospa était un très grave péché contre le régime, et les autorités ne plaisantaient pas avec ce genre de péchés.

Un après-midi, Jakov et sa cousine Vicka avaient échappé à la surveillance générale par des moyens à eux, ils revenaient de Citluk et décidèrent de se rendre dans la maison que Jakov habitait avec sa mère, car ils avaient faim.

Les pèlerins qui ont rencontré Mirjana ou Ivan chez eux sont passés devant cette masure de misère, du moins ce qu'il en reste[1].

---

[1] Aujourd'hui, cette masure est devenue une ruine, le toit s'est effondré et les murs ne valent guère mieux. Certains sont venus récupérer des pierres, quelques tuiles, bref, le vestige risque de disparaître. Ce serait dommage ! Mais cette parcelle est en « indivis » avec huit propriétaires et chacun a son idée. Marija m'a dit : « Il faudrait l'arranger et en faire un musée, on ne peut pas laisser disparaître une maison où il s'est passé des choses si belles, à Lourdes on visite bien la maison des Soubirous ! Tu devrais lancer chez les pèlerins l'habitude de venir voir cette maison, leur expliquer ce qui s'y est passé, et les faire prier... Si on ne fait rien, dans un an il sera trop tard, il n'y aura plus rien. »

La maman de Jakov, Jaka[1], était plus que pauvre et tous deux vivaient dans deux pièces minuscules, sans eau courante, dans l'inconfort caractéristique du Medjugorje *d'avant la Sainte Vierge.*

On dormait par terre, sans chauffage, on connaissait la faim, on s'épuisait au travail du tabac et, si vous tombiez malade, il fallait faire avec, car personne, sinon Dieu, ne pouvait vous tirer de là...

Vicka et Jakov arrivèrent essoufflés dans la maison et déclarèrent à Jaka qu'ils avaient faim. Puis ils se retirèrent à côté tandis que Jaka leur préparait un petit repas frugal. Dix minutes plus tard, elle les appelle... aucune réponse ! Il était exactement quinze heures vingt. Elle entre dans l'autre pièce... personne ! Son sang ne fait qu'un tour, car il est impossible qu'ils soient sortis sans qu'elle les ait vus passer. Elle a beau repasser dans sa tête chaque minute écoulée depuis leur arrivée, rien n'y fait, c'est incompréhensible... ils devraient être là ! D'ailleurs elle les entendait encore parler il y a peu de temps. Un vertige d'angoisse la saisit. La milice... mais non, comment la milice aurait-elle pu venir les prendre sans qu'elle s'en aperçoive ? Elle sort, hagarde, et trouve la maman d'Ivanka descendant le petit chemin.

- Tu n'as pas vu Jakov et Vicka ?
- Non !

Elle remonte le chemin et questionne ses autres voisins. Elle va jusque chez les parents de Vicka

- Ah non... répond Zlata, la maman de Vicka, en hochant la tête.

Très vite, la rumeur se répand que Jakov et Vicka ont disparu et les cœurs se serrent, car les habitants de Bijakovici considèrent les voyants comme leurs propres enfants, comme la prunelle de leurs yeux.

Comment ne pas penser ici à Marie et Joseph, à Jérusalem, recherchant avec angoisse leur petit *Ieshoua* de douze ans ?...

Les minutes passent, les enfants se sont vraiment volatilisés, la mère de Vicka est formelle : ils ne sont pas revenus par ici. D'ailleurs, personne ne les a vus. Jaka rentre chez elle, la mort dans l'âme. Elle tourne et vire dans la cuisine, puis retourne dans la pièce vide, là où ils étaient en dernier, dans l'espoir totalement absurde de les retrouver, de se réveiller de son cauchemar. Mais non, il n'y a personne ! Elle bouge les deux assiettes refroidies, remet en place la vieille casserole, tandis

---

[1] Elle devait mourir un an plus tard, laissant Jakov seul à l'âge de douze ans. Celui-ci fut recueilli par son oncle, Filip Dragicevic, et vécut dès lors sous son toit, jusqu'à son mariage avec Anna-Lisa en avril 1993.

que dans son esprit se succèdent à toute vitesse les scènes les pires qu'une imagination de mère puisse concevoir.

Dans les Balkans, la mémoire ancestrale est suffisamment chargée pour se passer de films d'horreur. Elle sort et va s'asseoir sous le petit arbre attenant à la maison. De là, elle pourra guetter... Quand tout à coup, à quinze heures cinquante, il lui semble entendre du bruit. Elle n'en croit pas ses oreilles, ça vient de la maison !

- Jakov, c'est toi ?

- Oui, répond Vicka toujours plus prompte que les autres, tandis qu'elle finit de réciter avec Jakov la prière du Magnificat qui suit toujours la fin des apparitions.

Puis Jakov bondit au dehors, tout joyeux, et lance à sa mère :

- Maman, maman ! On est allé au ciel ! On a vu le ciel !

- Le ciel ?!! Non... ce n'est pas possible ! Je ne peux pas croire que vous soyez allés au ciel !

Que s'était-il donc passé ?...

Message du 25 novembre 1990

« *Chers enfants, aujourd'hui je vous invite à faire des œuvres de miséricorde, avec amour et par amour pour moi et pour nos frères et sœurs (les vôtres et les miens). Chers enfants, tout ce que vous faites pour les autres, faites-le dans une grande joie et avec humilité envers Dieu. Je suis avec vous, et de jour en jour je présente vos sacrifices et vos prières à Dieu, pour le salut du monde. Merci d'avoir répondu à mon appel.* »

LE TOIT S'EST OUVERT...

« Jakov, raconte-nous... » demandent les pèlerins.

- La Gospa est venue, et elle nous a emmenés avec elle. Mais Vicka était avec moi, allez lui demander à elle, elle vous racontera...

(Jakov est resté un garçon très discret, très secret, et même son épouse Anna-Lisa ne reçoit qu'au compte-gouttes les trésors que la Vierge lui communique.)

De son côté, Vicka ne se fait pas prier deux fois pour raconter son « voyage dans l'au-delà » :

- Nous ne nous y attendions pas, dit-elle, la Gospa est venue dans la chambre alors que la maman de Jakov nous préparait à déjeuner dans la cuisine. Elle nous a alors proposé de partir tous les deux avec elle pour voir le paradis, le purgatoire et l'enfer. Cela nous a beaucoup surpris, et sur le coup ni Jakov ni moi n'avons dit oui.

- Emmène plutôt Vicka avec toi, lui dit Jakov. Elle a beaucoup de frères et sœurs, tandis que moi je suis tout seul avec ma mère. (A vrai dire, il doutait que l'on puisse revenir vivant d'une telle expédition !)

De mon côté, ajoute Vicka, je me disais : « Mais où allons-nous nous retrouver ? Et combien de temps ça va prendre ? ». Mais finalement, voyant que le désir de la Gospa était de nous emmener, on a accepté. Et on s'est retrouvé là-bas.

- *Là-bas*, demandai-je à Vicka, mais comment y êtes-vous arrivés ?

- Dès qu'on a dit oui, le toit s'est ouvert, et on s'est retrouvé là-bas !

- Vous êtes partis avec votre corps ?

- Oui, comme on est maintenant ! La Gospa a pris Jakov par la main gauche et moi par la main droite, et on est parti avec elle. En premier, elle nous a montré le paradis.

- Vous êtes rentrés comme ça au ciel, de plein pied ?

- Mais non ! me dit Vicka, on est rentré par la porte.

- Une porte comment ?

- Ben, une porte normale ! On a vu saint Pierre derrière la porte et la Gospa a ouvert la porte...

- Saint Pierre ? Il était comment ?

- Ben, comme il était sur la terre !

- C'est-à-dire ?

- A peu près soixante, soixante-dix ans, pas très grand mais pas petit non plus, les cheveux gris un peu frisés, assez râblé ...

- Ce n'est pas lui qui vous a ouvert ?

- Non, la Gospa a ouvert la porte toute seule, sans clé. Elle m'a dit que c'était saint Pierre, lui n'a rien dit, on s'est juste salué comme ça, simplement.

- Il n'a pas semblé surpris de vous voir ?

- Non, pourquoi ? Tu comprends on était avec la Gospa, alors...

Vicka décrit les scènes comme si elle parlait d'une promenade faite pas plus tard qu'hier, avec de la famille, dans la région. Elle ne ressent aucune barrière entre « les choses d'en-haut » et celles de la terre. Elle est pleinement chez elle au milieu de ces réalités, et elle s'étonne même de certaines de mes questions. Curieusement, elle n'a pas conscience que son expérience représente un trésor pour l'humanité et que le langage du ciel, si familier pour elle, ouvre une fenêtre sur un tout autre monde pour notre société actuelle, pour les « non-voyants » que nous sommes.

- Le paradis est un grand espace, sans limite. Il y a une lumière qui n'existe pas sur la terre. J'ai vu beaucoup de gens, et tous sont très, très heureux. Ils chantent, ils dansent... Ils communiquent entre eux d'une manière qui n'existe pas sur la terre. Ils se connaissent par l'intérieur. Ils sont vêtus de longues tuniques, et j'ai remarqué trois couleurs différentes. Mais ces couleurs ne sont pas comme celles de la terre. Ça ressemble au jaune, au gris et au rouge. Il y a aussi des anges avec eux. La Gospa nous expliquait tout. *« Voyez comme ces gens sont heureux, nous disait-elle. Rien ne leur manque ! »*

- Mais, Vicka, toi tu peux me décrire ce bonheur que vivent les élus dans le ciel ?

- Non, je ne peux pas te le décrire, parce que sur la terre on n'a pas de mots pour dire cela. Ce bonheur des élus, je le ressentais moi-même. Je ne peux pas t'en parler, je ne peux que le vivre dans mon cœur.

- Tu n'as pas eu envie de rester là-bas et ne plus revenir sur terre ?

- Si ! répond-elle en souriant. Mais on ne doit pas penser seulement à soi ! Tu sais, notre plus grande joie c'est de rendre la Gospa heureuse.

Et nous savons qu'elle veut nous garder sur la terre encore quelques temps pour porter ses messages. C'est une grande joie de partager ses messages ! Tant qu'elle a besoin de moi pour cela, je suis prête ! Quand elle voudra me prendre avec elle, je serai prête aussi ! C'est son plan, pas le mien...

- Et les élus au ciel, ils pouvaient aussi te voir ?

- Bien sûr qu'ils nous voyaient ! On était avec eux !

- Ils étaient comment ?

- Ils avaient environ trente ans. Ils étaient très, très beaux. Personne n'était trop petit ou trop grand. Ils n'y avait pas de gens maigres ou gros, ou infirmes. Tous étaient très bien.

- Alors, pourquoi saint Pierre était-il plus vieux et habillé comme sur la terre ?

Elle marque un bref silence... la question ne lui était jamais venue à l'esprit.

- C'est comme ça ! Je te dis ce que j'ai vu !

- Et si vos corps étaient totalement au ciel avec la Gospa, ils n'étaient plus sur la terre en même temps, dans la maison de Jakov ?

- Non, bien sûr ! Nos corps ont disparu de la maison de Jakov. Tout le monde nous a cherchés ! Ça a duré vingt minutes en tout.

Pour la première étape, les détails de Vicka s'arrêtent là. Pour elle, le plus important est d'avoir commencé à goûter le bonheur indicible du ciel, cette paix sans mélange dont la promesse n'est plus à vérifier. Les esprits forts pourront sans doute cogiter et discuter sur ce récit à l'état brut livré par Vicka. Mais, outre le fait que Jakov représente un deuxième témoin, le signe le plus incontournable que Vicka a bien séjourné au ciel est que cette joie du ciel coule de tout son être sur ceux qui l'approchent. Qui pourra dénombrer les milliers de personnes qu'elle a, par son simple sourire, ramenées à l'espérance?

Message du 25 décembre 1990

« Chers enfants, aujourd'hui je vous invite de façon particulière à prier pour la paix. Chers enfants, sans la paix vous ne pouvez faire l'expérience de la naissance de Jésus enfant, ni aujourd'hui ni dans votre vie quotidienne. C'est pourquoi, priez le Seigneur de la paix pour qu'il vous protège de son manteau, et qu'il vous aide à saisir la grandeur et l'importance de la paix dans vos cœurs. Ainsi, vous pourrez répandre la paix de vos cœurs dans le monde entier. Je suis avec vous et j'intercède pour vous devant Dieu.

Priez, car Satan veut détruire mes plans de paix. Réconciliez-vous et aidez par vos vies à faire régner la paix sur toute la terre. Merci d'avoir répondu à mon appel. »

JE N'IRAI PAS AU PURGATOIRE !

Lorsque je m'adresse aux groupes de pèlerins pour leur exposer les messages et surtout les grâces que Marie donne à Medjugorje, j'aime à leur lancer cette question piège :

- Qui, parmi vous, pense qu'il ira sûrement au purgatoire ?

Et le résultat s'avère catastrophique... Presque tous lèvent le doigt ! Si cela se passe en fin de pèlerinage, je n'hésite pas à leur exprimer le fond de ma pensée, en souriant bien sûr :

- C'est nul, au-dessous du nul ! Vous n'avez rien compris au message de la Gospa, il vous faut rester encore trois jours de plus.

Alors j'utilise le témoignage de Vicka ; ils se détendent peu à peu et abandonnent volontiers leurs vieux schémas empreints de fatalité. A la fin de la conférence, un dernier test montre que plus personne n'a l'intention de séjourner au purgatoire. Ouf !...

Mais revenons au récit de Vicka :

- Après le paradis, la Gospa nous a emmenés voir le purgatoire. C'est un lieu très sombre et nous ne pouvions presque rien voir parce qu'il y a là comme une fumée grise, très épaisse, couleur cendre. On sentait qu'il y avait plein de monde mais on ne pouvait pas voir les visages, à cause de cette fumée. Mais on pouvait entendre leurs gémissements et leurs cris. Ils sont très nombreux et ils souffrent beaucoup. On entendait aussi comme des heurts, comme si les gens se cognaient. La Gospa nous disait : *« Voyez comme ces gens souffrent ! Ils attendent vos prières pour pouvoir aller au ciel. »*

Par la suite, elle nous a parlé davantage du purgatoire. Ce qui m'a étonnée, c'est d'apprendre qu'il y avait là des personnes consacrées à Dieu, des religieuses et même des prêtres. J'ai demandé à la Gospa comment il était possible que des personnes consacrées se retrouvent au purgatoire. Elle m'a répondu : *« Oui, ces personnes s'étaient consacrées à Dieu. Mais, dans leur vie, il n'y avait pas d'amour. C'est pourquoi elles sont au purgatoire. »*

Avant de quitter le purgatoire, la Gospa nous a bien recommandé de *« prier chaque jour pour ces âmes. »*

Je demande :

- Vicka, as-tu ressenti en toi les souffrances de ces gens comme tu avais ressenti le bonheur des élus au ciel ?

- Sur le moment, la Gospa nous a donné une force spéciale, une grâce pour supporter d'être là. Sans cette force, nous ne l'aurions pas supporté car une chose est de penser au purgatoire, autre chose est de le voir ! Aujourd'hui, je ressens une grande tristesse quand je pense à ces âmes qui souffrent et je prie pour elles car, bien sûr, on voudrait que toutes aillent au ciel. Mais, sur le moment, on a senti cette force qui n'est pas de la terre. C'était unique, pour la circonstance.

Ainsi, la visite au purgatoire se résume en très peu de mots, mais l'essentiel y est. Par la suite, la Vierge évoqua cette réalité dans quatre messages[1] qui corroborent non seulement l'enseignement de l'Église, mais aussi les témoignages de certains mystiques canonisés, qui ont fait une expérience similaire à celle de Vicka et Jakov[2].

Entre 1981 et 1984, questionnée par les voyants sur le sort de tel ou tel défunt, la Gospa répondait parfois : « *Il est avec moi.* » ou bien « *Il faut prier pour lui.* » C'est ainsi que Jakov eut le bonheur d'apprendre le 5 septembre 1983 que sa maman était déjà au ciel. Elle était morte le jour-même.

- Vicka, à ton avis, qu'est-ce-qui était si bien dans la vie de Jaka pour qu'elle soit allée si vite au ciel ? demandai-je.

- Mais c'est très simple ! Elle faisait toutes les petites choses de la journée avec amour, avec tout son cœur ! Dieu a confié à chacun une tâche. Toi tu écris des livres et moi je parle aux pèlerins... Il faut faire cela avec le cœur, c'est cela qui est grand ! Dieu ne demande pas qu'on prenne une montagne et qu'on la mette ailleurs. Les petites choses de chaque jour, c'est cela qui est grand pour lui. Beaucoup de gens se compliquent... non, Jaka n'a rien fait d'extraordinaire.

Mais Dieu a vu son grand cœur ![3]

Sur une demande explicite de la Vierge, en 1984, le « temps des questions privées » est maintenant révolu. Pourtant, durant la guerre récente, j'ai pu comprendre au détour de certaines conversations avec Vicka que la Gospa lui donnait des indications sur tel ou tel soldat croate de la région, mort au front ou porté disparu. A cette époque, les pèlerins étaient peu nombreux, et Vicka passait beaucoup de temps à réconforter les familles touchées par la guerre. Un soir elle me dit : « Plusieurs de nos hommes ont disparu. Pendant l'apparition « on » en a beaucoup parlé, et maintenant je dois vite aller visiter leurs familles... Tu comprends, ils attendent dans une grande angoisse. » Je n'ai pas voulu en demander plus à Vicka, mais ces simples paroles en disaient long.

---

[1] Voir dans le livre « *Paroles du Ciel* » p. 80, 84, 89 et 149. La Vierge y évoque les différents niveaux de purgatoire, certains proches de l'enfer, certains proches du ciel. Par nos prières pour ces âmes, nous obtenons des intercesseurs qui vont nous aider dans la vie.

[2] Sainte Catherine de Gène, bienheureuse Mariam de Bethléem, le Curé d'Ars, Marie Anne de Jésus, sainte Marguerite-Marie Alacoque...

[3] A la même question, Jakov a répondu : « C'était une bonne chrétienne ! Elle a pris au sérieux les commandements de Dieu, tout ce que Dieu nous invite à vivre. Et elle a suivi cela chaque jour, fidèlement. »

Pour nous qui sommes sur la terre, savoir si tel ou tel de nos proches est encore au purgatoire ou déjà au ciel n'est pas le plus important. Le plus important est de réaliser quel trésor nous offre la Gospa sur un plateau d'argent, à travers son école d'amour à Medjugorje. Celui qui entre à son école ne fera pas de purgatoire[1] ! Pas question !

Notre décision de devenir un saint répond totalement au dessein de Dieu sur notre vie ; ce n'est pas de l'orgueil comme je l'ai souvent entendu. (Ou alors, la petite Thérèse, la bienheureuse Faustine et le saint Curé d'Ars étaient des orgueilleux !)

La Gospa a truffé ses messages de moyens sûrs pour aller directement au ciel, et celui qui les vit ressent déjà en lui la joie du ciel, non pas cette joie issue de la satisfaction humaine quand tout va bien, mais cette joie toute divine qui demeure même au sein des épreuves. J'aime citer ces mots de Marie à Jelena Vasilj en 1986 :

« Si vous vous abandonnez à moi, vous ne vous apercevrez pas du passage de cette vie à l'autre vie. Vous commencerez à vivre la vie du ciel sur terre. »

Mais notre voyage avec Vicka n'est pas fini...

---

[1] Peu de paroisses aujourd'hui enseignent aux fidèles les vérités de base sur ce qui se passe après la mort. Cela pousse des fidèles à négliger leurs défunts, ou pire, à se laisser séduire par de fausses doctrines comme celle du « néant après la mort » ou celle de la réincarnation. Cette ignorance engendre souvent l'angoisse. Pour combler ce vide, j'ai fait une cassette sur le purgatoire et le fait qu'elle soit un best-seller depuis des années est significatif ! Il s'agit de : *« L'étonnant secret des âmes du purgatoire »*.

Pour les personnes touchées par un deuil, deux autres cassettes : *« Quand la mort sépare ceux qui s'aiment »*, et *« Quand l'amour traverse la mort »* par Sœur Emmanuel. Ces cassettes sont disponibles à Maria Multimédia.

FLASH-BACK SUR 1990

2 février : Aux USA, Mirjana reçut ce message lors de sa prière pour les incroyants avec la Vierge :

« Je suis avec vous depuis neuf ans, et depuis neuf ans, je veux vous dire que Dieu, votre Père, est l'unique chemin, l'unique vérité et la vraie vie. Je désire vous montrer le chemin vers la vie éternelle. Je désire être votre lien pour une foi profonde.

Prenez votre chapelet et rassemblez vos enfants, votre famille à vos côtés. Tel est le chemin pour arriver au salut. Donnez le bon exemple à vos enfants ; donnez le bon exemple à ceux qui ne croient pas. Vous ne connaîtrez pas le bonheur sur cette terre, et vous n'irez pas non plus au ciel si vos cœurs ne sont pas purs et humbles, et si vous n'accomplissez pas la loi de Dieu.

Je viens vous demander votre aide : unissez-vous à moi pour prier pour ceux qui ne croient pas. Vous m'aidez très peu. Vous avez peu de charité et d'amour pour vos proches ; et Dieu vous a donné l'amour, il vous a montré comment vous devez pardonner aux autres et les aimer. Pour cette raison, réconciliez-vous et purifiez vos âmes. Prenez votre chapelet et priez-le. Acceptez avec patience toutes vos souffrances. Souvenez-vous bien que Jésus a souffert avec patience pour vous.

Laissez-moi être votre mère, votre lien avec Dieu et avec la vie éternelle. N'imposez pas votre foi aux incroyants. Montrez-la leur par votre exemple et priez pour eux. Mes enfants, priez ! »

25 mars : Sœur Emmanuel fonde l'association « *Les Enfants de Medjugorje* », (15 rue Joseph Lebrix, 76800 Saint-Etienne-du-Rouvray). Son objet est de répandre les messages de Marie, par tous les moyens.

25 juin : Apparition annuelle à Ivanka. Elle venait de mettre au monde son deuxième enfant, Josip, et la Vierge lui dit : « *Je vous remercie de donner votre vie pour permettre d'autres vies.* »

31 juillet : Deuxième Festival des Jeunes, animé par le Père Tomislav Vlasic, à l'initiative de l'anglais Ernest William.

21 octobre : Le Président de la Commission d'Enquête, Monseigneur Komarica, vient célébrer la messe du soir. Selon les us et coutumes de l'Église, cela est une reconnaissance du culte et du pèlerinage. « Je viens au nom de la Conférence Épiscopale Yougoslave et de tous les évêques », dit-il dans son homélie (à Medjugorje, toutes les homélies sont enregistrées), « d'autres évêques de la Commission viendront aussi célébrer dans l'avenir » (ce qui arriva). « *La Commission reconnaît les bons fruits de prière et de conversion à Medjugorje* ».

23-24 octobre : Marija Pavlovic est à Moscou avec Monseigneur Hnilica et le Père Orec, curé de Medjugorje. La Vierge lui apparaît dans une église, en présence d'une foule en pleurs, « comme aux premiers jours des apparitions » dira Marija.

ANNÉE
1991

Message du 25 janvier 1991

« Chers enfants, aujourd'hui je vous invite à la prière comme jamais auparavant. Que votre prière soit prière pour la paix. Satan est puissant, et il veut détruire non seulement la vie humaine mais aussi la nature et la planète sur laquelle vous vivez. Ainsi, chers enfants, priez pour être protégés par la bénédiction divine de paix. Dieu m'a envoyée parmi vous pour vous aider.

Si vous le voulez bien, emparez-vous du rosaire ! Un simple rosaire peut faire des miracles dans le monde et dans vos vies. Je vous bénis, et je reste avec vous tant que Dieu le veut. Merci de ne pas trahir ma présence ici. Merci, car votre réponse sert le bien et la paix. Merci d'avoir répondu à mon appel. »

L'ENFER EXISTE-T-IL ?

Vicka n'a jamais étudié la théologie et il est peu probable qu'elle le fasse. Pourtant les théologiens aiment la rencontrer, et j'ai eu l'occasion d'en accompagner plusieurs chez elle. Ils en ressortent souvent très émus et comme « réajustés ». Car, ce qu'ils ont appris par des années d'étude, voilà qu'une petite paysanne sans culture le leur retrace en quelques mots tout simples, avec l'assurance de quelqu'un qui a « touché » les réalités de la foi. Il lui arrive même de les corriger. Nous sommes ainsi ramenés à l'essentiel. Lorsque je sers de traducteur à un théologien et qu'il se lance dans des questions qui ne touchent plus à cet essentiel de la foi, je sais d'avance le réponse de Vicka (et des cinq autres voyants) :

- Ah, sur ce point, la Gospa ne nous a rien dit.

Il se trouve aussi que les six enfants qu'elle a choisis comme « voyants » n'ont aucune curiosité théologique. Est-ce à dessein ? Au début de mon séjour à Medjugorje, je n'ai pu m'empêcher de demander à certains voyants : « Mais, tu n'as jamais eu l'idée de demander à la Gospa pourquoi ceci, pourquoi cela ? » (des choses qui me semblaient très intéressantes à savoir, sur Jésus et sur elle-même).

- Non, pourquoi ? me répondait Vicka d'un air étonné. Tu sais, quand la Gospa a quelque chose d'important à nous dire, elle nous le dit d'elle-même. On ne lui pose pas de question car, si elle ne nous dit rien sur quelque chose, c'est que ce n'est pas important...

Voilà un point de vue qui se défend mieux dans le village de Medjugorje que dans les couloirs de nos universités... ! Mais cela est sans doute voulu par la Vierge pour mieux nous recentrer sur les bases des vérités de Foi qui soutiennent toute notre vie chrétienne, et sans lesquelles tout le reste s'effondrerait. Or nous vivons en un temps où tout s'effondre !

Qui, aujourd'hui, croit que l'enfer existe ? Qui expliquera aux fidèles pourquoi à la messe on demande à Dieu « *[...] arrache-nous à la damnation et conduis-nous parmi tes élus... »*[1] ou dans d'autres prières « *[...] Préserve-nous du feu de l'enfer... »*[2] ?

A Medjugorje, la Gospa n'a pas hésité à clarifier ce point dès le début de ses venues, et comme elle sait que souvent les paroles ne suffisent pas, elle a « montré » ce à quoi nous devons croire. Elle a montré ce qui existe. Elle veut nous sortir de l'ignorance, du flou ambiant, car dans le combat spirituel, l'ignorance est l'arme des vaincus.[3]

- Après le purgatoire, continue Vicka, la Gospa nous a montré l'enfer. C'est un lieu terrible. Au milieu, il y a un grand feu, mais ce feu n'est pas comme ceux que l'on connaît sur la terre. Nous avons vu des

---

[1] Prière eucharistique n°1.

[2] Prière de l'Ange à Fatima (1917).

[3] Au sein même de l'Église, certaines personnes nient l'existence de l'enfer. Des pèlerins m'ont rapporté : « Mon curé m'a dit que l'enfer n'existait pas, qu'il ne fallait plus croire à ces choses... » Devant ces situations de plus en plus courantes, il nous faut répondre avec douceur et assurance : « Mon Père, est-ce là votre opinion personnelle, ou bien les données de la Foi offertes par la Bible et toute la grande tradition de l'Église ? » L'Ancien et le Nouveau Testament comme le Magistère de l'Église nous enseignent que l'enfer existe.
Voir « *Catéchisme de l'Église Catholique* » Éditions Plon : « *l'enseignement de l'Église affirme l'existence de l'enfer et son éternité.* » (§ 1035 p. 221) ; « *les affirmations de la Sainte Écriture et les enseignements de l'Église au sujet de l'enfer sont un appel à la responsabilité avec laquelle l'homme doit user de sa liberté en vue de son destin éternel. Elles constituent en même temps un appel à la conversion.* » (§ 1036 p. 222) ; « *Dieu ne prédestine personne à aller en enfer ; il faut pour cela une aversion volontaire de Dieu... , et y persister jusqu'à la fin. Dans la liturgie eucharistique et dans les prières quotidiennes de ses fidèles, l'Église implore la miséricorde de Dieu, qui veut que personne ne périsse, mais que tous arrivent au repentir* » (2 P 3,9) (§1037 p. 222).

gens tout à fait normaux, comme ceux que l'on rencontre dans la rue, se jeter eux-mêmes dans ce feu. Personne ne les poussait. Ils plongeaient à des profondeurs différentes dans le feu. Quand ils en ressortaient, ils ressemblaient à des bêtes féroces, criant leur haine et leur révolte et blasphémant... Il nous était difficile de penser qu'il s'agissait encore d'êtres humains, tellement ils étaient changés, défigurés...

Devant cela, nous étions effrayés et nous ne comprenions pas comment une chose aussi horrible pouvait arriver à ces gens. Heureusement que la présence de la Gospa nous rassurait. Nous avons même vu une jeune fille très belle se jeter dans le feu. Après, elle ressemblait à un monstre.

La Gospa nous a alors expliqué ce que nous voyions et elle nous dit :

- *Ces gens vont en enfer de leur propre volonté. C'est leur choix, leur décision. N'ayez pas peur ! Dieu a donné à chacun la liberté. Sur terre, chacun peut se décider pour Dieu ou contre Dieu. Certaines personnes sur la terre font toujours tout contre Dieu, contre sa volonté, consciemment. Celles-là commencent alors un enfer dans leur propre cœur. Et quand vient le moment de la mort, si elles ne se repentent pas, c'est ce même enfer qui continue.*

- Gospa, avons-nous demandé alors, ces personnes pourront-elles sortir un jour de l'enfer ?

- *L'enfer ne finira pas, ceux qui y sont ne veulent plus rien recevoir de Dieu, ils ont choisi librement d'être loin de Dieu, pour toujours ! Dieu ne peut forcer personne à l'aimer.*

Je me fais alors l'avocat du diable, pour pousser Vicka dans ses retranchements :

- Et Dieu, lui dis-je, si son cœur est bon, ça ne lui fait rien de laisser ses enfants se perdre comme ça pour toujours ? Pourquoi ne met-il pas une barrière devant l'enfer, par exemple, ou pourquoi ne prend-il pas dans ses bras tous ceux qui se préparent à se jeter dans le feu pour les convaincre d'aller avec lui plutôt qu'avec Satan ? Ils comprendraient leur erreur !

- Mais Dieu fait tout pour nous sauver ! Tout ! Jésus est mort pour chacun de nous, et son amour est grand pour tous. Il nous invite toujours à nous rapprocher de son cœur, mais qu'est-ce qu'il peut faire devant quelqu'un qui ne veut pas de son amour ? Rien ! L'amour ne se force pas ![1]

---

[1] Ces mots sont si lourds de gravité que j'ai pris soin de re-vérifier chacun d'eux auprès de Vicka avant d'imprimer.

Et voilà que la visite s'achève. Elle aura duré vingt minutes selon nos montres de la terre, mais pour Vicka et Jakov, le temps s'est comme suspendu, ils ont échappé à nos limites spatio-temporelles. A la fin, la Gospa leur confie une mission :

- *Je vous ai montré cela[1], leur dit-elle, pour que vous sachiez que cela existe et pour que vous le disiez aux autres.*

- Et comment êtes-vous revenus chez Jaka ? demandai-je.

- Pareil ! On est redescendu par le toit et on s'est retrouvé dans la chambre !

---

[1] La « visite en enfer » la plus connue est celle que fit sainte Thérèse d'Avila (cf *« Vie écrite par elle-même »* chap. 32). En 1917, la Vierge montra aussi l'enfer aux trois enfants de Fatima, à la suite de quoi ils n'avaient de cesse de se sacrifier pour les pécheurs, (voir *« Lucie raconte Fatima »*, Éditions DDB). La mystique française Marthe Robin raconta aussi son impressionnante visite en enfer aux côtés de la Vierge (non encore publiée).

En 1936, la bienheureuse Faustine de Pologne raconte sa propre expérience : « Aujourd'hui, accompagnée d'un ange, j'ai visité l'enfer. C'est un lieu de grands tourments et grande est son étendue ! De tous les tourments que j'ai vus, le plus grand est la perte de Dieu... Je serais morte en contemplant ces tortures si la Toute-Puissance ne m'avait soutenue ! Que le pécheur sache qu'il souffrira par quoi il a péché, et ceci éternellement. Je l'écris par l'ordre de Dieu, pour que personne ne s'excuse en disant que « personne n'y a été » et que « personne ne sait ce qu'il en est » ! Moi, Sœur Faustine, par l'ordre de Dieu, je fus dans l'abîme de l'enfer pour témoigner que l'enfer existe ! [...] j'ai remarqué que l'enfer est peuplé d'âmes qui, ici-bas, ne croyaient pas à l'enfer. A partir de ce jour je prie encore plus ardemment pour les pécheurs. » (voir *« l'Icône du Christ miséricordieux »*, Éditions Saint-Paul, p. 241).

Message du 25 février 1991

« Chers enfants, aujourd'hui je vous demande de vous décider pour Dieu, car l'inquiétude de vos cœurs produit comme fruit l'éloignement de Dieu. Dieu est la paix même, c'est pourquoi approchez-vous de lui par la prière personnelle. Ensuite, vivez la paix dans vos cœurs. De cette façon la paix de votre cœur coulera comme un fleuve sur le monde entier. Ne parlez pas de la paix, mais faites la paix ! Je bénis chacun d'entre vous et chacune de vos bonnes décisions. Merci d'avoir répondu à mon appel. »

UNE BÉNÉDICTION SILENCIEUSE

Depuis dix ans, Sonia a sombré dans la dépression. Ni la gentillesse de sa famille, ni les soins médicaux n'ont réussi à la faire émerger du gouffre. On craint le pire, car la pensée du suicide plane dans la maison et la solution d'une camisole chimique est vraiment inhumaine. La famille a tout essayé...

Jusqu'au jour où débarque chez Sonia un groupe d'amis, juste pour prendre un verre. Parmi eux, Éric, un pèlerin de Medjugorje qui ne connaît pas Sonia. Transpercé de voir la profondeur de sa souffrance, il lui donne silencieusement la bénédiction spéciale et maternelle de la Sainte Vierge, sans le dire à personne. Puis le groupe s'en va, on se promet de garder le contact.

Quelques mois plus tard, Éric retrouve un ami de ce groupe et demande des nouvelles de Sonia.

- Oh ! Tu n'es pas au courant ? Figure-toi qu'elle est en pleine forme ! Une remontée spectaculaire, inespérée ! Et tu ne sais pas ce qu'elle nous a dit ?

- C'est drôle, c'est à partir du jour où vous êtes venus me voir que j'ai senti la vie revenir, il y a eu comme un déclic, et en moins d'un mois j'ai retrouvé la forme.

Le témoignage d'Éric me rappelle celui de Bertrand, cet infirmier parisien qui détestait son travail : tous les jours il voyait des jeunes mourir du SIDA sans aucune assistance spirituelle, et lui-même était déchiré de ne pouvoir les aider car, dans ces grands hôpitaux, par mesure d'économie, les infirmiers se trouvent en sous-nombre et ont à peine le temps d'accomplir les soins minimums avant de courir dans une autre chambre.

- C'est plus qu'inhumain, me disait-il, c'est criminel. On n'a pas le droit de traiter comme ça les mourants !

Jusqu'au jour où Bertrand découvre à Medjugorje la fameuse bénédiction spéciale de la Gospa... Il revient un an plus tard, ce n'est plus le même garçon :

- C'est super ! La Gospa m'a trouvé la solution. Lorsque je dois speeder (sic) pour faire les soins à un sidéen, je lui donne la bénédiction spéciale et maternelle silencieusement, et je sais que Marie l'accompagnera elle-même dans son passage. Une fois, un sidéen mourant a même été guéri !

De quelle bénédiction s'agit-il ? Il faut se reporter à ce que Marija a reçu sur la montagne et aussi dans les messages mensuels. Je me souviens qu'une de mes premières conversations avec Marija, en décembre 1989, portait sur ce qu'elle appelait la « bénédiction spéciale et maternelle ». A l'époque, naïve comme j'étais face à la culture croate et au « style » de la Gospa, je posais des questions totalement déplacées :

- Marija, quelle différence y a-t-il entre les diverses bénédictions données ici par la Sainte Vierge ? Une fois c'est sa « bénédiction solennelle » (15.08.85), une autre fois c'est sa « bénédiction maternelle » (19.12.85), ou « Je vous bénis de la bénédiction de Dieu » (25.06.87), ou encore la « bénédiction de la joie » (25.07.88) et enfin cette fameuse « bénédiction spéciale et maternelle » qu'elle nous demande de porter à toutes les créatures. Tu peux expliquer les différences ?

La réponse, à ma grande déception, fut totalement nulle :

- Je ne sais pas, la Gospa n'a rien dit là-dessus.

(Si c'est en forgeant qu'on devient forgeron, c'est en fréquentant les voyants qu'on apprend à vivre au lieu de poser des questions...)

Si l'on me propose un fruit, je le prends, je dis merci et je le mange. Pomme, banane, orange... chaque fruit fait son œuvre dans mon organisme, sans que je comprenne exactement comment. Je suis nourrie, voilà l'important. Avec les dons de Dieu, c'est pareil, quoique d'un autre ordre. Il me donne ce qu'il sait être bon pour moi, et moi, soit je prends, soit je ne prends pas. Si je prends, le Créateur sait comment le don va fructifier en moi, selon ses lois divines. Et cela suffit. Je me repose en paix, j'ai confiance. Le Jeudi Saint, Jésus n'a pas dit : « *Comprenez et mangez* » mais « *Prenez et mangez* ».

A Medjugorje, la Vierge a-t-elle donné une bénédiction spéciale et maternelle ? Je la reçois avec reconnaissance. Elle me demande de la transmettre à toutes les créatures ? Je la transmets. Elle ne m'a pas laissé de mode d'emploi ? Je m'en passe et je transmets avec le cœur. Un jour, Marija m'a confié qu'elle-même donnait cette bénédiction spéciale et maternelle très simplement, disant par exemple : « *Voilà, j'ai reçu la bénédiction spéciale et maternelle de la Gospa et je te la transmets.* »

- C'est ce que la Gospa t'a dit de dire ?
- Elle nous laisse libres. Tu peux ajouter les prières que tu veux, avec ton cœur.
- Tu imposes les mains ?
- Non, la Gospa ne l'a pas dit.
- Tu peux transmettre à un groupe ?
- Non, seulement à une seule personne à la fois.

J'ai remarqué que si notre cœur est attentif, la Vierge nous montre elle-même ceux que nous devons bénir. Face à des incroyants ou à des personnes qui rejettent toute prière, nous pouvons transmettre cette bénédiction silencieusement. Toutes sortes de grâces tombent alors sur ces personnes, paix, joie, conversion...

A la fin des années 80, dans l'enthousiasme de cette nouvelle découverte des dons de Dieu à travers Marie, tout allait bien. Mais les meilleures choses peuvent tourner au vinaigre si l'homme y met son péché et récupère à son compte ce qui relève du divin. Le divin ne se met pas en boîte, ne se vend pas, ne se gère pas selon nos misérables normes humaines. En Amérique, surtout, il arriva des déviations. Un ami de Marija voulut lancer un « apostolat de la bénédiction spéciale et maternelle », avec brochures, conférences et même au moyen de répondeurs téléphoniques. Heureusement, éclairée par une parole de la Gospa, Marija lui demanda de n'en rien faire. Moi-même je vis débarquer des radiesthésistes français qui semaient le trouble dans leur groupe et qui me demandaient : « Ma sœur, c'est de vous que je veux recevoir la bénédiction spéciale. » Je refusais, expliquant que ce cadeau n'avait rien d'un fluide magnétique, encore moins magique, que l'on se passait les uns aux autres.

Tout cela est typique de Satan, qui essaie de détourner les trésors de Dieu, que nous offre Marie, pour les utiliser à ses fins perverses. (Je donnais alors la bénédiction silencieusement.)

Aujourd'hui, la situation reste délicate. Car, d'une part, Marija est formelle : la Gospa a réellement demandé que l'on transmette sa bénédiction, d'autre part l'Ennemi a réellement semé l'ivraie dans le beau champ de Medjugorje. Pour ma part, je crois que c'est encore dans la Bible que nous trouvons la lumière. « *Lisez les saintes Écritures,* nous dit Marie, *pour pouvoir découvrir le message contenu pour vous dans mes venues.* »

En Hébreu, le mot *Berakhah* (bénédiction) a pour racine le mot « genou ». On s'agenouille devant Dieu, on se prosterne. Le mot dérivé *Berakhot* signifie le cadeau, la grâce, la paix. Les termes grec et latin ont perdu une grande partie de ce sens merveilleux de la bénédiction. Au sortir des entrailles, l'enfant atterrit sur les genoux de sa mère, et là il reçoit les premiers cadeaux. *Bene Dire...* (latin) c'est bien, mais où sont passés les genoux ? Où est passée la tendresse de la mère, du père, qui transmettent tout le meilleur de leur cœur à l'enfant qu'ils caressent et consolent sur leurs genoux ?

En bénissant le nom de Dieu, en le louant, on attire sur le monde les cadeaux, les grâces de Dieu. Il y a d'abord la verticale de la relation Dieu-homme (Satan veut tout réduire à une horizontale). C'est en Dieu que la Gospa puise les bénédictions, les cadeaux qu'elle nous donne. *« Je vous bénis avec la bénédiction solennelle que Dieu m'accorde ici »* dit-elle le 15 août 1985. Dans la Bible, celui qui, comme Abraham, a reçu une bénédiction spéciale est lui-même porteur de bénédiction pour les autres : *« Par toi seront bénis tous les peuples de la terre »*, *« Je bénirai qui tu béniras »*.

Dès la Création, Dieu bénit l'homme et lui donne pouvoir de bénir toute la création, bêtes et plantes pour leur accorder les bienfaits reçus de Dieu. (Gn 1, 28)

Noé à son tour transmet la bénédiction spéciale de Dieu à ses fils, pour qu'ils édifient une humanité nouvelle, renouvelée dans l'Esprit (Gn 9, 1).

Les Patriarches transmettent des bénédictions irrévocables à leurs fils, qui accomplissent ce qu'elles prophétisent. Leur efficacité s'étend à leur descendance, de manière réelle (Gn 48, 18 et 49, 28).

Aaron, Moïse, David, Salomon, les bergers du peuple, transmettent la bénédiction de Dieu de manière bien réelle. Il y a pour cela des cérémonies, des assemblées saintes, des paroles, des gestes, des liturgies.

Marie de Nazareth est elle-même bénie par Elisabeth, par Siméon au Temple... Lors de la célébration du shabbat, Joseph le Juste bénissait son fils Jésus, selon une formule qui rappelle les bénédictions accordées autrefois à Benjamin et Manassé. (Le père de Marie la bénissait selon la formule de Rachel et Léa, réservée aux filles.)

Tout cela faisait partie intégrante de la vie de la Sainte Famille comme de tout le peuple juif, puis judéo-chrétien. Le père de famille doit transmettre à ses enfants la bénédiction divine reçue par Abraham, Isaac et Jacob, de génération en génération.

Comme la Bible nous l'enseigne, la bénédiction est aussi une grâce eschatologique, car celui qui bénit appelle la venue du Messie. Or, Marie à Medjugorje ne vient-elle pas justement préparer ses enfants au deuxième avènement de son Fils, comme Jean-Baptiste l'a fait pour son premier avènement ? Son choix du 24 juin (Fête de saint Jean-Baptiste) pour sa première apparition est riche de sens. Pour cela, nous avons besoin de sa bénédiction spéciale et maternelle.

Dans l'esprit de la Bible, la bénédiction s'enrichit tandis qu'elle se transmet, c'est une progression, un élargissement. *« A celui qui donne, on donnera davantage »* nous dit Jésus. Je donne et je reçois le centuple, c'est la dynamique du Royaume. Celui qui ne bénit pas risque d'appauvrir le don de Dieu en lui, de le dissiper.

La Gospa nous a demandé de vivre et transmettre ses messages, d'en témoigner. Pourquoi a-t-elle ajouté cette transmission de la bénédiction ? Parce que le témoignage ne remplace pas la bénédiction, c'est une réalité autre. La Gospa demande aux parents de donner l'exemple, d'être porteurs de paix, mais elle leur demande aussi de bénir leurs enfants. C'est une autre nécessité pour la croissance de l'enfant. Car le témoignage seul ne transmet pas la protection comme le fait la bénédiction. Le témoignage ne transmet pas non plus *l'Alliance* conclue par Dieu avec Abraham et avec Moïse au Sinaï.

Le témoignage opère une influence bonne, une attraction. La bénédiction opère une action invisible : Marie par exemple, puise dans ce qui est à Dieu pour nous le donner, et cela transforme notre âme directement, au-delà de la conscience que nous pouvons en avoir.

A chacune de ses venues, la Reine de la Paix bénit les voyants et tous ceux qui se sont réunis pour la prière. Et pour les « non-voyants » la dose n'est pas moindre ! Je ne suis pas diplômée en théologie mariale et je dois parfois me débrouiller avec les moyens du bord ; alors, je me dis ceci : « Elle vient, elle voit la pauvreté sordide de mon âme, elle m'aime, elle a en elle tous les plus beaux trésors de Dieu, elle est ma mère, elle a plusieurs manières de bénir... que va-t-elle faire ? Je crois qu'elle va me donner la meilleure de ses bénédictions aujourd'hui, par pur amour ! Et je la prends toute entière, sans poser de question, car je sais que ce sont les violents qui s'emparent du Royaume. »

Message du 25 mars 1991

« *Chers enfants, aujourd'hui je vous invite à vivre la Passion de Jésus dans la prière et en union avec lui. Décidez-vous à donner davantage de temps à Dieu, lui qui vous a donné ces jours de grâce. Pour cela, chers enfants, priez et renouvelez l'amour pour Jésus d'une manière spéciale dans vos cœurs.*

Je suis avec vous, je vous accompagne de ma bénédiction et de mes prières. Merci d'avoir répondu à mon appel. »

JÉSUS CRUCIFIÉ

La Vierge choisit surtout les incroyants et les enfants pour se manifester. Pourtant, le mois dernier, c'est un prêtre irlandais qui a été bouleversé : il décide de faire son chemin de croix et grimpe la colline de Krizevac, seul.

Arrivé à la douzième station, il prie devant le Christ en croix, mais voilà que le visage de Jésus se met soudain à s'animer. Tuméfié par les coups, perdant son sang, Jésus oscille sa tête de gauche à droite, comme un blessé qui ne supporte plus la douleur. Un amour et une tristesse insondables s'expriment dans son regard qu'il plonge dans celui du prêtre. C'est un appel de détresse, silencieux mais plus puissant qu'un coup de tonnerre.

Le choc est trop fort, et le prêtre détourne la tête pour ne plus voir, son cœur bat à se rompre, il se demande s'il n'est pas devenu fou... Il regarde à nouveau vers la croix, et Jésus continue à bouger, à le regarder. Une longue contemplation s'amorce alors entre le Grand-Prêtre crucifié et ce prêtre de notre monde crucifié.

Tremblant de tout son être, ce dernier descend de la montagne et retrouve ses amis. Ceux-ci ne reconnaissent plus leur prêtre tant est immense la douceur qui coule de son regard. Ils prient ensemble et la bénédiction se répand de lui comme un fleuve paisible et impétueux.

- Le monde actuel est spécial, dit-il, les blessures de Jésus sont intolérables.

Alors seulement il raconte... Il ne sera plus jamais le même :

- Le visage de Jésus s'est imprimé en mon cœur, dira-t-il, comme un sceau sur de la cire.

Message du 25 avril 1991

« *Chers enfants, aujourd'hui je vous invite tous à ce que votre prière soit prière avec le cœur. Que chacun de vous trouve du temps pour la prière, afin de pouvoir découvrir Dieu dans la prière. Je ne veux pas que vous parliez de la prière, mais je désire que vous priiez. Que chacune de vos journées soit remplie de prières d'action de grâce envers Dieu, pour la vie et pour tout ce que vous avez.*

Je ne désire pas que votre vie se passe en paroles, mais glorifiez Dieu par vos actes. Je suis avec vous et je remercie Dieu pour chaque moment passé avec vous. Merci d'avoir répondu à mon appel. »

C'EST MOI, PAUL !

« Comment *prier avec le cœur* ? » reste une question fréquente chez les pèlerins, et ils sont très soulagés d'apprendre, au contact de la grande simplicité de Medjugorje, qu'ils le savaient déjà sans le savoir. Ils arrivent avec des questions intellectuelles et repartent avec le solide bon sens des enfants, des tout-petits auxquels les mystères du Royaume sont révélés.

Un prêtre français nous a magnifiquement illustré la prière avec le cœur l'autre jour dans l'église, en nous racontant un fait divers survenu à Paris :

Paul passait le plus clair de son temps dehors, et il affectionnait beaucoup l'église Saint-Jacques sous le porche de laquelle il mendiait. Il faut bien dire que la bouteille lui tenait lieu de fidèle compagne et la cirrhose du foie, entre autres maladies, ne le quittait guère non plus. Son teint ne présageait rien qui vaille, et les gens du quartier s'attendaient d'un jour à l'autre à ne plus le voir, sans toutefois s'intéresser de trop près à son cas.

Pourtant, une brave âme de la paroisse, madame N. avait engagé un certain dialogue avec lui, attristée de le voir si atrocement seul. Elle avait aussi remarqué que le matin, délaissant quelque temps son poste sous le porche, Paul entrait dans l'église (chroniquement vide) et s'asseyait sur une chaise au premier rang, devant le tabernacle Comme ça... sans rien faire.

Alors elle lui demanda :

- Paul, je vois bien que tu vas dans l'église bien souvent. Mais qu'est-ce que tu fais comme ça, à rester une heure assis, sans rien faire ? Tu n'as pas de chapelet, ni de livre de prière, il t'arrive même de somnoler un peu... Qu'est-ce que tu fais là-bas ? Tu pries ?

- Comment veux-tu que je prie !!! Depuis le temps où j'allais au caté, tout môme, j'ai oublié toutes les prières ! Je ne sais plus rien ! Alors, qu'est-ce que je fais, eh ben c'est pas compliqué : je vais vers le tabernacle où Jésus est tout seul, dans sa petite boîte, alors je lui dis : « Jésus ! C'est moi, Paul ! Je viens te voir ! » et puis je reste un moment, histoire d'être là, quoi !

Madame N. reste sans voix. Elle enregistre et les jours passent, toujours les mêmes. Mais ce qui devait arriver arriva, et Paul disparut de dessous le porche. Malade ? Mort, peut-être ? Elle se renseigne et retrouve sa trace à l'hôpital. Elle va le voir. Le pauvre Paul est au plus mal, bardé de tuyaux, le teint grisâtre caractéristique de celui qui va mourir et le pronostic médical s'avère des plus négatifs.

Elle revient le lendemain, s'attendant à apprendre la triste nouvelle... Mais non, Paul est assis bien droit dans son lit, rasé de frais, l'œil vif et l'aspect métamorphosé. Une expression de bonheur indescriptible émane de tout son visage, une lumière aussi.

Madame N. se frotte les yeux... mais si, c'est bien lui !

- Paul ! C'est incroyable, mais tu es ressuscité ! Tu n'es plus le même, qu'est-ce qui a bien pu t'arriver ?

- Ben, c'est ce matin, j'étais pas bien ; et puis tout à coup je vois quelqu'un debout au pied de mon lit. Il était beau, mais beau... tu peux pas savoir ! Il me souriait et il m'a dit : « *Paul ! C'est moi, Jésus ! Je viens te voir !* »

« Prier avec le cœur » ? C'est aller vers Dieu tel que l'on est, avec tout ce que l'on a. Et quand on n'a rien, y aller avec ce rien. Comme la veuve indigente de l'Évangile, Paul avait sans doute consolé Jésus plus que beaucoup d'autres...

Message du 25 mai 1991

« *Chers enfants, vous tous qui avez entendu mon message de paix, je vous invite à le réaliser avec sérieux et avec amour dans votre vie. Nombreux sont ceux qui pensent faire beaucoup en parlant des messages, mais qui ne les vivent pas. Je vous invite à la vie, chers enfants, et au changement de tout ce qui est négatif en vous, afin de tout transformer en positif et en vie.*

Chers enfants, je suis avec vous et je veux aider chacun de vous à vivre, et à témoigner de la Bonne Nouvelle par votre vie. Je suis ici, chers enfants, pour vous aider et pour vous conduire au ciel. Au ciel se trouve la joie à travers laquelle vous pouvez vivre le ciel dès à présent. Merci d'avoir répondu à mon appel. »

J'AVAIS UN PIED EN ENFER ET NE LE SAVAIS PAS

Tous les résidents de Medjugorje connaissent Patrick, ce Canadien de langue anglaise qui participe chaque jour aux trois heures de prière dans l'église avec son épouse Nancy et qui, durant les longues homélies en croate, récite comme un ange le chapelet à la divine miséricorde ou les prières de sainte Brigitte[1].

Je croyais moi aussi le connaître, jusqu'au jour où il me raconta son histoire...

- J'ai cinquante-six ans. Je me suis marié trois fois. J'ai divorcé deux fois (à chaque fois à cause de mes adultères). Avant de lire les messages de Medjugorje, je ne possédais même pas de Bible. J'ai travaillé dans le secteur automobile au Canada, et pendant trente ans mon seul Dieu a été l'argent. Je connaissais toutes les ficelles pour augmenter mon magot. Lorsque mon fils me demanda : « Papa, c'est quoi Dieu ? », je lui donnai un billet de vingt dollars et lui dis : « Voilà ton Dieu ! Plus tu en auras, plus tu seras proche de Dieu. »

Je n'avais aucun lien avec l'Église et je n'avais jamais eu la foi, bien que baptisé catholique. Je vivais avec Nancy sans être marié, mais cela nous semblait normal, car tout le monde le faisait. Sept ans plus tard, on décida de se marier. J'organisai un super mariage sur une montagne. J'avais loué un hélicoptère..., cérémonie civile tandis qu'un orchestre jouait de la musique New Age...

---

[1] Vous les trouverez aux Éditions Téqui (France) ou du Parvis (Suisse).

Six semaines plus tard, Nancy me dit :

- Je n'ai pas l'impression d'être mariée !

Comme je lui brandissais notre certificat de mariage, elle me répondit :

- Non, je ne me sens pas mariée. Maman n'est pas venue et nous ne sommes pas allés à l'église.

- Entendu, lui dis-je, si ça peut te faire plaisir, on ira à l'église.

Je découvris seulement alors que ma première femme avait demandé et obtenu l'annulation de notre mariage, vingt ans auparavant... Il n'y avait donc aucun obstacle pour que j'épouse Nancy à l'église. La cérémonie eut lieu quelques temps plus tard dans l'église du « Cœur Immaculé de Marie », la seule de ce nom au Canada ! Lentement mais sûrement, la Sainte Vierge se dirigeait vers moi...

Je dus passer au confessionnal avant le mariage, et ce fut une confession sans le cœur. Nancy et moi ne priions pas, n'allions pas à la messe, ne faisions rien de religieux, mais nous avions un certificat de mariage catholique... Mes quatre enfants (trois fils et une fille) avaient des vies difficiles voire catastrophiques (alcool, drogue, divorce aussi...), mais ça ne me perturbait pas outre mesure. Qui n'a pas de problème avec ses enfants ?

Lors d'un déménagement, je tombe sur un paquet que nous avait envoyé de Croatie (il y a bien des lunes !), le frère de Nancy qui est croate. A vrai dire personne n'avait jamais complètement ouvert ce paquet. Nancy me le mit dans les bras en disant : « Mon petit païen de mari, si quelqu'un doit jeter ça, ce sera toi ! Ce sera sur ta conscience ! »

C'était un samedi soir. Je me souviens très clairement de l'instant où j'ai ouvert le paquet. Il contenait les premiers messages de Medjugorje que le frère de Nancy avait soigneusement traduits en anglais et consignés pour nous. Je sortis une feuille du paquet et lus pour la première fois un message de Medjugorje. Et le tout premier message que je lus de ma vie était : « *Je suis venue appeler le monde à la conversion pour la dernière fois.* »

Et là, à cet instant précis, quelque chose se produisit dans mon cœur. Cela ne prit pas une heure, cela ne prit pas dix minutes, cela arriva instantanément. Mon cœur se mit à fondre et je commençai à pleurer. Impossible de m'arrêter, les larmes coulaient sur mon visage en un flot ininterrompu. Jamais je n'avais lu quoi que ce soit de semblable à ce message. Je ne savais rien sur Medjugorje, même pas que ça existait !

J'ignorais tout des messages. Tout ce que je pouvais lire était : *« Je suis venue appeler le monde à la conversion pour la dernière fois »* et je savais que c'était pour moi, je savais que la Sainte Vierge était en train de me parler, à moi ! Le deuxième message que je lus était : *« Je suis venue vous dire que Dieu existe ! »* et je ne crois pas avoir jamais de ma vie cru en Dieu avant de lire ce message. Il rendait toutes choses réelles ! Tout l'enseignement catholique que j'avais reçu étant enfant était RÉEL ! Ce n'était plus un conte de fées ou une jolie fable complètement inventée. La Bible était réelle !

Plus question de balancer les messages, je me suis mis à les lire un par un jusqu'au dernier. Je ne pouvais plus me détacher de ce livre et pendant une semaine je le gardai à la main, malgré la confusion générale occasionnée par le déménagement. Je le lisais et relisais, et les messages pénétraient de plus en plus profondément dans mon cœur, dans mon âme. J'avais là le trésor des trésors !

Au cours du déménagement, j'entendis parler d'un week-end marial à Eugene (U. S. A.), à deux jours de route de chez nous.

- On y va, dis-je à Nancy.
- Et la maison... ?
- Tant pis !

Là-bas, je vis des milliers de personnes qui toutes ressentaient la même chose que moi pour la Sainte Vierge, sur sa manière de parler au monde aujourd'hui. Tous avaient des livres sur Medjugorje, sur Fatima, sur Don Gobbi... je n'avais jamais vu ça !

Au cours de la messe, il y eut une prière de guérison. Le Père Ken Roberts déclara :

- Consacrez vos enfants au Cœur Immaculé de Marie !

Je me levai, toujours en larmes car je n'avais pas cessé de pleurer depuis mon premier message de Medjugorje, et dis à Marie :

- Mère bénie, prends mes enfants ! Je t'en supplie car j'ai été un père lamentable ! Je sais que tu feras mieux que moi.

Et j'ai consacré mes enfants. Cela me bouleversa beaucoup, car vraiment je ne savais pas quoi faire d'eux. Leurs vies avaient dépassé le stade de la décadence. Mais, après ce week-end, tout commença à changer dans notre famille. Le Père Ken Roberts avait dit :

- Renoncez à ce que vous aimez le plus !

J'aimais beaucoup Nancy, et le café... Je décidai de renoncer au café !

Les messages de Medjugorje ont été la grande grâce de ma vie. Ils m'ont complètement transformé. J'aurais pu continuer le cycle des divorces, j'avais énormément d'argent. Mais maintenant, la simple idée de l'adultère est exclue pour moi. L'amour que la Sainte Vierge a placé entre Nancy et moi est incroyable, c'est une grâce de Dieu.

Mon fils, qui se droguait et avait été renvoyé de son école à seize ans, s'est converti, il s'est fait baptiser et songe au sacerdoce. Si quelqu'un dans une famille fait le premier pas, la Gospa fait le reste. Et c'est le cas ! Qu'un message de Medjugorje touche un membre d'une famille et peu à peu toute la famille se retourne. Quant à mon autre fils, non-pratiquant notoire, il est venu à Medjugorje l'an dernier et y a trouvé la foi (confession, première communion...). Mes autres enfants et mes parents sont aussi sur le bon chemin, même si cela n'est pas toujours facile[1].

Huit jours après avoir découvert les messages, j'ai dit à Nancy :

- On part à Medjugorje !

Nous y habitons depuis 1993. Nous sommes arrivés sans rien. Au bout de trois jours, la Vierge nous a trouvé un toit et un job. Nancy traduit le Père Jozo. Quant à moi, toute ma vie consiste maintenant à aider les pèlerins et à faire connaître les messages par tous les moyens possibles. La Vierge Marie, je l'aime énormément, elle m'a sauvé la vie. J'avais un pied en enfer et je ne le savais pas !

---

[1] « *Tant qu'un pêcheur reste dans le péché, il me retient comme enchaîné, étendu sur la croix. Mais dès qu'il se convertit, il me délie aussitôt et moi, comme si vraiment je venais d'être détaché de la croix, je tombe sur lui comme autrefois sur Joseph d'Arimatie, avec ma grâce et ma miséricorde, et me livre en son pouvoir, de sorte qu'il peut faire de moi tout ce qu'il veut.* » Jésus à Sainte Mechtilde.

Message du 25 juin 1991
(10ème anniversaire des apparitions)

« Chers enfants, aujourd'hui, en ce grand jour que vous m'avez offert, je souhaite vous bénir tous et vous dire : vous vivez un temps de grâce en cette période où je suis avec vous. Je veux vous enseigner et vous aider à cheminer sur la voie de la sainteté. De nombreuses personnes ne veulent pas saisir mon message, ni accepter avec sérieux ce que je dis. Voilà pourquoi je vous appelle et je vous prie : soyez les témoins de ma présence par votre vie, et votre vie de tous les jours. Si vous priez, Dieu vous fera découvrir la véritable raison de ma venue.

C'est pourquoi, petits enfants, priez et lisez les Saintes Écritures pour pouvoir découvrir par les Saintes Écritures le message contenu pour vous dans mes venues. Merci d'avoir répondu à mon appel. »

LES 24 HEURES DE LA GOSPA

Un jour, je me trouvais sur la montagne : j'aime y prier longuement avant l'apparition de la Vierge, et l'accueillir dans mon cœur, loin de la foule. L'apparition a lieu ici à 17h40 (heure d'été : 18h40).

Ce jour-là, j'ai dit à la Vierge :

- Comme je sais que tu vas revenir dans 24 heures, je vais te préparer un cadeau. Je pourrai te l'offrir demain.

Mais quel cadeau ? J'eus l'idée de me surveiller sur un point précis. En effet, depuis l'âge de quatorze ans, j'avais la très mauvaise habitude de m'écorcher la lèvre, parfois jusqu'au sang. C'était un tic dont je ne pouvais me débarrasser. Un dermatologue m'avait dit que je risquais fort un cancer de la lèvre (et des métastases très rapides). Malgré ses avertissements, je continuais, c'était plus fort que moi. Je fis cette promesse à la Vierge :

- Pendant 24 heures, je vais faire un super effort, je n'écorcherai pas ma lèvre, mais je t'en prie, aide-moi !

Le rendez-vous du lendemain arriva : ça avait marché ! Tous les assauts destructeurs (très nombreux) avaient été repoussés, la Vierge m'avait bien aidée, et je lui offris avec joie son cadeau. L'idée me vint alors de lui préparer un nouveau cadeau, une nouvelle victoire sur un point précis, pendant 24 heures. Pourquoi pas la même chose ? C'est ce que je fis, et elle reçut son cadeau. Durant toute une semaine, à chaque

rendez-vous, je fis de même. Qu'arriva-t-il alors ? Après sept jours, le
tic avait complètement disparu. Il était parti, c'était fini, je n'y pensais
même plus ! La Vierge avait touché mon corps et mon système nerveux,
elle avait enlevé le mal à la racine. Grande fut ma joie et ma reconnaissance.

L'histoire ne s'arrête pas là ! Comme je remerciais la Vierge, elle me
fit comprendre dans la prière que ce qu'elle avait fait pour moi, elle
voulait le faire pour chacun de ses enfants. Me revinrent alors en
mémoire certaines de ses paroles, ce fut comme une décharge de
lumière :

*« Dès que vous avez besoin, appelez-moi ! Si vous éprouvez des
difficultés ou si vous avez besoin de quelque chose, venez à moi. Dieu
m'a permis de vous aider chaque jour par des grâces, pour vous
défendre contre le mal. Chers enfants, permettez à Dieu de faire des
miracles dans vos vies ! »*

Je compris aussi que nous étions passés à côté d'un immense capital
de grâces, que nous étions encore à mille lieues de réaliser à quel point
ces visitations quotidiennes de Marie pouvaient nous secourir. Nous
nous étions assoupis dans l'inconscience ! *« Non, chers enfants, vous
ne comprenez pas l'importance de mes venues ! »* nous dit la Sainte
Vierge. Et Vicka d'ajouter :

- Ce que la Gospa fait à Medjugorje n'a jamais été fait nulle part
ailleurs avant et ne le sera pas après. C'est unique dans l'histoire.

Mais il n'est pas trop tard ! Je suis frappée de constater combien le
peuple de Dieu est heureux d'apprendre cette bonne nouvelle des
visitations quotidiennes de la Gospa. Pour les prêtres de paroisse qui
accueillent des témoins de Medjugorje, quelle stupéfaction et quelle joie
de voir leur église soudain archi-comble, et toute cette foule qui ne veut
pas partir après trois ou quatre heures de témoignages et de prière !
N'est-ce pas là un signe bouleversant de la soif immense qu'a le peuple
de toucher concrètement le cœur de sa Mère, vivant, réel, guérissant,
compatissant, indiciblement tendre ?

Oui, le peuple de Dieu est heureux de trouver sa Mère. A
Medjugorje, le ciel se laisse toucher comme jamais auparavant. Lorsque
la Vierge apparaît, les voyants la voient en trois dimensions, comme on
voit une personne normale sur la terre. Ils peuvent lui serrer la main,
l'embrasser, ils peuvent tirer son voile en l'implorant pour une faveur,
ils peuvent rire et pleurer avec elle. Elle est complètement réelle, in-
carnée, vivante et infiniment belle.

- Depuis quinze ans qu'on la voit, dit Marija, on ne s'y habitue pas, c'est chaque jour une joie plus grande.

Mais pour nous, « non-voyants », « non-entendants », qui n'avons pas d'extase quotidienne pour converser avec la Reine du ciel, notre lot serait-il inférieur et lamentablement dérisoire ?

Au contraire ! Et c'est la clé de voûte du don de Dieu à Medjugorje : là où je suis, tel que je suis, moi, pauvre pêcheur, sans charisme, je peux recevoir les mêmes grâces du ciel que si je m'appelais Vicka, Marija, Ivan, Mirjana, Jakov ou Ivanka...

J'ai fait mon enquête auprès des voyants qui entendent souvent : « Comme tu as de la chance de voir la Sainte Vierge ! Quel bonheur ce doit être ! Ah, si cela pouvait m'arriver... » J'ai sondé Vicka :

- Vicka, lorsque tu vois la Gospa, tu reçois des grâces très particulières ?

- Oui, la Vierge a dit qu'elle nous donnait des grâces comme elle n'en avait pas encore donné durant l'histoire du monde.

- Et moi, qui ne vois rien, vais-je recevoir moins de grâces que toi la voyante, alors que j'ouvre tout grand mon cœur ?

- Mais non, si tu ouvres ton cœur, elle te donnera les mêmes grâces qu'à moi, elle l'a dit ! Nous ne sommes pas meilleurs que les autres... La Gospa aime beaucoup que l'on vienne à Medjugorje, car elle y a fait une oasis de paix et elle nous y invite. Mais, si tu ne peux vraiment pas venir et que tu ouvres tout grand ton cœur au moment où elle apparaît, bien sûr, tu recevras les mêmes grâces que nous, les voyants, là où tu es.

Voilà, la conclusion est limpide : les visitations de Marie et le fantastique capital de grâces qu'elles apportent ne sont pas réservés à quelques rares élus ; non, elles sont pour chacun de nous, pour vous qui me lisez, pour votre famille, pour tous ceux qui ouvrent les portes les plus intimes de leur cœur à cette occasion.

A 18h40, lorsque la Vierge descend pour converser avec les enfants des hommes et prier avec eux, ceux qui le désirent peuvent s'arrêter quelques minutes, là où ils sont, pour l'accueillir de manière toute spéciale, en communion avec Medjugorje et avec ces milliers de personnes qui déjà, de par le monde, vivent ce rendez-vous (certaines montres se mettent à sonner !). Et de jour en jour, de 24 heures en 24 heures, il se passe pour eux des choses si remarquables que plusieurs livres ne pourraient contenir tous leurs témoignages. Quelle joie, en effet, lorsque chaque jour je peux plonger mon cœur dans celui de ma

Mère, sûre qu'elle reviendra dans 24 heures, que ma solitude n'existe plus désormais, que je suis chaque jour une cousine Elisabeth qui s'écrie : « *Comment m'est-il donné que la Mère de mon Seigneur vienne jusqu'à moi !* »

Quelle joie de lui offrir chaque jour un petit cadeau, de convenir avec elle d'une petite chose très précise sur laquelle je vais me dépasser, me convertir. Si je suis esclave de la cigarette, de l'alcool ou des images pornos... je peux y renoncer pendant 24 heures. Si je bats ma femme... je peux cesser pendant 24 heures ! (et réciproquement).

Je sais que je suis trop faible pour promettre mon effort sur trois mois, même un mois. Mais 24 heures... c'est juste dans mes possibilités. Elle le sait bien, c'est pourquoi, elle dit souvent :

« De jour en jour, l'amour croîtra en vous. Je suis avec vous pour vous aider à le réaliser jusque dans sa plénitude. »

« De jour en jour » est son leitmotiv ; 24 heures, son unité de temps. Mère Teresa aussi nous focalise sur cet « aujourd'hui » comme point d'impact de la grâce : « *Hier est passé, demain n'est pas encore là, je n'ai qu'aujourd'hui pour aimer.* »

A chacune de ses visitations, Marie s'empare de notre cœur pour y imprimer son ineffable beauté... « *Je vous demande de me donner votre cœur pour que je puisse le transformer, pour qu'il soit semblable à mon cœur* » dit-elle.

Elle s'empare avec l'avidité de l'amour de notre petit cadeau promis la veille. Alors, elle réalise en nous un travail inouï : « *Je veux vous purifier des conséquences de vos péchés passés, je veux vous enrichir de ma paix maternelle.* »

Celle qui vient à moi, c'est *la Femme qui écrase la tête du Serpent.* C'est elle devant qui tremblent les puissances infernales et tous les démons, car elle est l'Immaculée et elle a reçu la grâce de vaincre Satan.

A chacun de mes rendez-vous, je reçois celle qui est plus forte que le mal qui m'habite. Elle va l'enlever à sa racine.

Nous souffrons tous d'un cruel manque de bons exorcistes, partout. Avec la prolifération des pratiques sataniques conscientes ou inconscientes, un nombre croissant de personnes sont profondément torturées par les puissances des ténèbres ; et qui est là pour les accueillir, les écouter, les secourir ? Où ? Comment ? C'est le désert !

Voilà que notre Mère répond. Elle n'abandonne pas ses enfants au triste sort que l'athéisme ambiant leur réservait. Au cours de ces rendez-vous avec la Reine de la Paix, les plus beaux exorcismes se produisent, comme par enchantement. Ce qu'un psychiatre n'obtient pas en dix ans, Marie le fait, elle est Reine !

« *Votre souffrance est aussi la mienne* » (avril 1992).

« *Chers enfants, vous oubliez que je vous demande des sacrifices pour vous aider et pour chasser Satan de vous* » (septembre 86).

Par ailleurs, ces venues de Marie sont un antidote efficace contre les confusions du Nouvel Age, où l'Incarnation de Dieu est niée. A Medjugorje, on découvre le réel de la vie spirituelle. Marie n'est pas une « planeuse », elle nous plonge dans le concret de la vie, sous le regard du Dieu Vivant et non d'une énergie impersonnelle. C'est une grande libération, face au Nouvel Age qui fabrique chaque jour de nouveaux SDF : Sans Dieu Fixe.[1]

Message du 25 juillet 1991

« *Chers enfants, aujourd'hui je vous invite à prier pour la paix. Ces temps-ci, la paix est menacée de manière particulière, et je vous demande de renouveler le jeûne et la prière dans vos familles.*

Chers enfants, je désire que vous saisissiez la gravité de la situation, et qu'une grande partie de ce qui va arriver dépend de votre prière. Or, vous priez peu. Je suis avec vous et je vous invite à commencer à prier et à jeûner avec sérieux, comme aux premiers jours de ma venue. Merci d'avoir répondu à mon appel. »

ALCOOLIQUE DEPUIS DIX ANS

Peu après ma guérison, on m'invita à parler de Medjugorje aux USA. Impossible de garder pour moi la découverte des « 24 heures de la Gospa » ! Après leur avoir bien tout expliqué, je dis aux cinq mille Américains qui m'écoutaient : « Envoyez-moi vos témoignages ! » La toute première lettre que je reçus alors me bouleversa :

---

[1] La totalité de ce témoignage est donnée sur cassette : « *Les 24 heures de la Gospa* » par Sœur Emmanuel - Maria Multimédia.

« J'étais présente à votre conférence en septembre dernier à Pittsburgh. J'ai trente ans. Lorsque je suis venue vous écouter, j'étais veuve depuis plusieurs mois, et ma vie était devenue un véritable enfer. Je ne supportais pas l'absence de mon mari. Ne plus entendre sa voix, ses pas dans la maison, ne plus le voir, lui parler, tout cela m'était devenu une telle torture que je ne voulais plus vivre. La douleur de la solitude et le désespoir du cœur m'écrasaient, et seule ma propre mort pouvait y mettre fin. J'avais donc décidé de me suicider et, pourquoi je suis venue à votre conférence, je me le demande encore.

Je n'en ai retenu qu'une seule chose, car jamais auparavant je n'avais considéré les apparitions sous cet angle : la Vierge vient me visiter, moi, personnellement, dans ma maison, dans ma situation d'aujourd'hui... ! Je décidai de « faire les 24 heures de la Gospa » dès le lendemain. Lorsque l'heure de la visitation de Marie arriva, je me suis littéralement effondrée dans ses bras (même sans la voir) et j'ai sangloté ainsi un certain temps, contre son cœur. Je n'avais pas d'autre cadeau à lui offrir que mon infinie détresse et je ne faisais que lui répéter : « Prends mon désespoir, prends ma vie brisée, foutue ! Je n'en peux plus ! »

Ma sœur, vous n'allez peut-être pas me croire. Pourtant, je vous dis la vérité : je ne sais pas comment cela est arrivé, mais aujourd'hui je suis devenue la femme la plus heureuse du monde. Je suis heureuse de mon sort ! La Vierge a déversé dans mon cœur sa propre joie, et elle a enlevé mon désespoir. J'ai conçu un amour fou pour elle ! Elle est incroyable, elle est vraiment mère ! Son propre cœur est en moi, et je ne sais comment vous dire combien maintenant j'aime ma vie... [1] » (*Patricia*).

En France, je ne manquais pas une occasion de parler de cela. Un jour, une dame qui avait assisté à ma conférence à Toulouse, trois mois auparavant, vint me trouver à Medjugorje. Tout son car de pèlerins était déjà au courant de son miracle, qu'elle s'empressa de me raconter :

« J'ai soixante ans. J'étais alcoolique depuis dix ans. A cause de cela, j'avais de graves problèmes de santé. Quant à ma famille, elle partait en lambeaux, surtout mes enfants, car je leur rendais la vie impossible. Mais c'était plus fort que moi. J'avais fait cure sur cure. Et même un groupe de prière avait prié plusieurs fois sur moi. Mais rien n'y faisait, le vin blanc... c'était le vin blanc !

Lorsque j'ai entendu comment vous aviez été guérie par la Gospa, ça m'a donné une idée. Vous vous souvenez, on a prié quelques minutes

---

[1] Ce témoignage peut intéresser les psychiatres, et leur nombreuse clientèle.

pendant votre conférence ? On s'est recueilli au moment de l'apparition, à 18 heures 40. Je me suis dit : « C'est le moment ! Pour une fois, tu peux bien faire un cadeau à Marie ! » Je lui ai alors promis de ne pas boire une goutte d'alcool pendant les prochaines 24 heures, chose dont je me savais incapable, mais vous aviez dit qu'elle nous aiderait à tenir notre promesse. Et ça a marché ! Ç'a été très, très dur : je voyais constamment défiler des verres de vin blanc devant mes yeux, j'ai dû m'accrocher très fort, à cause de ma promesse. Le lendemain, j'étais vraiment heureuse de lui offrir mon cadeau. Tout de suite après l'heure de l'apparition, je devais aller chez des amis et, évidemment, on m'offre un verre. Du vin blanc ! Je prends le verre, mais dès la première gorgée, je dus me surveiller pour ne pas recracher : le vin me dégoûtait ! Ma sœur, depuis ce jour je ne bois plus et ce n'est même plus un effort.[1]

Le plus beau, c'est qu'à la suite de cela, la Sainte Vierge a commencé des conversions en chaîne dans ma famille. » (*Jeannine*)

Ce que les cures de désintoxication et les psychologues n'ont pas réussi à faire en dix ans, la Gospa l'a fait en 24 heures ! Et qui a-t-elle choisi dans cette famille comme apôtre de son Fils ? Celle qui y avait fait le plus de dégâts !

Message du 25 août 1991

« *Chers enfants, aujourd'hui je vous appelle à la prière, maintenant comme jamais auparavant, alors que mes plans ont commencé à se réaliser. Satan est fort et veut balayer mes plans de paix et de joie, il veut vous faire croire que mon Fils n'est pas fort dans ses décisions. C'est pourquoi j'appelle chacun d'entre vous, chers enfants, à prier et à jeûner avec encore plus de force.*

Je vous invite au renoncement durant neuf jours, de telle sorte qu'avec votre aide, tout ce que je voulais réaliser à travers les secrets que j'ai commencés à Fatima, puisse être accompli. Je vous invite, chers enfants, à bien saisir l'importance de ma venue et la gravité de la situation. Je veux sauver toutes les âmes et les offrir à Dieu. C'est pourquoi, prions pour que tout ce que j'ai commencé puisse être pleinement réalisé. Merci d'avoir répondu à mon appel. »

---

[1] Jeannine rechuta six mois plus tard, mais grâce à la prière elle put redevenir sobre en quelques jours.

LA PRAVDA CONTENAIT LA VÉRITÉ !

Fatima ! Pour la première fois et la seule, la Gospa cite dans un message un autre lieu d'apparition, et cela sept ans après que Jean-Paul II, « *le plus cher de ses fils* », l'ait fait. Mais revenons sept ans en arrière.

20 mars 1984. Monseigneur Pavol Hnilica, ami intime de Karol Wojtyla depuis des lunes, se morfond à Rome. Que fait-il donc ici alors que bientôt, le 25 mars, Jean-Paul II consacrera solennellement la Russie et le monde au Cœur Immaculé de Marie selon la demande de Notre-Dame à Fatima ?

- Quel dommage que je ne puisse être à Moscou le 25, dit-il à Mère Teresa de Calcutta, en visite à Rome Il n'y aura personne sur place pour consacrer la Russie !

- Allez-y ! Tenez, prenez mon chapelet. Moi je prierai pour vous !

- Mais... C'est impossible de passer la frontière !

- Allez-y ! C'est la Vierge qui vous ouvrira les portes de la Russie !

L'évêque s'empare de la foi de Mère Teresa et prend la route. Le douanier russe est un vrai rideau de fer, il fallait s'y attendre.. « Vous ne passerez pas » dit-il aux deux voyageurs (le Père Léo accompagnait l'évêque) et débite en russe les mots les plus prisés du dictionnaire de blasphèmes communistes. Les autres insistent et attendent. Il fait moins quinze degrés. Les chapelets vont bon train. Le douanier essaye toutes les heures d'appeler son chef, mais l'engin ne fonctionne pas. Au petit matin, hagard, il leur crie : « Foutez le camp, j'veux plus vous voir ! »

La Gospa avait ouvert les portes de la Russie, à sa manière...

Le 24 mars, l'évêque arrive au Kremlin. Il se rend dans cette église désaffectée, ironiquement baptisée « musée de l'athéisme »[1] par le régime, où le peuple vient secrètement vénérer les icônes, sous couvert d'admirer des œuvres d'art.

Son cœur bat à se rompre car, pour un ancien détenu des prisons communistes, l'événement tient du prodige. Il achète la Pravda et se poste derrière un ancien autel. Dans le journal, il a placé le texte de Jean-Paul II pour la consécration du monde... Jean-Paul II l'a chargé de « tout le monde communiste », un territoire qui s'étend de Berlin aux confins de la Chine, en passant par Moscou. Son cœur de berger pourrait éclater d'émotion mais, attention, on l'observe... Pour ne pas

---

[1] En ce même lieu, ex-musée de l'athéisme, la Gospa est apparue à une foule en pleurs venue prier avec Marija Pavlovic en octobre 1990.

attirer l'attention, il fait semblant de scruter la Pravda, alors qu'il adresse cette sublime prière de consécration à la Mère de Dieu.

« Quel bon communiste, pensent sans doute les visiteurs, avec quelle attention il lit la Pravda ! »

Il faut dire que ce jour-là, une fois n'est pas coutume, la Pravda contenait la vérité !

Il célèbre l'Eucharistie dans ses poches, selon un rite appris en prison, et s'en va sans demander son reste. Quelle joie ! Il avait pu vivre cette consécration en communion avec tous les évêques du monde, comme l'avait demandé la « Dame » de Fatima ! Une page définitive était désormais tournée, dans l'histoire du communisme.

Le 25, il arrive à Rome au moment où le Pape fait la consécration. Décidément, le chapelet de Mère Teresa a ses entrées partout ! Apprenant que son ami revient de Moscou, Jean-Paul II le convoque pour le petit déjeuner du 26 qui dura... trois heures (oui, trois vraies heures de 60 minutes) ! L'évêque raconte tout, et Jean-Paul II s'émerveille. Puis il lance :

- En revenant de Moscou, tu es passé par Medjugorje ?
- Non, très Saint-Père, le Vatican me l'a déconseillé !

D'un geste de la main, Jean-Paul II balaye cette objection.

- Vas-y incognito, et tu me diras ce que tu as vu.

Puis il l'emmène dans sa bibliothèque et sort un livre du Père Laurentin. Il lit quelques messages de la Gospa et déclare :

- Tu vois Pavol, Medjugorje c'est la continuation de Fatima. La réalisation de Fatima ! Aujourd'hui, le monde a perdu le sens du surnaturel, mais il le retrouve à Medjugorje, par la prière, le jeûne et la confession sacramentelle.

Cet évêque devint dès lors un grand défenseur de Medjugorje. Le Pape lui pose régulièrement la question : « Pavol, quelles sont les nouvelles de Medjugorje ? » Il m'est aussi devenu un ami très cher.

Le 25 mars 1994, avec l'accord du Saint-Père, il vint célébrer à Medjugorje le dixième anniversaire de cette consécration du monde.

Il semble que Jean-Paul II soit éclairé surnaturellement au sujet de Medjugorje. Il confia à Monseigneur Hnilica, que lors de l'attentat du 13 mai 1981, c'était la Vierge de Fatima qui l'avait protégé de la mort (quarante jours plus tard, la Gospa apparaissait à Medjugorje. Un carême de sang !) Il fit alors cette prodigieuse confidence à son ami :

- Mais pourquoi m'a-t-elle sauvé ? Après trois mois entre la vie et la mort, je compris que le seul moyen de résoudre les problèmes du monde et de l'Église était la conversion de la Russie, selon le message de Fatima. L'unique solution, c'est de vivre et réaliser le message de Fatima...[1]

Si Medjugorje réalise Fatima... alors, grande est notre espérance. Nous savons que le Pape fonde tous ses espoirs sur les groupes marials, ceux de Medjugorje en particulier, car il trouve chez eux une grande fidélité à l'Église, à la prière, au jeûne, aux sacrements...

Et comment ne pas évoquer ici le bonheur de Sœur Lucie elle-même, qui n'a jamais cessé de voir la Vierge depuis 1917 et à qui Marie parle aujourd'hui de... ce qu'elle fait à Medjugorje ![2]

---

[1] Vous trouverez cette histoire détaillée dans la vidéo : « *Medjugorje, continuation de Fatima ?* » (par Sœur Emmanuel) et dans la cassette : « *Fatima - Medjugorje* » (Sœur Emmanuel).

[2] Ce fait est rapporté par le neveu de Sœur Lucie, le Père Salinho, salésien au Portugal. Bien sûr, ces apparitions appartiennent à la vie mystique privée de Sœur Lucie et ne sauraient faire l'objet d'une déclaration officielle de son vivant. Il est heureux que Jean-Paul II demeure si étroitement en lien avec Sœur Lucie.

Message du 25 septembre 1991

« *Chers enfants, aujourd'hui je vous appelle tous d'une manière spéciale à la prière et au renoncement. Maintenant comme jamais auparavant Satan désire montrer au monde son visage honteux, par lequel il veut tromper le plus de gens possible et les mener sur le chemin de la mort et du péché.*

C'est pourquoi, chers enfants, aidez mon Cœur Immaculé à triompher dans un monde de péché. Je prie chacun de vous d'offrir des prières et des sacrifices à mes intentions, afin que je puisse les offrir à Dieu pour les besoins les plus grands. Oubliez vos désirs et priez, chers enfants, pour ce que Dieu veut et non pour ce que vous voulez. Merci d'avoir répondu à mon appel. »

SEIGNEUR, ARRÊTE-LE !

Aider le Cœur Immaculé à triompher dans un monde de péché est un des leitmotivs communs entre Fatima et Medjugorje. « *Un monde de péché* »[1] est l'expression douce et supportable, choisie ici par Marie pour désigner le mal à vaincre, mais elle n'a pas ménagé les enfants de Fatima ni ceux de Medjugorje, elle ne leur a pas caché l'horreur des horreurs qui attend le pécheur inconverti : elle leur a montré l'enfer. Le remède proposé ? Vivre dans son Cœur Immaculé à travers la consécration et devenir ainsi co-rédempteur avec son Fils. Se sacrifier pour les pécheurs, afin qu'aucun d'eux ne résiste plus à la miséricorde de Dieu mais, au contraire, se convertisse pendant qu'il en est encore temps.

Le Seigneur me donna un jour une leçon magistrale sur l'esprit de sacrifice qui me marqua plus que cinquante livres. Un matin, j'allai à la messe de dix heures en anglais, célébrée par un prêtre américain de passage à Medjugorje. Tout alla très bien jusqu'à l'homélie. C'est alors que tout se gâta, car le prêtre entama un discours dans lequel je cherchai en vain le lien avec l'Évangile, ou tout simplement le lien avec Dieu. Il mettait bout à bout des considérations lyrico-philosophiques et Dieu ne semblait pas se profiler à l'horizon. De plus, ça durait... ça durait !

---

[1] Notre-Dame a dit aux enfants de Fatima : « *Beaucoup d'âmes vont en enfer car il n'y a personne pour prier et se sacrifier pour elles.* »

La nuit précédente, j'avais peu dormi ; je commençais à m'énerver et à regarder ma montre. J'aurais dû prendre la chose plus positivement...

- Jésus, fais quelque chose ! criai-je au Seigneur. Arrête-le ! Mais, auparavant, permet qu'il dise au moins une phrase pour nourrir mon âme.

A ma grande stupéfaction, le prêtre interrompit net son homélie et repartit tranquillement à sa place. Mais avant de s'asseoir, il fut comme saisi par un courant électrique, revint d'un pas énergique vers le micro et dit :

- Oh, excusez-moi, j'ai oublié de vous dire une chose très importante : la seule activité qui vaille vraiment la peine dans la vie, la seule, c'est de se sacrifier pour le salut des âmes ![1]

Puis il retourna à sa place.

- Jésus ! dis-je en tremblant de stupeur. J'ai capté ton message, cinq sur cinq !

---

[1] Cette « activité » est éminemment celle du Christ, et ne peut se recevoir que de lui, par grâce de participation. Un des plus beaux exemples que je connaisse est celui de Marthe Robin.

Lorsque Jésus la préparait à l'œuvre des Foyers de Charité dans les années 30, il lui demanda (entre autres) de s'offrir en réparation pour toutes les profanations et les sacrilèges commis par tant de prêtres.

Il lui fit comprendre qu'il avait longtemps cherché une âme qui consente à représenter l'humanité toute entière devant Dieu, une âme à qui il puisse faire l'immense grâce de vivre et de se laisser continuellement crucifier pour son Père et pour lui. Marthe lui offrit un *oui* total et quotidien. Jésus lui confia que très rares étaient les âmes qu'il pouvait ainsi unir à tout son mystère, prêtes à se livrer à toutes ses volontés, pour arriver à l'union parfaite avec son Père et lui-même. Et Jésus eut ce mot qui donne à réfléchir : « *Toutes reculent lorsque j'insiste...* » (Ces propos me viennent du Père Bondallaz, très proche de Marthe, reparti vers le Père.)

Message du 25 octobre 1991

« Chers enfants, priez, priez, priez. »

HISTOIRE D'UNE AUTRE ÂME

- Au revoir Georgette. Si je te vois à Medjugorje, ne te vexe pas quand je te demanderai ton passeport... Ce sera juste pour vérifier que c'est bien toi !

C'est ainsi que j'ai quitté Georgette l'an dernier, à Montréal. L'histoire du passeport est une boutade entre nous ; c'est de sa faute à elle : elle biloque quelquefois à Medjugorje ! Son « deuxième corps » est-il porteur aussi d'un passeport... ?

Georgette n'aime pas que l'on parle d'elle, qu'elle me pardonne...

Georgette Faniel est née en 1915 à Montréal, où elle mène encore une vie très cachée, dans une intense prière. Dès l'âge de six ans, Jésus la prend dans son intimité et lui parle aussi bien au cœur qu'à l'oreille. Elle croit alors que tout le monde entend comme elle la voix de Jésus et reste discrète sur son expérience. Plus tard, la voix du Père se fait entendre, ainsi que la voix de l'Esprit Saint et celle de la Vierge Marie. Depuis l'âge de six ans, elle est atteinte d'une maladie qui la fera de plus en plus souffrir et la rendra invalide : ses « compagnons célestes » l'aident à porter cette croix en paix et à unir sa souffrance à celle de Jésus.

Georgette vit aussi avec les anges qui, de manière très concrète, l'aident dans ses tâches matérielles, ménagères, parfois avec beaucoup d'humour. Il est arrivé plus d'une fois que, ne pouvant achever un travail à cause de douleurs aiguës, elle retrouvât son ouvrage terminé... Les anges s'en étaient chargé !

En 1950, elle reçoit les plaies de Jésus et vit la Passion.

Mon propos ne consiste pas à retracer ici toutes les étonnantes étapes de la vie mystique de Georgette, il faudrait pour cela plusieurs volumes ! Mais un événement-clé se produit un jour pour elle, qui ne manquera pas de réjouir ceux qui aiment Medjugorje : le Vendredi Saint de 1985, alors que déjà Georgette s'était offerte en holocauste d'Amour au Père Éternel, le Seigneur lui fait une demande singulière qui l'emmènera bien plus loin encore dans l'offrande totale d'elle-même : *« accepte-t-elle d'offrir sa vie, toutes ses souffrances et ses prières pour que l'authenticité des apparitions de Medjugorje soit reconnue ?* » Georgette avait entendu parler de Medjugorje par le Père Girard qui la dirige spirituellement. Depuis lors, elle ne cesse de « travailler » à la cause de Medjugorje, le jour et la nuit (où elle ne dort qu'une heure), se sacrifiant pour les voyants, les franciscains de la paroisse, l'évêque du lieu et bien sûr tous les paroissiens et les pèlerins.

Lors de leurs missions au Canada, les voyants comme les franciscains ne manquent pas de lui rendre visite, Georgette fait partie de leur famille spirituelle (voir cahier photos). Sa connaissance intime de Medjugorje se révèle plus profonde que celle de certains natifs ! Pourtant, clouée chez elle par son état de santé, elle ne peut venir à Medjugorje. La bilocation ? Pour elle, comme pour Sœur Faustine ou le Padre Pio, c'est une solution de Dieu !

Pour ma part, j'ai l'intime conviction que l'extraordinaire fécondité de Medjugorje à travers le monde est due à ces âmes, secrètement immolées au fond d'une chambre, qui combattent jusqu'au sang contre les puissances des ténèbres et obtiennent du Cœur de Dieu les plus précieuses victoires : Georgette en fait éminemment partie.

Je la sens chaque jour présente et, lorsque je dois réaliser une mission pour la Gospa, son appui me porte, nous travaillons comme en tandem. Je sais aussi qu'elle ressent jusqu'à l'agonie toutes les offenses faites à la Reine de la Paix, les machinations ourdies contre Medjugorje, nos indifférences aux messages, nos divisions, nos lenteurs.

Georgette a reçu des lumières sur le rôle fondamental de Jean-Paul II pour Medjugorje et elle suit intérieurement, comme sur un écran de télévision mystique, le grand combat qui se livre à Medjugorje pour le salut de la race humaine. Mais laissons-lui la parole :

- Depuis que le Père Éternel m'a demandé de lui offrir mes souffrances et de prier pour la cause de Medjugorje, Satan rage contre moi beaucoup plus qu'avant.

(Déjà avant, il ne la laissait jamais tranquille, cherchant à l'étouffer physiquement et à la détruire par tous les moyens. Surtout, il lui répète sans cesse qu'elle est damnée et qu'elle a passé sa vie à mentir, trompant même son père spirituel sur son compte.)

Georgette vit aussi la grâce de la transverbération (terme mystique pour le transpercement du cœur), comme sainte Thérèse.

- C'est comme une flèche de feu très brûlante qui transperce le cœur. La douleur est d'une très grande intensité. Je sens que mon âme ne doit jamais cesser de remercier, pendant que Jésus blesse mon cœur. A ce moment-là, il y a une très grande joie intérieure en mon âme. Les plus grandes joies du monde ne peuvent se comparer à ce que je ressens en moi. Cette blessure me rend plus semblable à Jésus crucifié, parce que j'unis ma volonté à celle du Père comme Jésus l'a fait durant toute sa vie, mais surtout sur la croix.

Le Père me demande d'offrir ces blessures pour le Saint-Père, les âmes consacrées, les prêtres de Medjugorge, les voyants afin qu'ils soient protégés de leurs ennemis visibles et invisibles, pour les évêques de l'ex-Yougoslavie et pour tous ceux qui demandent nos prières. Je m'en fais un devoir. Depuis que je connais Medjugorje, je prie et j'offre mes souffrances pour que l'authenticité des apparitions soit reconnue le plus rapidement possible. Je les offre afin que le message de Marie, Reine de la Paix, soit répandu partout dans son authenticité. [...]

Un jour, après avoir prié pour que les apparitions soient reconnues et que les obstacles disparaissent, j'ai vu la Vierge Marie pleurer. J'avais la conviction qu'elle pleurait face à la situation de Medjugorje. Quand je l'entends pleurer à cause des âmes consacrées, ses pleurs sont des sanglots, c'est comme une douleur physique. Dans le cas de Medju-gorje, je n'entendais pas comme des sanglots. Elle pleurait abon-damment, mais dans le silence et la noblesse d'une Mère et d'une Reine. Elle sollicite des prières pour les prêtres de Medjugorje, mais aussi pour les prêtres qui visitent cet endroit béni, les pèlerins, les voyants, afin qu'ils demeurent fidèles à ce qu'elle leur demande.

Elle demande avec une très grande insistance de prier pour que l'Église reconnaisse, par la puissance de l'Esprit Saint, l'authenticité des apparitions à Medjugorje.[...]

Dans ma prière, je parle au Père Éternel de Marie, Reine de la Paix. Cela lui fait plaisir car tout ce qui concerne la Mère de Jésus le console. Je lui demande surtout de garder intègres les messages de la Vierge Marie afin que tout soit présenté dans l'authenticité et la vérité.

Pour moi, Marie, c'est la présence invisible au monde pour donner la paix ; le Saint-Père Jean-Paul II est la présence visible pour demander cette paix. Ce message de paix sera porté au monde par le messager de la paix qu'est Jean-Paul II.[1]

Georgette est l'un des plus magnifiques joyaux de Medjugorje. Lors-que vous la verrez au ciel, pas besoin de lui demander son passeport. Je crois que la Reine de la Paix elle-même vous racontera qui était pour elle cette petite dame à la robe de chambre bleue, là-bas, à Montréal...

---

[1] J'ai entendu ces propos de la bouche même de Georgette. Ils ont également été consignés dans : « *Marie, Reine de la Paix, demeure avec nous* » - Éditions Paulines et O.E.I.L. , 1987. Publié en croate, anglais, polonais, etc...

Message du 25 novembre 1991

« Chers enfants, cette fois-ci aussi je vous invite à la prière. Priez, afin de pouvoir saisir ce que Dieu veut vous dire à travers ma présence et à travers les messages que je vous donne. Je désire vous rapprocher encore plus de Jésus et de son cœur blessé afin que vous puissiez comprendre son incommensurable amour, qui s'est donné pour chacun de vous. C'est pourquoi, chers enfants, priez pour que de vos cœurs se répande une fontaine d'amour envers chaque être humain, aussi bien ceux qui vous haïssent que ceux qui vous méprisent. De cette manière, grâce à l'amour de Jésus, vous serez capables de vaincre toute misère dans ce monde de douleur qui est sans espérance pour ceux qui ne connaissent pas Jésus.

Merci pour tous vos sacrifices et vos prières. Priez pour que je puisse vous aider encore plus. Vos prières me sont nécessaires. Merci d'avoir répondu à mon appel. »

LA PRIÈRE DU 2

D'après ce que nous a rapporté Mirjana, les « incroyants » seraient comme les capteurs des maux de l'humanité. Bon à savoir... car si l'on fait disparaître les capteurs, les maux n'auront plus, ou auront moins, d'impact sur notre terre !

Lorsque les pèlerins voient arriver cette jeune femme paisible et rayonnante qu'est Mirjana, ils ne s'attendent pas à entendre de sa bouche la liste impressionnante des « plaies d'Égypte » d'aujourd'hui, dues aux incroyants. Car chacun a au moins un incroyant dans sa famille...

- La Gospa dit que *« le mal qui arrive aujourd'hui dans le monde arrive parce qu'il y a des incroyants. Les guerres, les divisions, les suicides, la drogue, les divorces, les avortements... tout cela arrive par les incroyants »* La Gospa ne les appelle pas *« incroyants »* mais *« ceux qui ne connaissent pas encore l'amour de Dieu »*. Elle les aime car elle est leur mère, mais elle souffre beaucoup à cause d'eux. Elle nous demande de prier chaque jour pour eux. Si vous pouviez voir, ne serait-ce qu'une seule fois, les larmes qui coulent sur son visage pour les incroyants, vous décideriez tout de suite de prier chaque jour pour eux. A chaque prière vous essuyez ses larmes. *La Gospa demande notre aide, car notre prière peut beaucoup pour eux.*

Mirjana est extrêmement sensible. Elle a refusé de voir l'enfer. Traumatisée par la vision rapide du purgatoire, elle dit à Marie : « Ça me suffit, je ne veux pas voir l'enfer. »

- Parmi nos intentions de prière, continue Mirjana, la Gospa nous demande de mettre les incroyants à la première place. Prier pour eux, c'est prier pour notre futur, c'est prier pour l'avenir de nos enfants, pour leur sécurité... Depuis 1987, la Gospa vient le 2 de chaque mois prier avec moi à leur intention[1]. Elle reste quelquefois longtemps ! Elle m'a enseigné des prières pour eux, et seule Vicka les connaît aussi. Je ne peux vous dire maintenant de quelles prières il s'agit, je le dirai plus tard.

La Gospa dit que même dans les églises il y a beaucoup d'incroyants ; par exemple ceux qui viennent par habitude ou pour voir les autres et non pas pour y faire une rencontre avec Dieu.

Et Mirjana d'ajouter :

- C'est terrible de passer toute sa vie sans Dieu, et de s'apercevoir au moment de la mort que l'on a manqué l'essentiel ; car nous n'avons qu'une vie ! Pour les aider, la première chose est de les aimer, et puis de prier pour eux. Le reste, la Gospa le fait. Je l'ai expérimenté à Sarajevo où j'avais beaucoup d'étudiants athées autour de moi. Je disais à la Gospa : « Moi je fais ma part ; toi maintenant, fais la tienne ! »

Cet appel est trop peu entendu, puisse-t-il avoir aujourd'hui un écho dans notre cœur ! Puisse notre part ne pas être portée manquante au jour où chacun recevra de Dieu le salaire de ses œuvres, passées au feu !

Des pèlerins de Provence ont entrepris avec bonheur d'offrir à la Gospa une aide substantielle pour les incroyants, et ils ont lancé dans leur église « la prière du 2 ». Magnifique initiative !

Dès le début, ils ont pu constater à quel point leur prière plaisait à Dieu, qui les encouragea de façon sensible et continue à le faire :

- Voici ce qui arriva le 2 juillet lors d'une prière, raconte Jean-Pascal, alors que nous revenions de Medjugorje. Nous avions été ébranlés par ce message donné le 18 mars 1990 à Mirjana : « *Je viens vous demander votre aide : unissez-vous à moi pour prier pour ceux qui ne croient pas. Vous m'aidez très peu ! Vous avez peu de charité ou d'amour...* »

---

[1] Mirjana précise que le choix du deuxième jour du mois n'est pas fortuit de la part de la Vierge. « On comprendra le pourquoi de ce choix lorsque les secrets seront révélés, dit-elle, ce jour sera très important. »

A cause des vacances, nous n'étions que cinq, mais fermement décidés à aider la Vierge. Ce soir-là, nous avons prié plus de deux heures, louange, intercession à l'intention des incroyants... etc. Soudain, trois des personnes présentes sentent des parfums très délicats et il n'y avait pas de fleurs. Nous décidons de nous retrouver le 2 août pour la même prière, et chaque 2 du mois. Le 2 septembre, nous étions une trentaine. Après un chant en langues, une personne reçoit une vision sans le dire : la Vierge se tient là dans une robe magnifique et de l'eau jaillit de son cœur en torrents sur toute l'assemblée et sur le monde, comme pour le laver. Cette dame remarque alors que beaucoup lèvent la tête et chuchotent : « Tu entends l'eau ? Qu'est-ce que c'est ? Il doit y avoir une grosse fuite quelque part !!! »

Par deux fois, l'assemblée est distraite par ce fort bruit d'eau coulant en cataractes. « Des colonnes d'eau » disent certains. Après la prière, Jean-Pascal cherche le curé pour le prévenir qu'une grave inondation se prépare dans son église, ce doit être quelque canalisation qui a claqué, mais c'est étrange, le bruit émane du centre *dans* l'église et pas des parois murales.

- Impossible ! rétorque le prêtre. Cette église est la seule du diocèse qui ne possède aucun point d'eau. Pas un tuyau, pas un robinet ! Ça nous rend la vie très difficile, surtout pour le nettoyage ! »

Tous comprirent alors l'encouragement du ciel.

Quelques mois plus tard, une dame priait dans l'église en attendant l'heure de « la prière du 2 », le soir. Sans le savoir, elle fut enfermée dans l'église par le prêtre. Lorsque les autres trouvèrent la porte fermée (par oubli), ils se mirent à prier sur le parvis. La dame, pensant qu'elle avait répondu seule au rendez-vous du 2, se mit à prier avec une grande ferveur. Elle souffrait d'arthrose depuis longtemps et ne pouvait lever les bras, même pour étendre son linge. Dans la ferveur de sa louange, elle se met à lever les bras pour louer Dieu et lui rendre grâce lorsque, stupéfaite, elle s'aperçoit du changement :

- Mais, Seigneur, tu me guéris !

La guérison de cette maman de cinq enfants dure encore, des années plus tard.

Le 2 mai 1996, la responsable de la liturgie avait oublié un livre de chants dans l'église. Elle vint de nuit le chercher, pour préparer une répétition. Le groupe de « la prière du 2 » était déjà parti, après avoir longuement prié pour les incroyants. Quelle ne fut pas sa surprise de constater que toute l'église embaumait d'un parfum délicieux, aucun recoin n'échappait à cet envahissement. Elle resta un long moment, comme transporté au ciel.

- Je me sentais si bien que j'aurais pu y passer la nuit, dit-elle.

Cette belle initiative de la « prière du 2 » fit vite tache d'huile dans la région. D'autres groupuscules se formèrent et, aujourd'hui, beaucoup de familles consacrent un temps de prière ce jour-là pour « aider la Gospa », en communion avec Mirjana et des milliers d'autres...

Depuis le 2 février 1997, cette apparition mensuelle est ouverte à tous.

Message du 25 décembre 1991

« Chers enfants, aujourd'hui je vous apporte le petit Jésus d'une manière particulière, afin qu'il vous bénisse de sa bénédiction de paix et d'amour. Chers enfants, n'oubliez pas que cela est une grâce que beaucoup de personnes ne comprennent pas, ni n'acceptent.

C'est pourquoi, vous qui dites être à moi et qui recherchez mon aide, donnez tout de vous-mêmes. Tout d'abord donnez votre amour dans vos familles et montrez-y l'exemple. Vous dites que Noël est une fête de famille, donc, chers enfants, mettez Dieu à la première place dans vos familles, afin qu'Il vous donne la paix et qu'Il vous protège, non seulement de la guerre, mais aussi, au sein de la paix, de toute attaque satanique.

Quand Dieu est avec vous, vous avez tout. Mais quand vous ne le désirez pas, vous êtes misérables et vous ne savez pas du côté de qui vous êtes. C'est pourquoi, chers enfants, décidez-vous pour Dieu, et alors, vous aurez tout. Merci d'avoir répondu à mon appel. »

UN SATANISTE SUR LA MONTAGNE

T. est une amie de Marija. Durant des années (jusqu'en 1991), elle a habité chez elle à Bijakovici, partageant sa vie familiale et apostolique, ses peines et ses joies les plus intimes, restant à ses côtés durant « ces temps héroïques » où l'intensité du quotidien n'avait rien à envier aux Actes des Apôtres. A cette époque, la Vierge formait intensivement ses enfants, ses choisis. Les voyants et le groupe de prière étaient suspendus à ses lèvres car elle leur expliquait toutes choses afin de les établir solidement sur le chemin de la sainteté. Par une grâce unique et providentielle, T. fut introduite dans cette école de la Gospa.

En 1988, la Vierge se mit à leur parler presque chaque jour de sa bénédiction spéciale et maternelle. Elle procédait toujours par étapes, comme une mère. A cette époque, Marija traversait une épreuve douloureuse, et la Vierge l'entretenait beaucoup sur la joie. Dans cette joie surnaturelle, elle révéla peu à peu ce don insigne qu'est sa bénédiction spéciale et maternelle. Ces semaines de formation intime préparaient le grand jour où elle devait donner à tous les pèlerins présents cette fameuse bénédiction.

Le grand jour tomba le 15 août 1988. Le soir, des dizaines de milliers de personnes couvraient la montagne de Krizevac. Une grâce de joie intense coulait dans tous les cœurs et chacun expérimenta, cette nuit-là, une véritable ivresse dans l'Esprit Saint. La Vierge donna à tous sa bénédiction spéciale et maternelle. Seul le petit groupe des intimes de Marija savait de quoi il s'agissait, mais tous l'avaient bel et bien reçue avec cette consigne : « *Transmettez-la à toutes les créatures* » Malgré les cailloux du chemin, c'est presque en dansant qu'ils descendirent de Krizevac, sans doute comme les Apôtres du Thabor.

T. était une des premières en bas car, avec le groupe de prière, elle avait emprunté ces chemins abrupts que les pèlerins ne connaissent pas. Arrive alors un petit groupe d'allemands qui lui demande de redire le message, car il n'avait pas été traduit dans leur langue. Tandis que T. répète mot pour mot le message, ses yeux se portent sur le flanc de la montagne et que voit-elle ? un homme d'une trentaine d'années, le visage horrible, grimaçant de haine, tordu de rage et qui la fixait de ses yeux d'enfer. T. reçoit un choc au cœur. Comment peut-on être dans cet état, se dit-elle, après avoir reçu un si beau cadeau de la Gospa !? L'homme offre un contraste saisissant au milieu de ce fleuve de joie qui coule de la montagne. Il se dirige droit sur T. Va-t-il la tuer ? Le cœur de T. fond de compassion pour ce frère visiblement satanisé ; et en silence, le fixant à son tour, elle lui donne la bénédiction spéciale et maternelle, de tout son cœur et de toute son âme, suppliant la Gospa d'appliquer sur lui sa promesse : que le Père le garde !

L'homme arrive à sa hauteur, lui lance un dernier regard noir et passe outre. Puis T. oublie vite l'événement, car cette nuit-là on ne dormit guère dans la maison de Marija...

Le lendemain, alors qu'elle quitte l'église vers vingt et une heures, un homme l'accoste et insiste pour lui parler immédiatement. C'est lui ! C'est l'homme d'hier soir ! Mais il n'est plus le même, une étrange paix a remplacé les flammes infernales de son regard...

- Vous me reconnaissez ? Qu'est-ce que vous avez fait hier soir ? Dites-moi ! Vous avez fait quelque chose ?

- Oui, répond calmement T. C'est sûr, j'ai fait quelque chose !

Elle s'apprête à tout lui expliquer quand l'homme la coupe :

- Laissez-moi d'abord vous raconter mon histoire ! Après, vous me direz ce que vous avez fait. Voilà, je suis allemand, médecin, j'ai trente ans. Il y a trois ans, je suis venu à Medjugorje pour la première fois. A l'époque je participais à des cultes sataniques, mais après huit jours ici, grâce à l'aide d'un prêtre, j'étais complètement délivré et converti. J'ai voulu rester trois mois de plus pour approfondir et fortifier ma conversion. Mais j'étais quelqu'un de très orgueilleux. De retour en Allemagne, je me suis dit : « Je vais aller voir mes ex-amis satanistes. Je vais leur parler de Dieu, de Medjugorje, des venues de Marie, et je vais réussir à les convertir » Résultat, après un mois chez eux, j'étais devenu pire qu'eux tous réunis, et promu chef du groupe. Plus tard, sachant qu'une grande célébration aurait lieu à Medjugorje pour l'Assomption, je décidai d'y aller moi aussi, mais en mission pour Satan. Je suis monté sur Krizevac pour y accomplir des rites sataniques et pour nuire. En descendant, voyant que vous transmettiez le message de la Vierge, une haine sans nom a flambé en moi, je voulais vous tuer ! Puis, vos yeux se sont tournés vers moi, vous m'avez regardé et là, j'ai senti qu'il se passait quelque chose car, d'un seul coup, je suis devenu tout confus. Je suis passé près de vous et n'ai rien pu faire, tant la confusion me terrassait. Je suis parti me coucher, mais je n'ai pas pu dormir de toute la nuit. Bien que livré à Satan corps et âme, une prière très inattendue montait sans cesse en moi : « Oh, Père du ciel, je sais que tu es là, ne me quitte plus jamais ! » Impossible de résister à cette prière, j'ai prié toute la nuit ! Tôt ce matin, il fallait que je sorte, que je trouve un prêtre. J'en ai trouvé un, le Père Pavic, et je lui ai tout confessé. A la fin, il a fait les prières d'exorcisme. Mais, dites-moi maintenant, hier soir, qu'est-ce que vous avez fait ?

- Vous venez de dire vous-même ce que j'ai fait...

- Comment ça ?

- Oui, votre histoire est pour moi une confirmation providentielle de tout ce que la Gospa nous a enseigné ces derniers temps[1]. Hier soir, elle nous a donné sa bénédiction spéciale et maternelle et nous a demandé de

---

[1] Au cours de ce « training » de la Gospa, il y eut un événement fondateur, celui du 16 juillet 1988, donc un mois avant la Fête de l'Assomption... Voir le chapitre « *Les Cafés du Lac de Côme* » (25/06/92).

la transmettre à tous. Mais auparavant, elle nous avait bien expliqué la grâce spéciale que donnait cette bénédiction : que le Père céleste se faisait un devoir de rester auprès de la personne bénie et de l'aider de manière spéciale pour sa conversion, cela jusqu'à sa mort.

Lorsque je vous ai vu descendre de la montagne, j'ai eu mal, je ne comprenais pas comment quelqu'un pouvait être tourmenté par la haine après une si belle célébration de joie. Tout de suite, j'ai mis en pratique la demande de la Vierge et vous ai donné sa bénédiction spéciale et maternelle, suppliant le Père céleste de rester à vos côtés... Voilà ce que j'ai fait, c'est tout ! Marie a fait le reste, elle a tenu sa promesse. Dans la prière qui vous habite maintenant, vous redites sans le savoir les mots mêmes que la Vierge a prononcé : « Que le Père reste à vos côtés, qu'Il ne vous quitte plus jamais... »

Voyez ! La bénédiction de la Gospa a désarmé Satan en vous, et le Père a pu vous manifester son amour. Quelle confirmation !

FLASH-BACK SUR 1991

26 janvier : L'archevêque de Split, Monseigneur Franic, vient célébrer la messe à Medjugorje.

18 mars : Apparition annuelle à Mirjana :
« *Chers enfants, je suis heureuse que vous soyez rassemblés en si grand nombre. Je désire que vous vous rassembliez souvent dans une prière commune envers mon Fils. Avant tout, je désire que vous offriez des prières pour mes enfants qui ne connaissent pas mon amour, ni l'amour de mon Fils. Aidez-les à connaître cet amour. Aidez-moi, comme la mère de chacun de vous.*
Mes enfants, combien de fois vous ai-je déjà, à Medjugorje, invités à prier, et je vais continuer. Car je désire que vous ouvriez vos coeurs à mon Fils, que vous lui permettiez d'entrer en vous et de vous remplir de paix et d'amour. Permettez-le lui, laissez-le entrer ! Aidez-le par vos prières à répandre la paix et l'amour sur les autres, car cela est plus que nécessaire pour vous, en ces temps de lutte contre Satan.
Je vous le promets, mes enfants, je prierai pour vous. Mais j'attends de votre part une prière plus forte, et je vous invite à répandre la paix et l'amour comme je vous l'ai tant demandé depuis dix ans, ici à Medjugorje. Aidez-moi et je vais prier mon Fils pour vous. »

11 avril : Conférence des Évêques Yougoslaves sur Medjugorje, d'où sortira le fameux texte sur la position actuelle de l'Église : pèlerinages officiels interdits, pèlerinages privés autorisés.

Pâques : Inauguration de la Communauté du Cénacle, avec Sœur Elvira. Celle-ci accueille des ex-drogués en vue d'une « résurrection » par la prière, la vie fraternelle, le travail...

6 juin : Pèlerinage discret de la voyante Alphonsine, de Kibého (Afrique).

25 juin : 10ème anniversaire des apparitions. Foule immense. La Croatie proclame son indépendance.

26 juin : La guerre commence. L'Armée Fédérale serbe envahit la Slovénie puis la Croatie. Vicka part en Autriche pour sa santé. Elle subit une opération à un poumon et en gardera une fragilité.

Juillet : Le groupe de prière de Jelena Vasilj se dissout ; Jelena part aux USA, à l'Université Franciscaine de Steubenville, pour y commencer sa théologie.

Août : Le franciscain Jozo Zovko quitte Tihaljina. Il est nommé « gardien » du Monastère de Siroki-Brieg. Le Père Orec, curé de Medjugorje, est remplacé par le Père Ivan Landéka.

10 novembre : La Communauté des Béatitudes trouve enfin une maison, non loin de l'église. C'est celle de Bernard Ellis, qui deviendra « *Ephèse* ».

2 décembre : Ivan a son apparition dans la cathédrale protestante nationale de Washington, le haut bastion de la Réforme aux USA.

Décembre : Le Père Slavko anime à Domus Pacis sa première retraite « Jeûne et Prière » ; par Marija, la Vierge donne un message à ses vingt jeunes participants : « *Bien-aimés, oh comme il me serait facile d'arrêter la guerre si je trouvais plus de personnes qui prient comme vous priez maintenant !* »

ANNÉE
1992

Message du 25 janvier 1992

« *Chers enfants, aujourd'hui je vous appelle à renouveler la prière dans vos familles, pour qu'ainsi chaque famille devienne joie pour mon fils Jésus. C'est pourquoi, chers enfants, priez et recherchez plus de temps pour Jésus. Ainsi vous pourrez comprendre tout et accepter tout, même les maladies et les croix les plus pénibles.*

Je suis avec vous et je désire vous prendre dans mon cœur et vous protéger. Mais vous ne vous êtes pas encore décidés. C'est pourquoi, chers enfants, je recherche vos prières afin que par la prière vous me permettiez de vous aider. Priez, mes chers petits enfants, afin que la prière devienne votre nourriture quotidienne. Merci d'avoir répondu à mon appel. »

CHEZ LES NAZIS, MARIE FAIT DU SABOTAGE !

Nous étions six enfants dans ma famille, et aujourd'hui chacun à sa manière est au service de la Sainte Vierge. Pour moi, je m'émerveille chaque jour sans me lasser d'avoir été postée ici, à Medjugorje, pour collaborer avec elle à ses plans. (En arrivant je l'avais prévenue : « Tu m'as choisie ? Tu me connais, c'est à tes risques et périls ! ») A vrai dire, mon bonheur était profond et le demeure, d'autant plus que je constate qu'après sept ans, elle me garde encore !

Mais je sais bien que les racines de ces élections et de ces grâces mariales remontent souvent loin dans les familles. Le chapelet en famille, qui peut paraître exigeant au premier abord, est en réalité une source prodigieusement féconde de bénédictions et de protections pour la descendance. Que mon frère Bruno ait tant de fois échappé à la mort reste un mystère. Les autres ont échappé à des pièges terribles comme par enchantement (cela n'exclut pas, bien sûr, les souffrances). Quant à moi, si je vous racontais tout... !

Mais laissez-moi vous raconter ce qui arriva à mon père. Il était fils unique et avait déjà perdu son père lorsqu'il entra dans la Résistance en 1940. Sa cellule comprenait dix hommes et, à la suite d'un secours porté à un aviateur anglais, tous furent capturés par la Gestapo et transférés en Allemagne. Sa mère resta donc seule, sans nouvelles durant trois ans. Le régime des camps de concentration était inhumain, elle le savait. Elle brillait par une confiance immense en la Sainte Vierge et récitait chapelet sur chapelet pour que son fils revienne vivant.

Un jour, les SS avaient enjoint aux prisonniers du camp d'Hinzert de transporter de gros blocs de pierre, d'une carrière, pour l'agrandissement du camp. Mon père était si faible qu'il tenait à peine debout. Il avisa un petit bloc, mais tandis qu'il le prenait, le capo sauta sur lui, l'injuria et lui mit sur le dos un énorme bloc. Chute et impossibilité de se relever... Mon père comprit que sa dernière heure avait sonné. Les chiens se précipiteraient, les coups de trique s'abattraient sur lui... il avait vu tant de ses camarades mourir ainsi ! Dans sa détresse, il cria dans un souffle à la Vierge : « Aide-moi ! » Alors, comme si les lois de la pesanteur obéissaient soudain à un ordre invisible, son bloc de pierre ne pesa plus rien ! Il avait le poids d'un confetti ! Mon père eut la vie sauve.

Une autre fois, juste avant que les Américains ne viennent délivrer le camp de Flossenburg en 1945, les Allemands avaient décidé d'achever les prisonniers avant d'abandonner le camp, et cela par un moyen inattendu : les gardes SS remirent à chacun un petit sac d'avoine pour la route et les firent partir en file indienne. En chemin, ils tombaient de faiblesse, étaient achevés puis jetés dans le fossé. Rares furent les rescapés. Au moment de partir avec son avoine, mon père cria à nouveau vers la Vierge, et il vit un capo arriver qui demanda : « Où est le médecin ? » Ils voulaient en garder un sur place, en cas de besoin. Mon père était médecin. Il put rester dans sa cellule et fut, peu après, délivré par les Américains. De tout son réseau, mon père fut le seul à rentrer vivant.

Je l'entends encore parler de la Sainte Vierge, à table à la maison, lorsque j'étais enfant ; il avait un génie pour raconter les histoires et parfois, je devais faire semblant d'aller chercher quelque chose à la cuisine pour ne pas montrer les larmes qui me montaient alors aux yeux.

Une autre très belle histoire était celle de sa rencontre avec ma mère, dès le premier jour de son retour d'Allemagne, grâce à un nouveau coup fumant de la Sainte Vierge : ma mère avait consacré à Marie son futur mari et priait pour lui sans le connaître ! Maintenant, mon père est entré dans son éternité et, lorsque maman évoque cette période, elle dit : « Merci à Marie Reine de la Paix pour tout ce qui est arrivé à partir de ce moment-là : Bruno, Emmanuelle, Vincent, Eric, Marie-Pia, Pascal... »

La Gospa ? L'apôtre Jean ne s'était pas trompé en la prenant chez lui !

Message du 25 février 1992

« Chers enfants, aujourd'hui je vous invite à vous rapprocher encore plus de Dieu, à travers la prière. Seulement ainsi, pourrai-je vous aider et vous protéger de toute attaque satanique. Je suis avec vous et j'intercède pour vous auprès de Dieu afin qu'il vous protège. Mais j'ai besoin de vos prières et de votre « oui ».

Vous vous perdez facilement dans les choses matérielles et humaines, et vous oubliez que Dieu est votre plus grand ami. C'est pourquoi, mes chers petits enfants, rapprochez-vous de Dieu afin qu'il vous protège et vous garde de tout mal. Merci d'avoir répondu à mon appel. »

LE FILM DE MARCELLO

Le jeune italien Marcello a vingt-cinq ans. Bien que non-drogué, il a passé un an à la Communauté du Cénacle (de Sœur Elvira) où par la prière et le service, il a aidé les ex-drogués à s'en sortir. Et voilà que, lors d'une retraite « Prière et Jeûne » avec le Père Slavko[1], il fait une expérience qui mérite notre attention.

Le Saint Sacrement était exposé dans la chapelle de *Domus Pacis* à Medjugorje et Marcello faisait un long temps d'adoration. Soudain, sans aucune initiative de sa part, le film de sa vie se déroule devant ses yeux, avec une précision incroyable. De son enfance et du passé lointain émergent des événements, des scènes complètement oubliées, et du passé plus récent des choses qu'il n'avait jamais considérées sous cet aspect-là. Marcello entre en quelque sorte dans le regard même de Dieu pour revoir toute sa vie. L'Esprit lui révèle alors le vrai sens de sa vie et à quel point il a été aimé, chéri de Dieu dès l'origine, même lorsqu'il n'en avait pas conscience.

A l'issue de cette retraite de cinq jours, il raconte ces quelques mots :

- Il y avait comme deux catégories, les choses bonnes et les choses mauvaises. Je me réjouissais des choses bonnes mais, pour les choses

---

[1] Durant ces retraites de cinq jours, les retraitants prient, jeûnent au pain et à l'eau et suivent des enseignements du Père Slavko. Il est recommandé d'avoir fait le pèlerinage de Medjugorje avant. Pour tout renseignement écrire à : Zupni Ured - 88266 Medjugorje - Croatie (via Split) - Fax : 00 (387) 88 642 339.

mauvaises, je ne pouvais plus être triste, car le Seigneur me montrait comment il s'était servi même de cela pour le transformer en bien et m'attirer à lui. Cette parole me revenait : « *Tout concourt au bien de ceux qui aiment Dieu.* » Même le mal qu'il y avait eu dans ma vie, Dieu l'avait utilisé pour m'amener à lui, et j'étais bouleversé de voir de quelle manière merveilleuse il avait réussi à me conduire, à travers le mal comme à travers le bien. J'ai compris que dans la vie, seul l'amour compte.

Marcello est maintenant reparti en Italie[1]. Son expérience n'est pas isolée, car la Gospa la fait vivre ici plus qu'ailleurs. C'est comme si elle voulait illustrer par des signes vivants ses messages sur l'amour : « *Que votre unique moyen soit toujours l'amour* », « *priez avec le cœur, jeûnez avec le cœur* », « *l'amour peut tout* ».

Puissent ces témoins nous aider à nous recentrer sur l'unique but de notre vie : l'amour qui procède de Dieu.

---

[1] La maison mère de la Communauté du Cénacle est en Italie : Communita Cenacolo, via San Lorenzo 35, Saluzzo (Italia) Tél/Fax : 0039 0175 46122. Il y a d'autres maisons en Italie, en Croatie, en Amérique... En France, une maison s'est ouverte près de Lourdes : Fraternité Sainte Bernadette, rue Riotorte, 65100 Ade.
Ces maisons accueillent des drogués qui ont le désir de se laisser aider, à travers une vie fraternelle bien remplie par le travail et la prière. Des centaines de jeunes ont déjà été sauvé de la destruction. Beaucoup ont pu ensuite se marier et fonder une famille (Écrire en Italie pour information).

Message du 25 mars 1992

« *Chers enfants, aujourd'hui comme jamais auparavant, je vous invite à vivre mes messages et à les mettre en pratique dans votre vie. Je suis venue chez vous pour vous aider, c'est pourquoi je vous invite à changer de vie. Vous avez pris un chemin de misère, un chemin de ruine. Quand je vous ai dit : « Convertissez-vous, priez, jeûnez, réconciliez-vous », vous avez pris ces messages superficiellement. Vous avez commencé à les vivre pour ensuite les abandonner, parce que c'était difficile pour vous. Non, chers enfants ! Quand une chose est bonne, vous devez persévérer dans le bien et ne pas penser : « Dieu ne me voit pas, il ne m'écoute pas, il ne m'aide pas. » Et ainsi vous vous êtes éloignés de Dieu et de moi à cause de votre misérable intérêt. Je désirais faire de vous une oasis de Paix, d'Amour et de Bonté. Dieu désirait, par votre amour et avec son aide, que vous fassiez des miracles et ainsi donniez l'exemple.*

C'est pourquoi, voici ce que je vous dis : Satan se joue de vous et de vos âmes, et moi, je ne peux pas vous aider parce que vous êtes loin de mon cœur. C'est pourquoi priez, vivez mes messages et ainsi vous verrez les miracles de l'amour de Dieu dans votre vie quotidienne. Merci d'avoir répondu à mon appel. »

ET LES SECRETS ?

Dans les multiples spéculations sur l'avenir qui hantent tant notre monde, une seule chose est 100 % sûre : nous serons très surpris par ce que le Seigneur prépare, tous autant que nous sommes.

A Medjugorje, Ivanka est la voyante qui connaît sans doute le plus de choses sur l'avenir, car Marie lui a fait écrire des cahiers entiers sur l'avenir du monde[1]. Vicka est aussi bien informée, car la Gospa lui a confié aussi certaines choses en 1985, après lui avoir fait le récit de sa propre vie en paroles et images. Mirjana connaît la date exacte de chaque secret, d'après ses déclarations au Père Tomislav Vlasic en 1983[2].

---

[1] Elle publiera ce texte un jour, m'a-t-elle dit.

[2] Mirjana affirme que le choix du 18 mars pour son apparition annuelle n'a aucun lien avec son anniversaire. « Après la révélation des secrets, m'a-t-elle dit, on verra pourquoi cette date est importante pour la Gospa. De même, le 2 de chaque mois n'est pas un choix arbitraire, on en comprendra la signification plus tard. »

Je me suis souvent demandé pourquoi la Vierge, d'habitude si claire et si directe dans ses interventions, éprouve le besoin de faire savoir au monde qu'elle dépose des secrets dans les cœurs de quelques enfants ? Elle est assez fine pour prévoir certaines réactions empreintes de curiosité, d'agitation, d'angoisse peut-être. Ne peut-elle pas livrer ces secrets aux voyants sans que nous le sachions ? Bien des pasteurs de l'Eglise éprouvent un malaise devant les secrets et ils font souvent l'impasse sur cette question. « Ah, si j'étais la Gospa, je ne... » Oui, la Gospa vient parfois déranger nos pastorales.

La Gospa donne des secrets parce qu'elle est mère et divinement mère. Les secrets sont un acte de pur amour maternel de sa part. Parmi les messages qu'elle a préparés pour nous, certains sont un peu durs à entendre. Et nous ne sommes pas encore prêts. Elle sait qu'au mot « secret », nous allons sortir nos antennes, guetter le temps de la révélation, et donner une grande importance au contenu de cette parole. Lorsqu'un enfant s'ennuie, n'écoute rien et fuit le dialogue, il suffit de lui promettre un secret pour que soudain ses yeux s'allument. Son intérêt piqué au vif permet l'ouverture du dialogue, et l'on peut alors lui dire la chose très importante qu'il doit savoir. Qu'elle soit douce ou... chirurgicale.

Si les messages sont importants, les secrets revêtent une importance d'un autre ordre, un ordre eschatologique. Leur réalisation peut ébranler le monde comme jamais auparavant. Les messages sont une école, mais les secrets touchent directement au plan de Dieu sur l'humanité. Lorsque le Père Tomislav Vlasic demanda aux voyants pourquoi la Gospa avait dit : « *Je viens appeler le monde à la conversion pour la dernière fois* » et aussi : « *Ce sont mes dernières apparitions sur la terre* », ils lui répondirent qu'ils ne pouvaient pas lui dire pourquoi, car alors ils révéleraient quelque chose des secrets.

En donnant des secrets, Marie n'est pas seulement divinement mère, elle est aussi divinement reine. Ses yeux plongent dans les décrets de Dieu, elle voit complètement au-delà de nos panoramas et elle sait par expérience, depuis sa vie terrestre, que confier des secrets à des intimes n'est pas nouveau pour Dieu dans l'histoire du salut. Tous les amoureux échangent des secrets, et Dieu est tellement amoureux de l'homme ! L'intimité d'amour avec lui ne peut qu'attirer ses secrets ! A Medjugorje, comme à Fatima, il a choisi un point d'impact privilégié pour toucher notre terre de son intimité d'amour, et ce point d'impact passe par les six voyants pour s'étendre à la paroisse et au monde. Dans le Corps mystique du Christ, si la main touche quelque chose, ce sont tous les membres qui participent à ce contact.

A mon arrivée à Medjugorje, je ne m'expliquais pas pourquoi l'idée des secrets me procurait une telle joie, une joie surnaturelle. Au fur et à mesure que ma joie augmente, je comprends un minuscule petit peu le pourquoi de cela. Les secrets nous sécurisent ! Ils montrent que Dieu a bien les choses en mains, qu'il a le contrôle du monde, qu'il est le Roi, le Maître des temps et que nous ne sommes pas des orphelins livrés aux fatalités absurdes des statisticiens. C'est un Cœur qui dirige le monde ! Mon sort est entre les mains d'un Roi d'Amour !

Certains secrets contiennent-ils des châtiments (comme c'est sans doute le cas des trois derniers donnés à Mirjana) ? Là encore, je rends grâce, car si je suis mère et que je vois la vie de mon enfant menacée par la gangrène, je vais lui couper la jambe pour sauver sa vie. Cruauté mentale ? Non ! Amour maternel en action ! La gangrène, la peste, le SIDA, le désespoir ont contaminé mon humanité pécheresse, alors je rends grâce à mon Dieu d'user de son génie de miséricorde pour enrayer le mal avant que mon péché ne me plonge dans la mort éternelle. Et je ne peux que bénir Jésus en croix pour son incommensurable amour, lui dont Isaïe dit : « *Le châtiment qui nous rend la paix est sur lui.* » Notre paix, voilà le désir de Dieu !

L'idée d'un Dieu père-fouettard est une invention satanique. Moi, je ne connais que Jésus, et Jésus crucifié, qui s'est fait péché pour me délivrer du péché et de la mort. Dieu n'est que Sauveur, et le châtiment (*correction* d'un père, étymologiquement) est encore une de ses inventions à lui pour proposer une ultime planche de salut à l'enfant qui a préféré le péché à la Lumière. Nous sommes si habiles à faire échec à la miséricorde divine que parfois, pour nous rendre la paix, il ne reste plus à Dieu que la solution du châtiment. Entre l'enfer et le châtiment... le châtiment est désirable.

Et, puisque nous parlons de châtiment, ouvrons les yeux : ne sommes-nous pas déjà en plein dedans ? A quelle autre époque de l'Histoire avons-nous vu des jeunes et des enfants[1] se suicider par milliers, dans l'agonie de l'âme et du cœur, pour ne citer que cette plaie-là ? Avions-nous déjà atteint les soixante millions de martyrs par an[2] ?

Cela me rappelle une réflexion de Marthe Robin à un prêtre ami de notre communauté : « La prophétie de l'Apocalypse concernant la mort des deux tiers de l'humanité n'est pas liée à une guerre atomique ou

---

[1] Dans certaines écoles du Québec, les parents tremblent car, dans chaque classe, des enfants de huit, dix, douze ans se donnent la mort au cours de l'année.

[2] Les avortements, au cours desquels les enfants vivent une torture atroce de l'âme et du corps. Chaque année, dix fois l'holocauste des juifs par les nazis...

autre catastrophe, mais à une mort spirituelle. » La prière et le jeûne peuvent atténuer, voire empêcher les châtiments ; c'est le cas du septième secret à Medjugorje[1].

Le plus bel exemple de cela est, pour moi, ce qui se passa en 1947, alors que la France se trouvait au bord du gouffre. Les communistes allaient prendre le pouvoir. Des grèves très lourdes paralysaient tout le pays. La catastrophe était imminente. Un matin, à Châteauneuf-de-Galaure, le Père Finet ouvre les journaux et son moral tombe en flèche au-dessous de zéro. C'était le 8 décembre. Il se rend comme de coutume à la Ferme pour y converser et prier avec Marthe Robin. Il lui expose en détails l'état alarmant de la France et conclut :

- Marthe, la France est foutue !
- Non, mon Père ! reprend Marthe d'un ton enjoué. La France n'est pas comme vous dites ! Car la très Sainte Vierge va apparaître à des petits enfants, et la France sera sauvée.

Il était dix heures du matin. Le Père Finet sort de chez Marthe et poursuit son travail, intrigué.

A treize heures, ce même jour, la Vierge apparaissait à quatre petites filles dans l'église de l'Ile Bouchard en Touraine. *« Ces jours-ci, la France est en grand danger, leur dit-elle, priez ! »* Les jours suivants, *Notre-Dame de la Prière* leur enseigne comment dire le chapelet, prier pour les pécheurs et faire leur signe de croix[2].

Dix jours plus tard, les grèves étaient enrayées, la menace communiste écartée, le pays pouvait envisager sa reconstruction. Pour cela, la Vierge avait trouvé quatre petites filles... et une grande sainte qui, jour et nuit, s'offrait en victime à Dieu pour détourner de son pays ce fruit du péché qu'est la mort[3].

Le grand secret de la Gospa à Medjugorje ? Permettez-moi de vous le chuchoter à l'oreille : *« La prière est le seul moyen pour sauver la race humaine »* (30 juillet 1987).

---

[1] D'abord, les premiers secrets seront révélés, et ils montreront que les apparitions sont vraies, me dit Jakov à propos du troisième secret qui concerne le signe, il précisa : « C'est très beau, je l'ai vu ».

[2] Lire « *L'Ile Bouchard* » de M.R. Vernet - Éditions Téqui.

[3] Le Père Finet nous confia que Marthe avait plusieurs fois empêché les communistes de prendre le pouvoir en France, notamment en mai 1968, où elle voyait ce qui se tramait à Moscou.

Message du 25 avril 1992

« *Chers enfants, aujourd'hui encore je vous invite à la prière. C'est seulement par la prière et le jeûne que la guerre peut être arrêtée. C'est pourquoi, mes chers petits enfants, priez et témoignez par votre vie que vous êtes miens et que vous m'appartenez. Car Satan, dans ces jours agités, désire séduire le plus d'âmes possible. C'est pourquoi je vous invite à vous décider pour Dieu, il vous protégera et vous montrera ce que vous devez faire, et quel chemin emprunter. J'invite tous ceux qui m'ont dit « oui » à renouveler leur consécration à mon Fils Jésus et à son Cœur, et à moi-même, de telle sorte que nous puissions vous prendre plus intensément comme instruments de paix dans ce monde sans paix.*

Medjugorje est un signe pour vous tous, et une invitation pour vous à prier et à vivre les jours de grâce que Dieu vous donne. C'est pourquoi, chers enfants, saisissez cet appel à la prière avec sérieux. Je suis avec vous et votre souffrance est aussi la mienne. Merci d'avoir répondu à mon appel. »

LA GUERRE ! MAJKO MOJA !

Ce soir-là...

La porte s'ouvre avec fracas, laissant pénétrer dans notre chapelle une horde affolée de femmes, d'enfants, de vieillards... C'est l'heure des complies, l'heure où l'hymne du soir nous prépare à passer la nuit dans la grande paix de Dieu, mais voilà que des cris stridents et des sanglots viennent interrompre nos chants. Le temps d'un éclair, et des biberons prennent place aux côtés de nos bougeoirs liturgiques, les couches de bébés bousculent nos Bibles, le sol se couvre de sacs plastiques bourrés de mille choses ramassées à la sauvette et, dans les coins, on étend déjà quelques couvertures pour faire asseoir les vieillards. Deux ou trois radios, mises à tue-tête selon l'habitude croate, hurlent les nouvelles.

Nous sommes le 6 avril 1992, il est 21h30, la guerre vient d'éclater en Bosnie-Herzégovine.

Il faut agir vite. Bernard et Maurice quittent leur habit monastique pour transporter quelques sacs de sable et obstruer toutes les ouvertures de notre cave aménagée en chapelle. Les gens du voisinage savent que notre cave est la meilleure du quartier de Bijakovici (pas pour le vin !), c'est pourquoi ils s'y réfugient. Ils examinent tous les cas de figures :

- Si les bombes tombent du côté sud, alors il vaut mieux coucher les enfants à tel endroit.

- Si les éclats viennent par le nord, alors il faut barricader la porte. Mais alors, comment accéder aux toilettes ?

On discute, on se chamaille un peu à la manière croate (beaucoup de bruit mais pas grand mal !) et entre les deux on se souvient de la Reine de la Paix et on s'écrie : « Majko moja ! », ma Mère. Quelques « ba-bas » éberluées récitent silencieusement leur chapelet. Les enfants en âge de ne pas comprendre sont plutôt contents : on va tous dormir ici ensemble, c'est mieux qu'à la maison, et les occasions de jouer se sont multipliées par dix... Tous les hommes valides ont déjà rejoint leur unité de combat, certains partent au front dès ce soir. L'angoisse étreint déjà le cœur des épouses et des mères : « Va-t-il revenir ? » Nous déménageons des matelas pour le dortoir improvisé, et déjà les mères se couchent contre leurs petits enfants sur un même matelas, à la manière croate. Détail non prémédité : c'est une Gospa orthodoxe (l'icône de la Mère de Dieu de Vladimir) qui veille sur tout ce petit monde terrorisé par un ennemi orthodoxe ! Prophétie vivante de la réconciliation des enfants de Dieu.

Tard dans la nuit, les cloches de l'église se mettent à sonner à toute volée : c'est le signal d'un danger aérien. Nos hôtes nous recommandent de dormir avec eux dans la cave, tous allongés en rangs d'oignons. Mais nous installons nos matelas sous l'escalier du sous-sol, pensant échapper ainsi au bruit continuel de la radio.

Après une solide nuit blanche et une tentative difficile d'office des laudes, hors de notre chapelle-cave-dortoir-refuge, je recommande aux frères de ne pas quitter la maison et je file aux nouvelles chez les franciscains. La situation est claire : l'armée fédérale aux mains des Serbes a commencé à attaquer ; ce n'est qu'un début, il faut s'attendre au pire. A trente kilomètres de Medjugorje, Siroki-Brieg est déjà sous les bombes. Et trente kilomètres, pour un avion, c'est vite parcouru. Il ne faut plus sortir des maisons.

Ceux qui ont vécu la guerre connaissent cette expérience : en un temps record, il faut prendre des décisions vitales très graves et cela avec de multiples inconnues comme éléments de discernement... Mes neurones s'entrechoquent dans ma tête, tandis que mon cœur demeure dans une profonde paix et me dit que nous n'avons rien à craindre.[1]

---

[1] Ceci est le premier chapitre d'un récit qui couvre les années de guerre, à Medjugorje, d'avril 1992 à novembre 1993, extrait du livre « *Medjugorje, la guerre au jour le jour* », Éditions des Béatitudes.

Message du 25 mai 1992

« Chers enfants, aujourd'hui encore je vous appelle à la prière pour qu'à travers la prière vous vous rapprochiez encore plus de Dieu. Je suis avec vous et je désire vous conduire sur le chemin du salut que Jésus vous donne. De jour en jour, je suis de plus en plus proche de vous, bien que vous n'en ayez pas conscience, et que vous ne vouliez pas admettre que vous ne vous êtes attachés à moi qu'un tout petit peu.

Lorsque des tentations et des problèmes surviennent, vous dites : « O Dieu, O Mère, où êtes-vous ? » Et moi, je ne fais qu'attendre que vous me donniez votre « oui » pour le transmettre à Jésus, et qu'il puisse vous combler de grâces. C'est pourquoi, encore une fois, acceptez mon appel et commencez à nouveau à prier jusqu'à ce que la prière devienne joie pour vous. Alors, vous allez découvrir que Dieu est tout-puissant dans votre vie quotidienne. Je suis avec vous et je vous attends. Merci d'avoir répondu à mon appel. »

LE CREDO DE RABBI MYRIAM

Lorsque je vivais à Jérusalem, j'avais deux amis de cœur, deux Juifs messianiques : Ruven et Benyamin. Issus d'une famille juive très orthodoxe, ils avaient tout lâché durant leur jeunesse et, après quelques années de paganisme notoire, Jésus s'était révélé à eux comme le Messie. Ils avaient une dent contre l'Eglise (à cause des vieilles histoires du passé) et, pour eux, les catholiques truffaient Jérusalem de leurs habits religieux mais en réalité ne croyaient pas en Dieu. Ils ne trouvaient pas en eux ces « croyants » dont parlent les Actes des Apôtres, remplis de Jésus et prêts à tout pour lui. Comme ils avaient des cœurs droits (*de véritables Israélites*, aurait dit Jésus, *des hommes sans artifice*), ils décidèrent de se réconcilier avec leurs pires ennemis et prièrent Jésus de pouvoir rencontrer des catholiques.

Le lendemain matin, ils tombent sur nous ! Je leur proposai de passer le dimanche à la maison. Je n'oublierai jamais le feu qui descendit sur nous ce jour-là ! Comme les pèlerins d'Emmaüs fascinés par l'exégèse de Jésus, nous écoutions nos frères aînés dans la foi nous expliquer comment voir Jésus-le-Messie dans la Bible. Nos cœurs brûlaient. Le soir tomba et, avant de nous quitter, nous priâmes une dernière fois ensemble. Une louange extraordinaire s'éleva alors de nos bouches. Parmi ces mots d'enfants, j'entends encore Benyamin exprimer ainsi sa joie :

- Adonaï, je te remercie pour cette merveilleuse rencontre avec ces frères catholiques et pour tout l'amour que tu as placé entre nous. Oh, je te rends grâce, Père, de me montrer que tu répands vraiment ton Esprit sur toute chair, même sur les catholiques !

Voilà, voilà, voilà... autant pour notre humilité !

Quelle ne fut pas ma joie, quelques années plus tard, de découvrir combien la Gospa à Medjugorje insistait sur la foi, sur le fait que nous devions être de vrais croyants, et combien la prière du Credo lui était chère, pour ne pas dire sa préférée ! Beaucoup de nos paroisses ont malheureusement remplacé le Credo par des petits chants insipides qui ne proclament plus rien de la foi. Là encore, la Gospa vient nous guérir de cette plaie mortelle, et, en bonne juive pieuse, nous crie : « Le plus important, c'est d'avoir une foi ferme ! » « Que les prêtres fortifient la foi du peuple ! » Quelle joie d'entendre parfois les franciscains de Medjugorje commencer leur homélie par : « Chers frères et sœurs, chers croyants ! » Dans un ex-pays communiste, cela vaut son pesant d'or.

Chez nous, l'expression « Je crois que » signifie en réalité « rien n'est moins sûr ». « Je crois qu'il va faire beau ? », je me réserve une marge d'erreur. Sur le plan spirituel, beaucoup disent : « Je crois en Dieu mais je ne pratique pas. » Souvent ce « Je crois en Dieu » signifie « Je sais que Dieu existe, mais je ne pratique pas parce que cette pensée que Dieu existe n'a pas de quoi changer ma vie. De même, je crois que telle constellation d'étoiles existe dans le ciel... et alors ? Ça change quoi dans ma vie ? »

Avec beaucoup d'humour, le Père Slavko compare cela à un homme qui dirait : « Je suis fumeur, mais je ne fume jamais. »

Pour saisir l'extraordinaire attraction de Marie pour le Credo et son désir violent de faire de nous des « croyants », il nous faut partager avec elle le sens profond, réel, biblique du mot « je crois », en hébreu : *ani maamin*. Or, dans la Bible, les mots les plus spirituels, les plus divins, sont tirés des réalités les plus concrètes et les plus incarnées de la création, ce qui confère à notre religion judéo-chrétienne le sens profond de l'Incarnation. *Ani maamin*, non, cela ne veut pas dire « Je sais que ça existe ». Cela veut dire : « J'adhère. » Il s'agit d'une action physique très réelle : je colle à cela, je fais corps avec cela, comme un auto-collant adhère à la vitre de ma voiture. (Si je colle l'adhésif « J'♥ Medjugorje ! », il me suit partout où je roule, on ne peut plus regarder la voiture sans voir aussi l'adhésif ! Et pour le décoller...)

Si je dis « Je crois en Jésus », cela veut dire que j'adhère à lui de tout mon être, je « colle »[1] à lui et à toute sa réalité, je fais corps avec lui, je suis là où il est, je vais là où il va, je me prends les pierres si on le lapide, je reçois le baiser si on l'embrasse, en un mot, je suis UN avec lui. Si ma foi est ferme (si la colle est bonne) alors rien ne pourra me séparer de lui. Si ma foi est molle (si la colle est mauvaise), alors, à la moindre épreuve, à la moindre violence, l'adhésion va lâcher, je vais prendre de la distance et errer seul.

Nous sommes loin alors de cette fausse interprétation du mot « Foi » qui consisterait en une pensée (bonne) que Dieu existe. La culture gréco-latine a intellectualisé, il faut revenir à la source de la révélation biblique et au génie de l'Incarnation. Car Satan lui aussi sait que Dieu existe. Il le sait même mieux que nous, il n'a aucun doute là-dessus. Pourtant, Satan ne croit pas en Dieu, Satan n'est pas un croyant mais, au contraire, le prototype parfait de l'incroyant : celui qui n'adhère pas, celui qui est « décollé » de Dieu pour toujours. (Les chrétiens ne disent pas « Je crois en Satan » mais « Je sais que Satan existe », car il n'est pas question d'adhérer à Satan.)

Dans ce processus d'adhésion, la colle c'est bien sûr la grâce, mais pour obtenir la bonne colle... il n'y a que la prière ! « *Priez pour avoir une foi ferme* » nous dit Marie.

Mais dans le Credo, je n'affirme pas seulement « Je crois en Dieu ». Je dis aussi que je crois aux différents mystères de la vie de Jésus, aux diverses fonctions de l'Esprit Saint, à la résurrection des morts, etc. Or, ce qui émerveille la Gospa lorsque les croyants prient le Credo, c'est la puissance créatrice, transformante et vivifiante de cette confession de notre foi. Là encore, reportons-nous à ce qu'elle-même a appris sur les genoux de saint Joachim et de sainte Anne : lorsqu'un croyant confesse de ses lèvres une réalité de la foi, alors cette réalité se fortifie en lui, elle vit en lui, elle s'actualise et lui devient réelle.

Ainsi, à chaque fois que je confesse de tout mon cœur « Je crois à la résurrection », c'est toute la réalité de la Résurrection qui se déploie alors en moi, et je deviens un peu plus ressuscité dans le Christ. Non, je ne récite pas un vieux livre d'histoire ! Je vis la Résurrection ! Si je dis « Je crois en l'Esprit Saint », alors je permets à cet Esprit de déployer concrètement toutes ses dimensions en moi.

---

[1] En hébreu, « colle » se dit *dévèq*. Son dérivé, *dévéqout*, signifie la « ferveur » dans la prière !

Un jour, je demandai à Vicka :

- A ton avis, pourquoi la Gospa aime-t-elle tant le Credo ?

Elle prit alors son souffle, son regard changea, je voyais qu'elle voulait me communiquer un trésor inestimable[1] mais ne trouvait pas de mots assez beaux. Elle finit par me dire :

- Mais ! Dans le Credo ! Si tu voyais ! Mais le Père est vivant ! Jésus est vivant ! L'Esprit est vivant !

Et elle n'avait que ce mot à la bouche : « VIVANT ! »

Myriam de Nazareth, merci ! Tu es un bon rabbin[2].

---

[1] Il existe un lien indissociable entre la prière du Credo et la paix. Comment le Credo donne-t-il la paix ? Là encore, notre vision de la « paix » est inexacte. Marie vient pour la vraie Paix, à savoir le *Shalom* en hébreu. Or, le *Shalom* n'a rien à voir avec l'absence de conflit ou la tranquillité (« Fiche-moi la paix, laisse-moi tranquille ! »). *Shalom* signifie « plénitude ». Celui qui a le *shalom* est celui qui est rempli, c'est le comblé, le rassasié, celui qui jouit de la plénitude de Dieu. Le contraire de la paix n'est pas la guerre, mais le vide. L'homme sans shalom est l'homme creux, vidé, privé du nécessaire vital. Bien sûr, ce vide offre une occasion rêvée à l'Ennemi pour introduire « ses affaires » à lui, à savoir la haine, l'envie, la jalousie, toutes choses qui provoquent les guerres. « Tu es pleine de grâce » est l'exacte définition de « Tu as le shalom ».
La Reine de la Paix ne peut donc qu'être « une Mère pour nous guérir du vide ». La Gospa aime nous rappeler que Dieu est plénitude de vie et d'amour, que la prière permet à l'amour de croître en nous de jour en jour, jusque dans sa plénitude. Quelle prière mieux que le Credo peut nous acheminer vers cette plénitude, ce shalom, puisque seule notre adhésion à Dieu peut lui permettre de s'engouffrer en nous ?
[2] Pour approfondir les racines juives de notre foi, deux livres d'Éphraïm aux Éditions des Béatitudes « *Jésus, juif pratiquant* » et « *Joseph, un père pour le troisième millénaire* ».
Deux livres d'Étienne Dahler, dans la collection « *Lire la Bible autrement* » aux Éditions des Béatitudes : « *Les lieux de la Bible* » et « *Fêtes et symboles* ».
Trois cassettes audio à Maria Multimédia : « *Le mystère d'Israël, A, B et C* » (par Éphraïm).

Message du 25 juin 1992
(11ème anniversaire des apparitions)

« Chers enfants, aujourd'hui je suis heureuse, même si dans mon cœur il y a encore un peu de tristesse pour tous ceux qui se sont mis en route sur ce chemin et qui l'ont ensuite abandonné. Ma présence ici est pour vous conduire sur un chemin nouveau : le chemin du salut. C'est pourquoi je vous appelle jour après jour à la conversion. Mais si vous ne priez pas, vous ne pouvez pas dire que vous êtes en train de vous convertir.

Je prie pour vous et j'intercède auprès de Dieu pour la paix : d'abord pour la paix dans vos cœurs et ensuite pour la paix dans votre entourage, afin que Dieu soit votre paix. Merci d'avoir répondu à mon appel. »

(La Vierge a donné à toutes les personnes présentes sa bénédiction spéciale et maternelle.)

LES CAFÉS DU LAC DE CÔME

Monza, 16 juillet 1988, fête de Notre-Dame du Mont Carmel.

Chez ses amis italiens (dont Paolo qui deviendra son mari), Marija voit la Gospa apparaître toute resplendissante de joie. T. se tient près d'elle et remarque l'onction exceptionnelle de cette apparition. Oui, il se passe quelque chose !

Mais je laisse T. raconter :

- Marija nous dit que la Gospa a longuement prié sur nous (nous étions six ou sept), donnant à chacun sa bénédiction spéciale et maternelle. Puis elle donna un message : *« Ce soir, mes chers enfants, je vous donne une bénédiction spéciale et je vous demande de sortir, afin de donner cette bénédiction à tous ceux que vous rencontrerez. Allez là où vous trouverez le plus de monde, là où les gens se rassemblent... »*

Il nous fallait donc rechercher la foule ! Je me souviens que nous nous sentions comme des apôtres envoyés en mission, notre joie était à son comble. Nous nous sommes alors demandés : « Où devrions-nous aller ? Où trouverons-nous le plus de monde ? » Quelqu'un suggéra les bords du Lac de Côme et, en un coup de voiture, nous voilà arrivés près des terrasses de cafés, bourrées de vacanciers qui sirotaient leur *grappa* entre deux *gelati*. Imagine, un soir d'été très chaud, tous ces cafés en enfilade, les parasols, les amoureux attablés, les promeneurs et les touristes qui déambulaient dans leur tenue estivale...

Il fallait mettre au point une stratégie, afin de pouvoir bénir tout le monde sans exception. Alors, nous nous sommes mis en ligne, les bras étendus, de sorte que nos doigts se touchaient et nous avancions ainsi. Chacun était chargé de couvrir un certain angle de l'espace, afin que personne ne puisse échapper à nos regards, et, par là, à notre bénédiction. Tu nous aurais vus ! Nous étions tellement remplis de la bénédiction que nous voulions la transmettre à tous, quoi qu'il nous en coûtât. Parfois nous devions ralentir et presque nous arrêter, tant la foule était compacte, pour bien prendre le temps de regarder chacun et le bénir en y mettant tout notre cœur, tout notre amour.

On fit ainsi un long tour au bord du lac. Mais au retour, quelle ne fut notre surprise de constater qu'il n'y avait presque plus personne, là où nous étions passés ! Les cafés étaient déserts, les chaises vides ! Les « garçons » éberlués allaient et venaient sur les terrasses. Habitués en effet à servir ces foules jusqu'à deux ou trois heures du matin, ils se demandaient les uns aux autres : « Il est à peine onze heures et tout le monde est parti ! Mais que s'est-il passé ? Où les gens sont-ils allés ? »

Nous ne savions pas nous-mêmes où ils étaient partis. Nous ne savions qu'une chose : nous leur avions donné à tous la bénédiction spéciale et maternelle de la Sainte Vierge. Nous savions qu'elle ferait quelque chose dans leur cœur, mais il ne nous revenait pas de savoir quoi, ni pourquoi ils avaient quitté les cafés !

Le lendemain, Marija partagea avec la Gospa ses étonnements et aussi les nôtres. Cela me rappelait la scène où les apôtres revenaient de mission et rapportaient à Jésus les choses incroyables qu'ils avaient vues.

Patiemment, la Gospa nous encourageait chaque jour davantage à bénir et à continuer avec elle sur ce chemin. C'était une époque... très particulière !

Puis T. continue sur sa lancée, et explique comment elle-même a compris et vit cette bénédiction spéciale et maternelle de Marie :

- Marija nous précise qu'il y a une distinction à faire et que la bénédiction du prêtre est plus grande. Les mains du prêtre ont reçu l'onction sainte, et sa bénédiction fait tomber toutes les grâces du ciel. La Gospa lui a dit un jour : « *Si les prêtres savaient ce qu'ils donnent à une personne lorsqu'ils la bénissent, s'ils pouvaient le voir, alors ils béniraient sans cesse.* »

La bénédiction spéciale et maternelle de Marie est un don, un don gratuit, un don de Dieu qui passe par elle en tant que mère. C'est un don tout maternel[1]. Par exemple, lorsque je bénis mes ennemis (Jésus l'a demandé à tous) avec cette bénédiction de Marie, elle m'aide à aimer ces ennemis avec un cœur maternel, avec son cœur à elle.

Cette bénédiction donnée par la Gospa ne peut déborder que d'un cœur tout rempli. Il déborde dans mon désir de partager, et c'est en le partageant que je découvre la teneur de ce don, comme dans mon expérience avec ce sataniste sur Krizevac.

Avec cette bénédiction, j'ai quelque chose à donner, quelque chose de la Reine de la Paix. J'ai reçu, je donne.

Marija nous dit que ce don est si grand qu'on ne peut l'enfermer en un mot. C'est comme une réalité mystérieuse que la Gospa révèle peu à peu, et dévoile par touches.

Parfois on me demande : « Comment puis-je obtenir cette bénédiction ? Dois-je rencontrer quelqu'un qui l'a reçue à Medjugorje ? » C'est une fausse question, car la Gospa a donné cette bénédiction à tous dans son message pour le monde. Ceux qui vivent les messages ont ce cadeau et peuvent le transmettre aux autres. La vraie question est : « Est-ce que je donne tout ce que j'ai reçu ? » La Gospa ne me donne pas un cadeau juste parce que ça fait bien pour décorer ma chambre. Mais elle me donne un instrument de travail, une solution à elle qui va résoudre des problèmes pour lesquels, humainement, il ne semble pas y avoir de solution. Ce don fait partie d'un tout et, pour ceux qui veulent suivre l'école de la Gospa, cette bénédiction emporte leur cœur dans le dynamisme de l'amour. C'est le contraire de l'idée d'obtenir quelque chose en vue de s'enrichir pour soi-même, (ou pire : avoir un pouvoir sur les autres).

Avant que la Vierge ne fasse ce don au monde, elle a voulu nous y préparer dans le groupe de prière et nous le faire expérimenter pendant quelques mois. Cela est bien dans sa manière. Elle expliqua alors à Marija que par cette bénédiction spéciale et maternelle, le Père céleste

---

[1] Ces mots de T. me rappellent le moment précieux où ma mère venait me bénir le soir dans mon lit. Elle traçait une petite croix sur mon front et je voyais son regard plonger à d'autres profondeurs. Elle accomplissait une chose sainte et mon petit cœur d'enfant recevait à ce moment-là comme une *dose d'amour maternel pur*. Elle était pleinement mère et, par là, me permettait d'être pleinement enfant. Ce moment privilégié représentait beaucoup pour moi. C'était comme une bouffée de grâce dans un quotidien où des difficultés de communication nous faisaient parfois souffrir.

se faisait un devoir (s'engageait lui-même) de demeurer de manière toute spéciale avec la personne pour l'aider chaque jour dans sa conversion, et cela jusqu'à sa mort (bien sûr, le Père est sans cesse auprès de ses enfants, mais il s'agit là d'un surcroît gratuit, obtenu par Marie). Elle nous recommanda de parler de cette bénédiction et de la transmettre avec amour seulement aux personnes qui sont déjà engagées sur le chemin de la foi. Pour les autres, nous devons la transmettre silencieusement.

Cette bénédiction a un lien avec le sacerdoce royal des fidèles, reçu au baptême. Si les laïcs comprenaient la grandeur de leur sacerdoce ! La Gospa nous apprend à le vivre. A vivre ! A Medjugorje, elle veut dévoiler tout cet extraordinaire capital de grâces que nous ne pouvons plus enfouir dans des placards. Le monde a besoin de bénisseurs !

- Par exemple quand je suis dans le métro, ajoute T. , je bénis tout le monde. Et, moi qui suis pourtant si timide, plutôt réservée, les gens viennent vers moi pour me parler, pour m'ouvrir leur cœur. On est encore loin de sonder la puissance de cette bénédiction...

Pour ma part, grâce au témoignage de T., j'ai compris ce qui m'était arrivé durant mes premiers mois à Medjugorje. Alors que je venais de débarquer, dotée d'une ignorance à toute épreuve quant aux « us et coutumes » de la Gospa, je décidai de passer le plus clair de mon temps sur Podbrdo, afin d'y prier et approfondir mon amour pour elle. Mais j'avais beau essayer de la prier elle, c'était toujours une autre prière qui me venait au cœur, et cela pendant des heures : « Père, je te remercie pour le don de la vie. » Le Père, toujours le Père... c'était merveilleux d'avoir ainsi le Père, mais j'étais quelque peu gênée vis-à-vis de Marie et je lui disais : « Ne m'en veux pas, j'ai passé tout mon temps avec le Père, ce n'est pas que je ne t'aime pas... »

Maintenant je vois clair : le détournement venait d'elle ! En effet, peu de temps après mon arrivée, la Gospa avait donné à nouveau sa bénédiction spéciale et maternelle le 25 décembre 1989. Résultat : elle m'avait bien calée sur ses genoux pour me montrer le Père...

Bénie soit-elle !

Message du 25 juillet 1992

« Chers enfants, aujourd'hui encore je vous invite tous à nouveau à la prière, une prière de joie, afin qu'en ces jours douloureux personne d'entre vous ne ressente de la tristesse dans la prière, mais une rencontre joyeuse avec son Dieu Créateur. Priez, petits enfants, pour pouvoir être plus près de moi et pour sentir à travers la prière ce que je désire de vous.

Je suis avec vous et chaque jour je vous bénis de ma bénédiction maternelle afin que le Seigneur vous comble tous de l'abondance de sa grâce, pour votre vie quotidienne. Remerciez Dieu pour ce don : que je puisse être avec vous parce que, je vous le dis, ceci est une grande grâce. Merci d'avoir répondu à mon appel. »

LE COFFRE-FORT MIRACLE DE LA BANQUE « DANAS »

DANAS ? Ce mot signifie « aujourd'hui » en croate. Il n'a l'air de rien et pourtant ! Ce petit mot recèle à lui tout seul une des plus puissantes sources de guérison offertes par la Gospa, à notre monde sans paix.

Lorsqu'arrive le soir du 25, le Père Slavko réunit chaque mois quelques personnes de langues différentes afin de traduire le message. Le Père Slavko tape d'abord le message en croate reçu de Marija, puis les traductions se mettent en route. Mais avant même de connaître la teneur du message, je prends ma feuille et écris en français : *« Chers enfants, aujourd'hui... ».* Et ça ne rate jamais (ou presque) : la Gospa dit bien *« Draga djeco, danas... ».* Pourquoi ce leitmotiv ? « Aujourd'hui » c'est son terrain d'action, c'est son centre de gravité, son point d'impact, son quartier général... C'est là que tout arrive et d'où tout repart.

« Aujourd'hui » pourrait être le nom d'une banque, mais une banque exceptionnelle qui fonctionnerait de la manière suivante : les capitaux de cette banque sont fournis par Dieu, à volonté. Les mises de fonds sont illimitées. Celui qui viendrait demander tant, pour ses besoins, recevrait tant, un autre qui viendrait demander le double, recevrait le double et ainsi de suite. La banque rêvée ! Plus on retire de fonds, plus notre capital augmente ! Mais cette banque a une règle incontournable : on ne peut tirer les fonds qu'aujourd'hui, et il faut y aller soi-même. On ne peut pas dire : « Donnez-moi mon dû d'hier » car ce qui concerne

« hier » est effacé de la mémoire des ordinateurs. On ne peut pas non plus retirer une avance sur la trésorerie de demain, car les ordinateurs affichent « Demain : donnée inconnue. »

Ainsi fonctionnent le cœur de Dieu et le cœur de Marie. Si ce n'est pas aujourd'hui que je puise moi-même dedans, je me condamne à la misère. Or, la plus grande partie de notre société souffre de deux maladies qui tournent parfois à la psychose. Ces maladies ont pour nom « hier » et « demain ». Elles atteignent l'âme très subtilement, la paralysent peu à peu, jusqu'à l'étouffer. Pour avoir la vie, seul le guichet « aujourd'hui » est ouvert. Les guichets « hier » et « demain » brillent par leur absence.

Il est facile de détecter ces deux maladies car la victime en exprime elle-même les symptômes caractéristiques :

« Je prierai plutôt demain. »   *(Communication avec Dieu = 0)*

« Ma mort ? C'est pas demain la veille, j'ai le temps d'y penser... »
                                     (Vigilance = 0)

« J'ai déjà donné hier à un pauvre. Il n'a pas intérêt à repasser aujour-d'hui ! »   *(Charité = 0)*

« Hier, mon mari m'a trompée. Il ne l'emportera pas au paradis ! »
                                     (Miséricorde = 0)

« Demain, à tous les coups, ça va finir par une guerre ! »
                                     (Paix du cœur = 0)

« De toutes façons, ça a raté hier, je ne vois pas pourquoi ça marcherait aujourd'hui ! »   *(Espérance = 0)*

Ces malades-là se figent mortellement dans « le piège d'hier » ou s'investissent dans du vent, « l'illusion de demain ». Ils meurent de faim et de soif, ils meurent du vide, ils se suicident par milliers suite à leurs crises de manque, alors que la Banque Danas leur est ouverte jour et nuit !

Car la grâce, c'est aujourd'hui qu'elle m'est donnée, c'est maintenant qu'elle touche, rejoint et sauve la réalité de ma vie. Je n'ai pas maintenant la grâce pour demain, et la grâce d'hier, je ne peux pas la mettre en conserve.

Beaucoup de journaux, en prêtant leurs colonnes aux prophètes de malheur, font un travail criminel : ils sèment la peur dans les cœurs. Or la peur est toujours un symptôme de la psychose « demain ». Les clients de cette grande banque aujourd'hui qu'est le cœur de Dieu se reconnaissent à un seul symptôme : « *Amour* ». Si j'aime, il n'y a pas de place en mon cœur pour la peur. Bien plus, en aimant, je prépare l'avenir, je change l'avenir, je construis la vraie sécurité pour ma famille. Je suis ancré dans le réel, je ne plane pas comme Peter Pan.

Aujourd'hui est la source la plus extraordinaire de richesses et de surprises que je connaisse. Si je suis à l'écoute pour capter la grâce d'aujourd'hui, alors Dieu, fou de joie, me révèle le plan unique qu'il a pour le moment présent.

Une des meilleures et plus fidèles clientes de la Banque Danas est mon amie Keren, formée de longue date à l'école de la Gospa.

Un jour, elle est invitée aux USA pour parler de Medjugorje à des dizaines de paroisses. La Gospa lui a montré qu'elle devait le faire, elle a donc dit oui, mais c'est la panique, car sa nature très timide lui semble un obstacle insurmontable. La voilà dans une église de Boston. Elle prie sur un banc avant de prendre la parole. Elle supplie Marie : « Trouve quelqu'un d'autre, je ne peux pas ! » Une inconnue lui tape sur l'épaule :

- Mademoiselle, je priais derrière vous, je ne vous connais pas, mais Jésus m'a dit cela pour vous : « *Ne t'inquiète pas pour les mots que tu devras prononcer. Je serai avec toi. Ouvre la bouche, et je mettrai devant tes yeux les paroles que je destine à cette assemblée, l'une après l'autre.* »

Et c'est ce qui arriva. Keren monta toute tremblante au micro et elle vit devant ses yeux comme un parchemin se déployer. Elle lisait une phrase, oubliait ce qu'elle venait de lire et ne savait pas ce qu'elle allait lire dans la minute suivante. Elle était rivée à la minute présente. Ce soir-là, l'assemblée la félicita d'avoir si bien préparé son speech, qui avait tant bouleversé les cœurs. Une belle leçon d'abandon à Dieu !

Un autre soir, elle monta à nouveau au micro avec la tête si vide qu'elle ne se souvenait même plus des cinq points de Medjugorje. Mais elle avait confiance, Marie avait une parole pour la foule très nombreuse qui s'était rassemblée. Arrivée au micro, mutisme total, silence compact. Pas un mot ne lui vient. En paix, elle attend. La foule, elle, se demande ce qui se passe, commence à murmurer, à s'agiter... Cinq minutes de silence, pour des Américains, ça frise l'impossibilité ontologique ! Keren dit à Marie :

- *Mother* ! Si tu n'as rien à leur dire, c'est ton choix. Mais montre-moi si je dois rester encore longtemps devant ce micro !

Puis elle s'entend demander à la foule :

- Y a-t-il des prêtres parmi vous ?

Quinze mains se lèvent.

- Venez par ici, je vous prie, dit-elle aux prêtres.

Les quinze prêtres arrivent.

- *Mother* ! Qu'est-ce que je fais maintenant avec eux *?* supplie-t-elle dans son cœur.

La foule est suspendue à ce qui va bien pouvoir se passer. Cette Keren de Medjugorje est-elle vraiment « OK » dans sa tête ? C'est alors qu'une parole sort de la bouche de Keren, la dernière qu'elle aurait souhaité dire :

- La Gospa ne peut pas vous parler ce soir. Il y a trop de péchés ici. Vous ne pouvez pas entendre sa voix. Il faut d'abord vous confesser !

Elle n'avait que quarante minutes pour parler. Il était 19h30. Ces minutes furent utilisées à ne dire que deux mots : « Conversion », « Confession ». Elle expliqua ces mots, dans la puissance de l'Esprit. Puis elle partit. Le lendemain, le curé de la paroisse, tout bouleversé, lui dit :

- Keren, savez-vous que cette nuit, à une heure du matin, nous y étions encore ? Les quinze prêtres ont confessé pendant plus de cinq heures. Je ne sais pas ce qui est arrivé à ces gens, la plupart ne s'étaient pas confessés depuis vingt, trente, quarante ans ; il fallait voir les poissons que la Gospa nous envoyait !

Cette nuit-là, des centaines de pécheurs, venus par curiosité pour la plupart, sont repartis chez eux justifiés, rayonnants d'avoir retrouvé leur Sauveur.

Un seul petit cœur avait tout simplement puisé son lot dans la Banque Danas ; et des trésors inattendus, il y en avait eus pour tout le monde.

Message du 25 août 1992

« Chers enfants, aujourd'hui je désire vous dire que je vous aime. Je vous aime de mon amour maternel et je vous invite à vous ouvrir complètement à moi, afin qu'à travers chacun de vous je puisse convertir et sauver ce monde où il y a beaucoup de péché et beaucoup de choses mauvaises.

C'est pourquoi, mes chers petits enfants, ouvrez-vous complètement à moi pour que je puisse vous entraîner toujours davantage vers l'amour merveilleux de Dieu le Créateur qui se révèle à vous de jour en jour. Je suis avec vous et je désire vous révéler et vous montrer le Dieu qui vous aime. Merci d'avoir répondu à mon appel. »

TOUS, VOUS RESSENTIREZ MON AMOUR

Parmi les guides anglophones locaux, Philip est un régal de frère. Jeune, cordial, joyeux, il a l'art d'introduire ses pèlerins dans les profondeurs du Cœur de Marie. Loin de « faire son job », il vit ce travail comme une vocation et consacre autant d'énergie à prier pour ses protégés qu'à les guider. Témoin privilégié de milliers de fioretti, il regorge d'histoires.

Un jour, ce petit rabatteur de la Gospa descendait les Champs-Élysées (c'est ainsi que j'appelle l'avenue où se côtoient agences, boutiques et restaurants !), il tombe sur deux couples américains attablés dans un bar, l'air morne. Croyant reconnaître en eux d'anciens pèlerins, il leur fait coucou à travers la vitre et entre. La chaleur ambiante le revigore, car dehors il fait un temps de chien, un froid de canard agrémenté d'une pluie pénétrante. De quoi déprimer le pape lui-même !

- Vous ne me reconnaissez pas ? Vous n'étiez pas dans un de mes groupes il y a quelques années ?

- Non, vous savez, nous venons pour la première fois, et d'ailleurs nous ne sommes que de passage pour une heure ou deux. Nous prenons des vacances sur la côte.

- Ah bon ! Et vous avez quand même pu voir un peu quelque chose ?

Un des deux maris, le plus morose des quatre, répond avec amertume et un tantinet de sarcasme :

- Non ! Rien !
- Juste un petit tour dans l'église, ajoute sa femme d'un air gêné.

A vrai dire, les deux hommes étaient venus contre leur gré, pour accompagner leurs épouses qui avaient entendu parler de Medjugorje en Amérique et qui voulaient y faire une petite visite. Philip comprend qu'un gros problème se cache là-dessous, et ça lui fend le cœur de les laisser repartir ainsi, sans qu'ils aient goûté à l'extraordinaire grâce de ce lieu.

- On repart tout de suite, renchérit l'homme. Mais vous, comment arrivez-vous à vous incruster ici ?

- Gospa, fait quelque chose... et vite ! prie Philip dans son cœur.

- Si vous voulez, je pourrais vous emmener voir l'un des voyants, Marija ou Vicka. Là-bas, vous entendriez l'essentiel de ce qui se passe ici avec la Sainte Vierge, et certainement elles prieront pour vous un petit moment...

- Super ! répondent gentiment les deux femmes, tandis que leurs époux grommèlent l'équivalent du « bof... » français d'un ton des plus accablé.

Mais les femmes ont gain de cause, et deux taxis sont hélés pour se rendre à Bijakovici, le hameau des voyants. Dans le taxi, Philip en profite pour les brancher un minimum sur les évènements de Medjugorje, car ils en ignorent tout. Mais, très vite, il est coupé dans son élan par une question de la part de l'un des hommes :

- Je vois que vous portez un corset, avez-vous des problèmes de dos ?

- Oui, j'ai eu un grave accident de voiture. Une partie de ma colonne vertébrale a été écrasée et j'ai dû subir une opération il y a un an. C'est déjà un miracle que je puisse remarcher !

Ils arrivent devant chez Marija. Pas là. Devant chez Vicka : pas là non plus. Philip propose alors d'aller à la « Croix Bleue », là où tant de fois la Vierge est apparue.

La pluie est devenue diluvienne, et les petits sentiers dévallant le colline de Podbrdo ressemblent maintenant à des ruisseaux. Tout y est pour que l'envie de fuir soit totale ! Trempés jusqu'aux os par la pluie glaciale, nos amis arrivent à la Croix Bleue. Philip leur lit un message de la Sainte Vierge et propose de dire une dizaine de chapelet avant de repartir.

- Car, dit-il, ce n'est pas par accident que vous êtes venus ici ! Ce lieu est si spécial !

Après la courte prière, Philip leur suggère de rester encore un peu, tandis que lui les attendait dans l'un des taxis. En effet, les pèlerins aiment exprimer leurs intensions dans une certaine intimité, ou se recueillir dans la solitude sur les lieux d'apparition.

Philip redescend donc seul vers les taxis. Là, il attend..., il attend... Vingt longues minutes se passent, ce qui est tout à fait anormal vu le manque total d'enthousiasme de ces gens, vu le froid et cette terrible pluie qui ne cesse pas. Finalement, les deux femmes arrivent et montent en silence dans le taxi. Elles sont en larmes. Les maris suivent de peu, le plus morose est lui aussi en larmes. Dans le taxi, personne ne parle, seuls les mouchoirs vont bon train. Philip comprend qu'il a dû se passer une chose importante et son cœur bondit d'espérance pour ces gens si malheureux.

Les voilà arrivés devant l'hôtel. Tout le monde descend. Au moment de prendre congé, l'un des hommes sort de sa poche une grosse liasse de dollars.

- Prenez cela, dit-il d'une voix blanche. Si, si, prenez, c'est pour vous !

Mais Philip refuse, il repart les poches vides mais le cœur rempli de prière et d'espoir. Dans quelques minutes, ses quatre Américains vont repartir vers la côte, mais Medjugorje les aura touchés de quelque manière. Merci chère Gospa !

A sa grande stupéfaction, le soir, qui voit-il sur le parvis de l'église ? Ses Américains ! Ils sont finalement restés ! Une joie immense le traverse. Mais sa discrétion le retient d'aller les retrouver pour leur demander ce qu'ils ont vécu.

Trois jours plus tard, alors que Philip se trouve à l'aéroport de Split pour s'occuper d'un groupe de pèlerins en partance, il tombe à nouveau sur ses quatre Américains qui repartaient chez eux. Là, profitant de la longue attente, le « morose » ouvre son cœur à Philip. Il appelle sa femme et tous deux se confondent en remerciements envers Philip.

- Ce qui nous est arrivé est trop énorme pour que je ne vous le raconte pas. Il y a juste un an, notre fils aîné a été tué dans un accident de voiture. Il avait vingt-deux ans. Sa colonne s'est brisée au niveau de la nuque et il est mort sur le coup. Voyant que le premier anniversaire de sa mort approchait, nous avons décidé, ma femme et moi, d'aller très, très loin de la maison pour passer ce triste jour dans un cadre complètement étranger. Et, ce jour-là, nous nous sommes retrouvés à Medjugorje ! Vous vous souvenez du temps horrible qu'il faisait... Un temps à rester chez soi et à tourner en rond ! Lorsque vous êtes venu nous saluer, nous avons été saisis par votre ressemblance avec notre fils : vous avez tant de points communs avec lui, même âge, même visage et en plus vous portez un corset pour soutenir votre dos... En vous voyant, que de souvenirs douloureux sont remontés !

Et sa femme d'ajouter :

- Il faut vous dire, Philip, que mon mari avait abandonné l'Église et toute pratique religieuse après l'accident de notre fils. Finie la foi ! Dieu..., fini ! Interdit de parler de notre fils dans la famille. Même son nom ne devait plus être prononcé ! Mon mari avait fait disparaître toutes ses affaires. Aucun souvenir ne devait subsister. Il fallait faire table rase de lui, comme s'il n'avait jamais existé.

Le mari reprend alors la parole :

- Vous savez, Philip, je ne suis pas un homme de prière mais, à la Croix Bleue, pendant que vous priiez à quelques mètres de moi, j'ai senti quelqu'un dans mon dos qui me touchait l'épaule. Surpris, je me suis retourné et je n'ai vu personne. J'ai mis cette sensation sur le compte de la pluie. A nouveau j'ai senti des mains se poser sur mes épaules mais, cette fois-ci, j'ai immédiatement senti une immense et délicieuse chaleur m'envahir... pourtant vous vous souvenez du froid qu'il faisait...! Cette chaleur était totalement inexplicable ! Mais ce qui m'a le plus bouleversé c'est cette paix qui est entrée en moi. Une paix comme je n'en avais jamais ressentie de toute ma vie, je ne peux même pas vous la décrire ! Alors j'ai commencé à pleurer, mais à pleurer... ! Puis ma femme commença elle aussi à pleurer. Nous savions très bien pourquoi nous pleurions, elle avait compris tout de suite. Après ce temps de prière, nous avons décidé de rester un jour de plus. Cette nuit-là, nous l'avons passée presque entièrement à parler ensemble de notre fils. Tous les interdits, tous les verrous sautaient ! Nous avons parlé de Dieu, de la religion, de Medjugorje... nous ne pouvions pas nous arrêter ! Imaginez, c'était la première fois depuis un an, jour pour jour, que nous arrivions à évoquer ensemble la mémoire de notre fils !

De retour sur la côte, qui ne présentait plus aucun intérêt à nos yeux, nous avons déniché une petite chapelle où nous avons pu assister à la messe. Nous voulions approfondir la grâce reçue à Medjugorje avant de repartir à la maison.

Philip n'en croit pas ses oreilles ! Mais leurs visages parlent plus encore que l'enthousiasme de leurs mots. Après les avoir quittés, il vole littéralement sur la route, de joie !

L'histoire se termine-t-elle là ? Pas du tout ! Le couple accueillit Philip chez lui quelques dix-huit mois plus tard. Là, il apprit de nombreux détails sur l'incroyable grâce de Medjugorje qui avait sauvé leur famille de la dislocation. Par la mère, il découvrit qu'avant Medjugorje, des troubles très sérieux avaient saisi son mari.

- Par exemple, confia-t-elle, il entrait dans des colères effroyables, faisait des scènes terribles en public... à tel point que nos autres enfants se sont révoltés contre leur père. Par quelles souffrances nous sommes passés, je ne saurais vous le dire. Notre couple partait en lambeaux... Le pire c'est qu'un séjour en hôpital psychiatrique était prévu pour lui après ce voyage, et le psychiatre s'avérait pessimiste.

Les « mains » qui avaient touché les épaules du père avaient donc aussi touché son cœur, son âme et son esprit, et en avaient chassé toute racine de désespoir. Plus question de traitements et de psychiatres. Après l'épisode de la Croix Bleue, sa vie changea. Il se réconcilia avec l'Église et recommença à fréquenter la messe avec assiduité. Ses enfants retrouvèrent leur père, tel qu'il était avant, et même mieux. Philip découvrait un homme complètement transformé, ouvert, aimable, jovial qui parlait paisiblement de son fils, de l'accident, de la foi en Dieu. Il avait vendu son « business » et consacrait sa vie à sa famille, restait proche de sa femme et creusait chaque jour davantage sa découverte de la foi. Au point que son plus jeune fils prépare maintenant un nouveau pèlerinage à Medjugorje, avec toute sa famille... !

- La Gospa savait qu'elle n'avait que vingt minutes pour toucher son cœur, explique Philip. Elle le fit de façon si délicate et en même temps si puissante ! Elle se devait de tenir parole, car elle l'a dit ici :

« Tous, vous ressentirez mon amour. »

Message du 25 septembre 1992

« Chers enfants, aujourd'hui encore je voudrais vous dire : « Je suis avec vous aussi en ces jours troublés durant lesquels Satan désire détruire tout ce que moi-même et mon Fils Jésus construisons. » Il désire tout spécialement détruire vos âmes. Il désire vous entraîner le plus loin possible de la vie chrétienne ainsi que des commandements que l'Église vous appelle à vivre. Satan désire détruire tout ce qui est saint en vous et autour de vous.

C'est pourquoi, petits enfants, priez, priez, pour être capables de saisir tout ce que Dieu vous donne à travers mes venues. Merci d'avoir répondu à mon appel. »

LA DAME QUI AVAIT DES POUVOIRS...

L'église a beau être pleine, tout le monde a remarqué la dame au cinquième rang qui n'en finit pas de mouiller ses kleenex et qui retient mal ses sanglots. Tout a commencé ce matin chez le Père Jozo et, depuis lors, elle est inconsolable. A la sortie de la messe, elle me prend par le bras et me supplie de l'aider. Je lui demande :

- Qu'est-ce qui vous met dans des états pareils ?

- Ce matin, chez le Père Jozo, j'ai reçu une véritable gifle, je suis profondément blessée et je n'arrive pas à comprendre ce qui s'est passé...

Les sanglots la secouent, elle a du mal à finir ses phrases. Son visage décomposé exprime une détresse réelle.

- Dieu m'a rejetée, ça c'est sûr !

J'essaie de poser des questions objectives, et j'apprends les faits tels qu'ils se sont déroulés. Ce matin, avec son groupe de pèlerins, Karine s'est rendue chez le Père Jozo pour l'écouter et recevoir sa bénédiction. Au cours de la conférence, elle est saisie par la force et l'onction des paroles qu'elle entend, ce qui la confirme dans sa conviction : le Père Jozo est un être exceptionnel, un saint peut-être. Alors elle n'attend qu'une chose, c'est cette fameuse bénédiction qu'il donne aux pèlerins. Là, elle va « recevoir quelque chose », et d'ailleurs, si elle est venue à Medjugorje, c'est avant tout pour avoir l'imposition des mains du Père Jozo. Le reste est de moindre importance.

Les pèlerins se rangent le long de l'allée, et Karine observe le Père Jozo. Il s'arrête devant eux et les bénit deux par deux en posant ses mains sur leurs têtes. Tout bas, il murmure des prières avec un air concentré. Karine se tient au milieu de la file, ça y est, c'est bientôt son tour, son cœur jubile. Mais le drame inexplicable se produit : après avoir béni ses deux voisins de droite, le Père Jozo l'ignore totalement et va bénir ses deux voisins de gauche, en passant son tour. Karine se liquéfie sur place. Il ne l'a même pas regardée. Tout son être vacille sous le choc, mais, tandis que le Père Jozo s'éloigne pour bénir le reste du groupe, elle a quand même le réflexe de changer de place et d'aller s'insérer dans la dernière partie de la rangée, là où le Père n'est pas encore passé. Mais à nouveau, le même phénomène se produit, le Père Jozo passe ostensiblement son tour et bénit ses voisins sans lui prêter la moindre attention.

- Depuis ce moment-là, ma sœur, je suis au désespoir. Si vraiment le Père Jozo est un saint[1], alors c'est que Dieu m'a rejetée... Mais dites-moi, vous qui le connaissez bien, est-ce que ça lui arrive quelquefois de refuser la bénédiction à quelqu'un ?

- Euh... non ! Ou bien c'est hyper-rare, pour des cas très particuliers...

Alors me revient en mémoire le cas d'un homme à qui le Père Jozo avait aussi refusé la bénédiction. Cela me met la puce à l'oreille pour Karine.

- Le Père Jozo sait ce qu'il fait, ce n'est ni un distrait ni un sadique. Mais, Madame, dites-moi très sincèrement : quelles étaient vos intentions profondes en venant chez le Père Jozo ?

Et c'est là que je découvre tout le paquet qui est derrière, le pot aux roses. Karine a eu une enfance difficile. Sa mère l'a toujours méprisée et son père brillait par son absence. Karine a ramé durant toute sa jeunesse pour tenter de trouver son identité, sa raison de vivre. Le vide qui l'habitait la broyait secrètement et lui faisait envisager le suicide. La mort de son père et d'autres évènements familiaux lui firent rencontrer des personnes qui savaient « capter les énergies », qui avaient des pouvoirs sur la psychologie des autres, et qui la convainquirent qu'elle avait elle-même de grands dons médiumniques qu'elle devait déployer.

---

[1] D'après une rumeur, la Gospa aurait dit du Père Jozo : « *C'est un saint* ». En réalité, elle a dit à Vicka : « *il vit saintement son épreuve* » (durant son séjour en prison, il restait fidèle et pardonnait à ses ennemis).

Alors commença pour Karine une nouvelle page dans son existence. Par différentes étapes d'initiation et des séminaires en Extrême-Orient, elle fut formée aux sciences occultes et se fit peu à peu une clientèle de gens qu'elle « aidait »[1].

Elle avait enfin trouvé sa raison de vivre, enfin elle avait de l'importance aux yeux des autres, enfin on la recherchait, on lui demandait conseil et même on exaltait le « pouvoir positif » qu'elle exerçait sur ses protégés. Bref, elle avait enfin le sentiment d'exister !

En écoutant Karine, l'évidence se fait jour en moi : comme souvent, le Père Jozo a été prévenu surnaturellement. L'Esprit Saint s'est servi de lui pour retirer Karine de l'illusion terrible dans laquelle elle baigne depuis des années. Je n'ai même pas à lui poser la question, elle-même me donne la clé de l'évènement du matin.

- Alors vous comprenez ma sœur, en venant voir le Père Jozo, mon but était de recevoir sa bénédiction...

- C'est à dire, en clair ?

- Et bien, recevoir ses « énergies positives », recevoir ses pouvoirs de guérison. Je voulais à travers lui capter de nouveaux pouvoirs et ainsi aider davantage les gens qui viennent me voir... Vous comprenez, on dit que c'est un prophète, un homme choisi par Dieu et doué de grands pouvoirs...

- C'est justement parce qu'il est inspiré par Dieu et qu'il voit souvent le fond des cœurs, qu'il ne vous a pas bénie...

Karine comprend qu'on a touché là le nœud du problème et, avec beaucoup de sérieux, elle m'écoute.

- Que voulez-vous dire par là ?

- Vous seriez repartie comme vous étiez venue, croyant avoir atteint votre but ! Le Père Jozo a agi comme les prophètes de la Bible. Son geste est un signe pour vous.

Alors je lui explique longuement que, dans sa détresse, elle s'est laissée piéger par de fausses lumières. « *Vous avez oublié la Bible* » a dit la Gospa au Père Jozo en pleurant. Karine a oublié la Bible et elle a cherché ailleurs des chemins de vie. Elle a opté sans le savoir pour des

---

[1] Sur les thèmes du yoga, du zen, de la réincarnation, des guérisons par radiesthésie, de la magie, du spiritisme, des religions orientales, du New Age, etc. écouter les excellentes cassettes du Père Joseph-Marie Verlinde : contacter la « *Famille St Joseph* », F-69380 CHASSELAY, tél. 04 78 47 35 26, fax. 04 78 437 36 78.

chemins que Dieu lui-même désigne comme des chemins de mort. Elle croit vivre et aider la vie, mais elle ne fait que s'exalter elle-même, exalter son « ego » et donner du poison aux autres. Alors qu'au départ elle avait sans doute l'intention droite d'aider les autres.

- Il fallait donc ce choc du Père Jozo pour vous faire ouvrir les yeux ! Le Père Jozo n'est pas un distributeur de « pouvoirs », ni un magicien. Il n'est pas là pour renforcer l'empire que vous exercez sur les autres. Non, c'est un serviteur, c'est un pauvre. C'est un prêtre qui prie pour que le Vrai Dieu envahisse le cœur de ses enfants.

- Karine, vous avez confondu le New Age avec la vie chrétienne[1]. Vous êtes venue ici pour puiser de nouveaux dons et dorer votre blason de nouveaux titres ; Dieu vous attendait au tournant. Il veut vous donner bien mieux : Il veut se donner lui-même à vous parce qu'il vous aime infiniment. Mais pour cela il doit vous faire toute pauvre. Il veut vous délester de tout ce fatras médiumnico-ésotérico-pseudo-spirituel et totalement glauque[2] qui vous habite et avec lequel il ne peut pas cohabiter. Si vous acceptez cette grande grâce de conversion qui vous est offerte avec tant de force (typique de Medjugorje), alors Dieu pourra former votre vie et vous deviendrez une personne complètement nouvelle... Alors vous porterez un vrai fruit pour les autres[3].

Les sanglots ont disparu et l'ombre de mort qui voilait le regard de Karine fait place peu à peu à la paix.

- C'est la première fois que j'entends ce langage, mais je ressens tout au fond de mon cœur qu'il est juste, qu'il est vrai. Mais alors, ça veut dire que je ne dois plus recevoir les gens pour m'occuper d'eux ?

- Ça veut dire que, désormais, vous laisserez Dieu guider lui-même votre vie. Mettez la prière chrétienne à la première place, la lecture de la Bible, les sacrements. Laissez tomber votre radiesthésie et vos pouvoirs. Peu à peu, vous vous remplirez de la plénitude même de Dieu, et vous ne penserez plus au pouvoir que vous pourriez avoir sur les autres. Tous, nous sommes faits pour la Gloire. Mais Satan est malin, il nous fait croire qu'on aura le bonheur en glorifiant notre « moi », même inconsciemment, et cela mène au désastre. Car notre « moi » n'est que

---

[1] Écouter la cassette d'Erika Lechner (Maria Multimédia) : *« La séduction du New Age »* et celle de Benoît Domergue (Maria Multimédia) : *« Le New Age aujourd'hui »*.

[2] Écouter la cassette du Docteur Philippe Madre (Maria Multimédia) : *« Spiritisme et occultisme »*.

[3] Écouter la cassette du Père Émiliano Tardif (Maria Multimédia) : *« Guérir, à quel prix ? »*

misère. Non, la vraie Gloire qui nous attend, c'est la Gloire même de Dieu en nous. Acceptez-vous de laisser la gloire qui vient des hommes au profit de la Gloire qui vient de Dieu, avec les sacrifices que cela va impliquer dans un premier temps pour réajuster votre vie ?

Karine mesure l'énormité du pas à faire et s'écrie :

- Mais comment je vais en avoir le courage ?! C'est toute ma vie qui doit changer de A à Z... !

- Oui, saint Paul aussi disait : « *Il est terrible de tomber aux mains du Dieu Vivant !* » Mais tout cela est arrivé à Medjugorje, faites confiance à la Sainte Vierge, c'est elle qui a fait le coup, c'est encore elle qui vous aidera jour après jour...

Karine accepta de faire une et même plusieurs retraites, afin de se former à cette nouvelle vie[1]. Elle se confessa et un prêtre, un peu spécialisé en la matière, pria pour sa libération, car tout son esprit avait été déformé par les séminaires ésotériques qu'elle avait fréquentés. Elle vécut plusieurs rechutes car son milieu voulait la récupérer et la tentation était grande. Mais, heureusement, elle reste très proche de Medjugorje et, grâce à notre prière à tous, elle garde le cap qui mène au Royaume. Quant à la bénédiction du Père Jozo, elle la reçut finalement au sein d'un autre groupe, après sa conversion, tandis qu'elle s'approchait pour demander la grâce d'être toute petite et non celle d'être grande.

---

[1] Des retraites de cinq jours animées par la Communauté des Béatitudes à « *Marthe et Marie de Béthanie* », Burtin, F - 41600 Nouan le Fuzelier, tél : 02 54 88 77 33.

Message du 25 octobre 1992

« *Chers enfants, je vous invite à la prière maintenant que Satan est fort et veut s'approprier le plus d'âmes possible. Priez, chers enfants, et ayez davantage confiance en moi parce que je suis ici avec vous pour vous aider et pour vous guider sur une nouvelle route, vers une vie nouvelle. C'est pourquoi, chers petits enfants, écoutez et vivez ce que je vous dis parce que ce sera important pour vous, quand je ne serai plus avec vous, de vous souvenir de mes paroles, de tout ce que je vous ai dit.*

Moi, je vous invite à changer radicalement votre vie et à vous décider pour la conversion, non en paroles mais en vie. Merci d'avoir répondu à mon appel. »

AIDE-MOI, TU SERAS UN ANGE !

Octobre 1987. Après la fête des saints Anges Gardiens, Marija fait une escapade sur une île au large de Split, avec trois amis, dont un séminariste. Un soir, ses amis remarquent son air intrigué après l'apparition. A cette époque encore, les voyants se trouvaient toujours ensemble pour l'apparition et Marija faisait ce jour-là ses premiers pas dans une situation nouvelle : recevoir seule la visite de la Gospa. Mais la cause de son étonnement venait surtout d'ailleurs :

- Vous savez, la Gospa a fait quelque chose d'étrange ce soir, dit-elle à ses amis. Elle nous a donné des devoirs à faire ! Elle nous a demandé d'écrire une lettre à notre ange gardien et de la lui remettre demain.

Une des amies de Marija, M. , me raconte :

- Je n'en croyais pas mes oreilles ! Je ne savais pas que l'on pouvait écrire à son ange gardien, qu'il aimait les lettres ! J'étais bien embarrassée car depuis de longues années je n'avais pas adressé une seule fois la parole à mon ange gardien. Etant petite, lorsque j'ai appris que j'avais un ange avec moi, je lui parlais. Mais cela ne dura pas longtemps. Et voilà qu'en vingt-quatre heures, je devais lui écrire une lettre ! Nous fîmes tous les quatre nos devoirs de vacances avec application. Lorsque la Gospa revint le lendemain, elle était accompagnée de petits anges. Marija nous expliqua que ces anges ressemblaient à des enfants d'un à deux ans. Elle ne savait pas s'il s'agissait de nos anges gardiens, car la Gospa ne fit pas les présentations, mais ils étaient au nombre de cinq, et regardaient avec intensité chacun de nous. Personnellement, je sentais que mon ange gardien était l'un d'eux. Ce soir-là, la Gospa nous invita à tisser des liens d'amitié avec notre ange gardien et à recourir à lui pour obtenir de l'aide. Elle nous dit de lui demander des faveurs, des services.

Le lendemain, nos lettres étaient déposées aux pieds de la Gospa. Plus tard, nous les avons brûlées. Dans les jours qui ont suivi, nous avons beaucoup parlé ensemble de nos anges gardiens et nous sommes devenus conscients de leur présence, de leur aide. Cela nous mettait en joie, et quelle joie ! Chacun de nous développa un dialogue tout à fait nouveau avec son ange gardien et cela changea notre vie. Toutes sortes d'aventures commencèrent à nous arriver, grâce à nos anges gardiens. En voici une :

Peu après ce séjour dans l'île avec Marija, je passai quelques jours à Munich avec mon amie Milona (une des quatre personnes présentes sur l'île avec nous). Alors que nous préparions notre trajet de retour Munich-Medjugorje en voiture, je pensais à un saint prêtre que je connaissais à Vérone (Italie) et j'avais un très vif désir de passer le voir pour que Milona le rencontre. Mais plusieurs choses me faisaient hésiter. Ce détour par Vérone ajoutait cinq heures de route à notre voyage, et ce prêtre qui souffrait d'une maladie très grave, était alité et ne recevait plus personne depuis des mois. De plus, il fallait franchir deux portes extérieures, attenantes au Dôme de Vérone, pour pouvoir sonner à son appartement ; or, c'était dimanche et personne ne nous ouvrirait ces portes. Il n'y avait d'ailleurs pas de sonnette.

Mais... l'intuition que nous devions y aller s'avéra plus forte que tous ces obstacles. Ce prêtre était si saint[1] que le seul fait de croiser son regard nous donnait Dieu d'une façon extraordinaire ; il nous fallait tenter notre chance. Nous nous mîmes en route et après avoir parcouru quelques kilomètres, nous tentâmes d'appeler Vérone au téléphone. Nous tombâmes sur un répondeur qui nous dit : « Le Père Bozio ne reçoit personne, mais il répondra aux appels téléphoniques entre 16h et 17h ». Comme sur le plan humain la partie était perdue d'avance nous décidâmes de faire travailler nos anges gardiens. D'abord, nous leur demandâmes d'aller trouver le Père Bozio pour lui demander si nous pouvions venir, et de nous rapporter la réponse dans nos cœurs. Après avoir prié quelques minutes, tout à coup une grande joie nous envahit et nous comprîmes cela comme un signe positif pour entamer les cinq heures de route jusqu'à Vérone. Après, toutes les demi-heures, nous

---

[1] Il s'agit de Don Bozio, décédé en 1995.

envoyions nos anges au Père Bozio car, d'après nos calculs, nous ne pouvions pas arriver à Vérone pendant le créneau horaire où il était encore disponible, au moins au téléphone. Les anges devaient accomplir deux tâches :

1° Les portes : veiller à ce que les grosses portes du cloître et du couvent soient ouvertes et que quelqu'un réponde chez le père.

2° Le père : qu'il soit prévenu de notre visite.

A notre arrivée, la première porte était grande ouverte et la deuxième aussi ! Nous commençons à monter les marches qui mènent à son palier et alors que nous levons les yeux, qui voyons-nous ? le Père Bozio en personne ! Il se tenait debout sur la dernière marche et nous regardait grimper ! Dans l'échange de nos sourires, il nous dit en guise d'accueil :

- Ah, vous deux qui m'avez envoyé vos anges gardiens ! Entrez ! Je veux vous donner une bénédiction !

Cette histoire, ajoute M. en riant, n'est qu'un exemple parmi beaucoup d'autres !

Que la Vierge se déplace avec des anges n'est pas un fait nouveau dans l'histoire des apparitions. Mais aujourd'hui, à Medjugorje, nous bénéficions d'une grâce unique : ceux qui la voient chaque jour, ceux qui voient les anges autour d'elle, sont à notre portée ! Vicka et Marija décrivent les anges de la même manière (je n'ai jamais parlé de cela avec les autres voyants). D'après elles, les anges ont une apparence humaine, de beaux visages, les cheveux frisés, ils sont vêtus de longues tuniques qui cachent leurs pieds. La plupart du temps, la Gospa vient avec des anges qui ressemblent à des enfants de un à deux ans, mais ils peuvent être plus grands. Ils sont tournés vers leur Reine, qu'ils dévorent du regard avec un amour et un émerveillement non dissimulés. Le plus frappant chez eux, c'est qu'ils imitent tout ce qu'elle fait. Si elle se penche en avant, ils se penchent aussi. Si elle ouvre les mains, ils ouvrent les leurs. Si elle parle avec tristesse, ils deviennent tout tristes. Si elle sourit, ils sourient...

Marija nous dit que le moindre geste de la Gospa est pure expression de la volonté de Dieu, la moindre de ses paroles, la plus petite intonation de sa voix, tout cela dévoile à la perfection le vouloir de Dieu. Or, le rôle des anges gardiens est précisément de nous aider à réaliser pleinement le dessein particulier de Dieu sur chacun de nous. Ils sont postés par Dieu à nos côtés pour nous incliner à la volonté de Dieu. Lorsqu'ils accompagnent la Vierge, on voit leur joie augmenter à chaque instant car tout en elle réalise le plan de Dieu. Si la Gospa reste longtemps, les anges ne se tiennent plus de joie, ils n'arrivent plus à la contenir, alors ils se mettent à battre des ailes avec grand fracas, de plus en plus fort.

- Pour nous, les voyants, dit Marija, observer les anges est une vraie école. J'apprends d'eux comment imiter la Sainte Vierge et comment vivre selon son modèle. Comment l'accueillir comme Reine.

A Medjugorje, il arrive que la Gospa apparaisse sur la montagne entourée de milliers d'anges. Je crois que les voyants ne savent pas de quels anges (ou archanges ?) il s'agit. J'ai entendu souvent Ivan dire : « Ce soir, la Gospa est venue joyeuse et heureuse, avec cinq anges » ou « avec trois anges ». Cela arrive surtout lors des grandes fêtes, mais aussi d'autres jours.

Maintenant, si vous souhaitez vivre une relation privilégiée avec l'ange que Dieu a placé spécialement à vos côtés[1], il n'est pas trop tard ! Pourquoi ne pas lui écrire une lettre, et la déposer aux pieds de Marie pour sa visitation de 18h40 ?

---

[1] Au vingtième siècle, parmi ceux qui ont vécu une grande intimité avec leur ange gardien, notons le Pape Jean XXIII, Sœur Faustine, le Padre Pio... (voir l'ouvrage de Giovanni Siena : « L'heure des anges », qui relate les plus beaux témoignages du Padre Pio).
Le Père Werenfried von Straaten, fondateur de l'Aide à l'Église en Détresse, a aussi de merveilleux témoignages émanant des prisons communistes où des chrétiens de l'Ouest envoyaient leurs anges gardiens...

Message du 25 novembre 1992

« *Chers enfants, aujourd'hui comme jamais, je vous invite à prier. Que votre vie devienne toute entière prière. Sans amour, on ne peut prier. C'est pourquoi, je vous invite à aimer avant tout le Dieu Créateur de vos vies et alors vous reconnaîtrez Dieu et vous l'aimerez en tous, comme lui-même vous aime. Chers enfants, c'est une grâce que je sois avec vous, c'est pourquoi acceptez et vivez mes messages pour votre bien.*

Je vous aime et c'est pour cela que je suis avec vous, afin de vous enseigner et de vous conduire dans une vie nouvelle de conversion et de renoncement. Seulement ainsi vous découvriez Dieu et tout ce qui est maintenant loin de vous. C'est pourquoi, petits enfants, priez ! Merci d'avoir répondu à mon appel. »

LA GIFLE

Pour ces familles croates qui m'entourent, la naissance d'un enfant est une joie très grande. L'enfant est désiré, accueilli, choyé, porté dans les bras, il est la cause d'un vrai bonheur pour tous et un don de Dieu. La Gospa ne pouvait mieux conquérir le cœur des voyants de Medjugorje qu'en leur montrant l'Enfant-Jésus dans ses bras.

A Medjugorje, l'avortement n'existait pas. Au même titre que la drogue, le suicide ou le divorce, l'avortement appartenait à une autre planète. Les voyants étaient si innocents que la Vierge dut leur révéler elle-même certains aspects du mal à l'œuvre dans le monde aujourd'hui, afin qu'ils en prennent conscience et saisissent l'urgence criante de la prière. Par exemple, elle parla à Marija de la franc-maçonnerie, des consécrations à Satan, des projets secrets pour détruire le Saint-Père, etc... Elle montra en images à Jelena différentes scènes de l'action de Satan et des destructions qu'il opère aujourd'hui. Et les voyants tombaient des nues !

Le sort de Mirjana fut un peu différent. Jeunes mariés, ses parents durent quitter Medjugorje pour aller travailler à Sarajevo. Il fallait survivre dans des conditions plus que précaires. Ils avaient loué une petite chambre de deux mètres sur trois, et c'est là que Mirjana vit le jour. Mais le propriétaire menaça : « Si vous avez encore un enfant, vous serez chassés ! » Les parents devaient travailler tous les deux pour payer le loyer, et un jour ils purent prendre une chambre plus grande, huit ans plus tard. Alors, le petit frère naquit.

- Nous manquions de tout, me raconte Mirjana. Je restais seule dans la chambre durant la journée. Mes parents se sacrifiaient pour moi. Ils achetaient deux bananes, très chères, et me les donnaient. Pour que ce soit moi qui les mange, ils me disaient : « Nous n'aimons pas les bananes, quel fruit horrible ! » Ils me nourissaient comme ils pouvaient ! J'ai reçu beaucoup d'amour de leur part et je n'ai jamais ressenti le manque. Aujourd'hui, j'ai une immense reconnaissance envers mes parents. Je sais que je n'existerais pas si mes parents avaient eu peur. Il y avait la menace communiste, et aucune sécurité. Ils ont fait confiance à Dieu et, aujourd'hui, je les remercie de m'avoir eue. Et regarde comme la Sainte Vierge a conduit les choses après... personne ne pouvait le deviner ! Ce n'est pas nous qui décidons du bonheur de nos enfants !

Pour faire mes études, j'ai dû changer d'école, et cette nouvelle école fut une épreuve très dure pour moi car mes camarades ne connaissaient pas Dieu et vivaient dans de grands péchés. L'avortement et beaucoup d'autres choses se pratiquaient couramment, et cela me faisait énormément souffrir. Mes apparitions avaient déjà commencé, mais je n'avais pas le droit d'en dire un seul mot. J'étais surveillée, épiée et, au moindre faux pas, mes parents pouvaient perdre leur travail.

Un matin, une camarade de classe me dit : « Aujourd'hui, je vais me faire avorter et après je vais au concert. » Outrée de la voir mettre la mort d'un enfant sur le même plan qu'un concert, ma main est partie toute seule et je lui ai donné une gifle. Tu sais, à l'époque, j'étais comme ça ! Alors elle m'a rendu la gifle et nous nous sommes disputées si fort qu'on nous envoya dans le bureau du Directeur.

- Et quand la Sainte Vierge t'est apparue après, elle t'a fait des reproches ?

- Elle n'a pas fait allusion à la gifle, mais elle m'a dit que je ne pouvais changer ces personnes que par l'exemple et par la prière. J'ai compris que je ne devais ni les sermonner, ni me mettre en colère...

- Et plus tard, t'a-t-elle parlé de l'avortement, comme à Marija et à Vicka ?

- Oui, car souvent je lui parlais de ce que je voyais autour de moi et lui demandais son aide. Elle me dit de ne pas juger ces personnes mais de les aimer et de prier pour qu'elles se réconcilient avec Dieu. Elle me dit que le père et la mère de l'enfant avorté auraient beaucoup à souffrir. Elle a beaucoup pleuré[1]. Elle dit qu'avorter est un très grand péché, car c'est tuer. Dieu pardonne tous les péchés, mais pour celui-là en particulier, il demande que le père et la mère fassent tous les deux une grande pénitence.

- Et qu'est-ce qu'elle a dit des enfants avortés ?

- Elle a dit : « Ils sont avec moi. »

A Medjugorje, beaucoup de pèlerins (pères ou mères d'enfants avortés) ont pu commencer un très beau chemin de conversion et de guérison intérieure en se réconciliant avec le petit être qu'ils avaient un jour rejeté. Au lieu d'évacuer son souvenir, ils se mettent à le considérer enfin comme une personne humaine, vivante au ciel, douée d'un cœur et d'une âme, et ils décident de se réconcilier avec lui. Ils lui demandent pardon du fond du cœur et développent un lien de plus en plus fort avec lui, comme avec un membre de la famille. Ils lui donnent un prénom, le prient et prient pour lui. Cette réconciliation et cet accueil dans le giron familial sont source de grandes grâces pour les parents, et même pour les autres enfants. Les célibataires concernés par cette situation vivent un élargissement du cœur analogue. Même si les mères gardent une certaine souffrance, elles sont en paix, elles ne sont plus tourmentées ou torturées par la perte de leur enfant : elles l'ont déposé dans le sein de Marie.

---

[1] Parfois Jésus demande pour l'avortement des souffrances de réparation à certaines âmes qui se sont offertes à sa miséricorde. Sœur Faustine raconte : « *16 septembre 1937. A huit heures, je ressentis de si violentes douleurs que je dus m'aliter immédiatement. Je me suis tordue de douleurs trois heures durant, c'est à dire jusqu'à onze heures du soir. Aucun médicament ne me fit d'effet. Ce que je prenais, je le rejetais. Par moment ces douleurs m'enlevaient la conscience. Jésus me fit savoir que je venais de cette façon de prendre part à son agonie au Jardin des Oliviers, et que Lui-même permit ces souffrances comme réparation envers Dieu pour les avortements. Voici trois fois déjà que je passe par ces souffrances. J'ai dit au médecin que je n'avais jamais eu de ma vie de telles souffrances. Il déclara qu'il ne savait de quoi il s'agissait.*
Maintenant je comprends ce que sont ces souffrances, car le Seigneur me l'a révélé... Pourtant, lorsque je pense que je devrai peut-être un jour souffrir à nouveau de cette façon, un frisson de terreur me saisit. Mais j'ignore si je vais souffrir encore de cette façon. Je laisse cela à Dieu. Ce qu'il Lui plaît de m'envoyer, je le recevrai avec soumission et amour. Que je puisse seulement par ces souffrances sauver ne serait-ce qu'un de ces enfants de l'assassinat. » Sœur Faustine, Petit Journal, IV. 31
Traduction française : Oeuvre de l'Apostolat Catholique des Pères Pallotins (Paris), tél : 01 40 62 69 00 et fax : 01 40 62 69 01 - Prix : 125 FF.

Message du 25 décembre 1992

« Chers enfants, aujourd'hui, je désire vous mettre tous sous mon manteau et vous protéger de toutes les attaques sataniques. Aujourd'hui, c'est le jour de la Paix, mais dans le monde entier il y a un grand manque de paix. C'est pourquoi je vous appelle tous à construire avec moi, à travers la prière, un nouveau monde de paix ; cela, je ne peux le faire sans vous et c'est pourquoi je vous appelle tous avec mon amour maternel et Dieu fera le reste.

Alors ouvrez-vous au plan de Dieu et à ses desseins afin de pouvoir collaborer avec lui à la paix et au bien. N'oubliez pas que votre vie ne vous appartient pas mais que c'est un don, à travers lequel vous devez donner la joie aux autres et les guider vers la vie éternelle. Chers enfants, que la tendresse de mon Petit Jésus vous accompagne toujours. Merci d'avoir répondu à mon appel. »

PLUS VOUS AUREZ D'ENFANTS...

Huit heures. Comme chaque matin ces temps-ci, Mirjana sort de sa petite maison pour parler à un groupe de pèlerins. Elle s'est levée à cinq heures afin de dire son rosaire avant que la maisonnée ne s'éveille, et elle aborde sa journée de mère de famille avec cette grande paix que donne le cœur à cœur avec Marie. Chaque pèlerin la scrute attentivement, car, pour la plupart d'entre eux, voir un voyant c'est voir un saint, ou du moins un exceptionnel reflet de Dieu.

Mirjana leur fait part des principaux messages et du rôle qu'elle a reçu de la Gospa pour les incroyants. Son discours s'avère simple, sobre et très succinct. Comme le décalogue de Moïse descendant de l'Horeb où il avait conversé avec Dieu, le message transmis par les voyants tient, lui aussi, en dix lignes. Mais quelles lignes ! De quoi révolutionner le monde ! Alors Mirjana s'arrête, avec le calme profond de quelqu'un qui a tout dit.

Dans la foule, un homme élève la voix :

- Mirjana, que dirais-tu à une jeune femme mariée refusant d'avoir des enfants ?

- Mais, avoir des enfants c'est la plus belle chose au monde ! réplique aussitôt Mirjana, ce qui déclenche une vague d'applaudissements.

L'homme est content, il avait raison, il en a la preuve, il transmettra à la jeune dame. Mais il en veut encore...

- Si cette jeune femme dit qu'elle a peur parce que l'avenir est sombre, et qu'il est dangereux de plonger des enfants dans un tel monde ?

- Mais, elle n'a pas à avoir peur ! Qu'elle confie ses enfants à Dieu et à Marie. La Gospa dit que ce n'est pas nous qui décidons du bonheur de nos enfants. « Ceux qui prennent Dieu comme père et moi comme mère, nous dit-elle, n'ont pas à avoir peur. »

- Pourtant, beaucoup de parents aujourd'hui ont peur d'avoir des enfants...

- La Gospa dit : « N'ayez pas peur d'avoir des enfants. Vous devriez plutôt avoir peur de ne pas en avoir ! Plus vous aurez d'enfants, mieux ce sera ! »

Les pèlerins commencent à murmurer entre eux. Ils ne s'attendaient pas à des paroles si fortes de la part de la Sainte Vierge. C'est l'inverse du discours ambiant de notre société !

- Mais, Mirjana, il y a les secrets... Nous savons que certains annoncent des choses dures...

- N'ayez pas peur des secrets ! Confiez vos enfants à la Gospa et vous n'avez rien à craindre des secrets. Pourquoi croyez-vous que j'ai déjà deux enfants et que j'en espère beaucoup d'autres ?

L'argument jaillit comme un éclair dans la nuit, il est incontournable, il parle plus fort que tous les volumes sur la fin des temps qui pullulent en cette fin de millénaire.

Tandis que le groupe s'éloigne sur le petit chemin qui comporte autant de nids de poule que de cailloux, je demande à Mirjana quelques précisions sur cette question des enfants.

- Tu comprends, pour nos pays occidentaux, ce que tu viens de dire est une bombe ! Ça met par terre toutes les théories que des instances très puissantes nous imposent depuis longtemps et que les médias répercutent chaque jour dans les consciences. La famille éclate, l'enfant est en trop... Il faut que la voix de Marie domine sur celle des fossoyeurs de l'humanité...

- Viens demain !

Nous nous retrouvons le lendemain dans son salon et, crayon en main, je note les quelques paroles que nous échangeons. Mirjana délimite très clairement ce que lui a confié la Gospa et ce qui vient d'elle-même. Elle me répète les paroles d'hier, mot pour mot, puis nous continuons :

- Mirjana, est-ce que c'est la Gospa qui t'a dit de te marier ?

- Non, elle m'a laissée libre. Mais elle m'a appris à écouter la voix de Dieu, la volonté de Dieu dans mon cœur. Elle dit toujours : *« Priez, et vous saurez dans votre cœur quoi faire »*. Or, dans mon cœur je n'ai jamais reçu l'inspiration de me faire religieuse. Je connaissais Marko depuis toujours, nous étions à l'école ensemble. La Gospa ne m'a jamais montré, en ce qui me concerne, une autre voie que le mariage.

- Comme cinq voyants sur six sont mariés, crois-tu que la Vierge veuille promouvoir davantage la famille en notre temps ? Doit-on voir cela comme un signe ?

- Non, pas du tout ! La Gospa dit que les deux vocations sont nécessaires dans l'Eglise et que les familles ne peuvent pas vivre sans les prêtres et les religieux, de même que les prêtres et les religieux ne peuvent pas vivre sans les familles. Les voyants ne sont pas des modèles à imiter !

- Hier, tu as transmis des affirmations très fortes de la Sainte Vierge. Par exemple *« N'ayez pas peur d'avoir des enfants, vous devriez plutôt avoir peur de ne pas en avoir. »*

- Oui, elle a dit ça, et elle sait pourquoi elle dit ça. Et moi aussi, je le sais... mais je ne peux pas t'en dire plus...

- Ah... tu le sais...!

Mirjana acquiesce en souriant et ajoute avec l'assurance d'une profession de foi :

- Lorsque les secrets seront révélés, on comprendra pourquoi il était important d'avoir beaucoup d'enfants. Tous, nous attendons le triomphe du Cœur Immaculé de Marie !

Mon cœur bondit de joie car, sans même en avoir conscience, Mirjana confirme la mystérieuse parenté entre Fatima et Medjugorje. Je la regarde et j'acquiers la conviction que ce triomphe, Mirjana le verra de ses yeux, de son vivant. Peut-être sait-elle aussi comment il arrivera... ?

- Si je comprends bien, il y a quelque chose de très beau qui se prépare pour tous ces petits enfants que la Gospa nous demande d'avoir[1] ? demandai-je.

- Pas toi, j'espère ! Elle dit cela pour les gens mariés !

---

[1] Écouter la cassette sur ce thème : *« Famille, ne te laisse pas détruire ! »* (Sœur Emmanuel) Maria Multimédia.

C'était sa manière délicate et humoristique de me faire comprendre que la conversation s'achevait là, qu'elle ne dirait rien de plus. Je la laissai alors préparer le repas de ses enfants, jusqu'à une prochaine rencontre.

FLASH-BACK SUR 1992

18 mars : Apparition annuelle à Mirjana :
« Chers enfants, maintenant plus que jamais j'ai besoin de vos prières. Je vous supplie de prendre le rosaire dans vos mains, maintenant plus que jamais. Saisissez-le fortement et priez de tout votre cœur, en ces temps difficiles. Merci d'avoir répondu à mon appel. »

6 avril : Les Serbes attaquent la Bosnie-Herzégovine. Premiers bombardements, premiers tués à Siroki-Brieg, à trente kilomètres de Medjugorje. Premier fax de guerre de Sœur Emmanuel.

8 avril : Première messe dans la cave du presbytère, l'église restera fermée jusqu'au 21 juin.

7 mai : Début de l'exode des femmes et des enfants. Seuls demeurent à Medjugorje les soldats et les vieillards. Tous les étrangers sont priés de partir. Toutefois, les quatres membres de la Communauté des Béatitudes restent pour aider. Un mouvement de solidarité s'amorce : des Français et des Italiens remplacent leurs cars de pèlerins par des camions de vivres.

8 mai : Deux « Mig » tentent de bombarder Medjugorje, mais un phénomène surnaturel les en empêche. L'un d'eux est abattu, son pilote témoignera.

10 mai : Deux bombes manquent leur but près de la pompe à essence de Medjugorje, au carrefour de Tromedja.

17 juin : Rencontre du Père Jozo avec Jean-Paul II. « Je suis avec vous. Protégez Medjugorje », lui dit le Saint-Père.

24 juin : Première Marche pour la paix de Humac à Medjugorje (12 kms), sur une initiative allemande. Monseigneur Franic célèbre la messe du soir.

25 juin : Apparition annuelle à Ivanka :
« Je vous demande de vaincre Satan. Les armes pour le vaincre sont le jeûne et la prière. Priez pour la paix, car Satan veut détruire le peu de paix que vous avez. »

5 août : Antenne-2 diffuse l'interview de l'un des parents d'un évadé du camp de Doboj, avec Sœur Emmanuel. Début de la révélation des camps de concentrations serbes en Bosnie.

14 septembre : Monseigneur Radko Peric remplace Monseigneur Zanic comme évêque de Mostar, mais à Neum, car l'évêché de Mostar est détruit.

4 novembre : Les Casques Bleus s'installent à Medjugorje (Miletina).

28 novembre : La voyante Vicka est à Lourdes.

ANNÉE
1993

Message du 25 janvier 1993

« *Chers enfants, aujourd'hui je vous invite à accepter et à vivre avec sérieux mes messages. Ces jours sont des jours pendant lesquels vous devez vous décider pour Dieu, pour la paix et pour le bien. Que toute haine et toute jalousie disparaissent de votre vie et de vos pensées, et que seul y habite l'amour envers Dieu et envers le prochain. Ainsi, ainsi, vous serez capables de discerner les signes de ce temps. Je suis avec vous et je vous guide vers un temps nouveau, temps que Dieu vous donne comme une grâce pour le connaître encore davantage. Merci d'avoir répondu à mon appel.* »

MARIE-LOU CHEZ LE PÈRE JOZO

Les âmes spécialement choisies par Dieu sont souvent ciblées par Satan, toujours avide de troubler les consciences. Faire croire à l'âme que la miséricorde ne vaut plus pour elle, représente une victoire savoureuse pour le démon. Jésus l'a souvent exprimé à Sœur Faustine : le manque de confiance des âmes consacrées en sa Miséricorde est ce qui blesse le plus son cœur ; bien plus que leurs péchés eux-mêmes[1] !

Or, Marie-Lou tomba à pieds joints dans ce piège sordide.

« J'avais douze ans lorsque j'entendis pour la première fois la voix de Jésus dans mon cœur, raconte-t-elle. Le jour de ma communion solennelle, il me dit clairement : « *Dans la vie, tu dois t'oublier toi-même pour pouvoir rendre les autres heureux.* » Déjà, enfant, Jésus représentait pour moi le grand ami, je partageais avec lui toutes mes pensées, mes désirs, mes chagrins. Je vivais vraiment pour lui ; je voulus donc suivre ce conseil avec application et tout marcha très bien. Les gens m'aimaient et me louaient volontiers.

De longues années passèrent ainsi, lorsque soudain, sans crier gare, mon sort changea et tout commença à aller de travers. Je ne pouvais que

---

[1] « *Je veux que les pécheurs m'approchent sans crainte d'aucune sorte... Mon cœur souffre, car même les âmes consacrées ignorent ma miséricorde et me traitent avec méfiance. Oh, combien elles me blessent...* » (Petit Journal, 1932).

blâmer Jésus et lui dis avec colère : « Par amour pour toi, j'ai fait tout comme tu me l'avais demandé. Mais voilà que tout se retourne contre moi. Si c'est ta manière d'aimer, eh bien en ce qui me concerne, je ne veux plus rien avoir à faire avec toi ! »

Par dépit, j'arrêtai alors de prier et d'aller à la messe. Je me jetai corps et âme dans les choses du monde, fumant, buvant, fréquentant les bars et me livrant à des péchés de toutes sortes. Dire que cela me rendait heureuse serait faux, mais je faisais durer la situation.

Des années plus tard, alors que je traversais une rue, quelle ne fut pas ma surprise de voir Jésus qui se tenait là, près de moi ! Montrait-il de la colère ? Non, au contraire ! Il me regardait avec un amour infini, si bien que je fondis en larmes et lui demandai pardon. *« Tu m'as abandonné,* me dit-il, *mais moi je ne t'ai pas abandonnée. Je resterai près de toi jusqu'à ce que tu tournes à nouveau ton regard vers moi. »* Comme Pierre chez Caïphe, je sanglotai sur mon péché. Alors, tout mon lien d'amour avec Jésus fut restauré, mais de manière plus humble. Je ne pouvais compter que sur lui seul, car moi..., j'avais manqué à tout.

Jésus me dit alors dans la prière : *« Donne-moi tous ces péchés dans la confession. »* Je ne compris pas pourquoi cela, puisque je savais qu'il m'avait déjà tout pardonné...

- C'est vrai, me dit-il, *mais le mal que tu as fait en tant que chrétienne et membre de l'Église, ce mal a nui aux autres. C'est pourquoi tu dois demander pardon à travers l'Église aussi.*

Plus tard, Jésus me montra le prêtre à qui je devais me confesser. Mais cela me contraria ; il avait une drôle d'allure, les cheveux longs... En plus, il s'endormit de fatigue au cours de la confession ! Lorsqu'il me donna finalement l'absolution, mon malaise était à son comble car je n'avais pas pu tout confesser puisqu'il dormait. Jésus m'avait-il réellement pardonné ? Le reste de mes péchés pesait encore sur mon cœur et je n'osais plus me confesser. Durant des années, je fus hantée par des doutes sur la miséricorde.

On m'offrit un jour d'aller à Medjugorje. Je dis alors à Marie :

- J'y vais puisque tu m'y invites. Mais je te préviens : je ne rentrerai pas en Hollande avant d'avoir pu faire la paix avec Jésus et reçu la certitude qu'il m'aime vraiment comme avant, qu'il m'a tout pardonné.

Je guettai la réponse de Marie...

Je me rendis chez Vicka et lui demandai de prier pour une enfant de cinq ans, très asthmatique. Vicka lui imposa les mains et pria, et la petite fut guérie. Mais Vicka n'avait pas le temps de prier sur moi. Puis, le groupe se rendit chez le Père Jozo. « C'est ma dernière chance ! », dis-je à la Vierge.

Le Père Jozo nous regroupa sur les bancs de gauche et, comme je devais enregistrer sa conférence, je me mis au premier rang, à l'extrême gauche. Je ne sais pourquoi, le Père Jozo ne se plaça pas à quelques mètres devant nous, mais il vint tout près de mon banc, si bien que le bas de sa robe touchait mes pieds. Je trouvais cela étrange, mais fus encore plus étonnée lorsqu'il me caressa la joue. Un peu troublée, je me demandais : « Est-ce qu'il est vraiment bien dans sa tête ? » C'est alors que, sans savoir pourquoi, je me suis mise à pleurer toutes les larmes de mon corps. Ça coulait, ça coulait... Il continua à parler du dernier message et, voyant que ma cassette s'était arrêtée, il m'aida à la retourner. Mes larmes s'intensifiaient, je ne pouvais plus écouter les paroles du Père Jozo. Je voyais sa main égrainer le rosaire qu'il portait à la ceinture. Alors, un à un, comme au rythme des grains du rosaire, mes péchés se mirent à défiler devant moi, inexorablement. Des péchés que je n'avais même jamais remarqués, et bien sûr jamais confessés ! C'était terrible. Je dis à Jésus :

- Continue ; que tout y passe, tout ! Montre-moi tout !

Le défilé des horreurs se poursuivait lorsque soudain, le Père Jozo allongea la main pour tracer sur mon front une petite croix de bénédiction. Il me semblait qu'il voyait l'invisible en moi. Après cette bénédiction-surprise, une véritable douche de grâce tomba sur moi, me lavant de la tête aux pieds, c'était comme si toute cette crasse accumulée depuis trop longtemps cédait sous la coulée d'une eau pure. Dans ce sentiment de rédemption, je perçus la voix de Jésus dans mon cœur :

- *Lorsque tu iras te confesser, commence à partir des péchés commis après ta dernière confession. Tout ce que tu as pu faire avant cette confession ne doit plus jamais être mentionné.*

Cet épisode de Tihaljina me rendit la paix du cœur, perdue depuis si longtemps, et tourna une page définitive dans ma relation avec Jésus : malgré tant de grâces reçues dès mon enfance, il m'avait fallu tant d'années pour comprendre la miséricorde de Jésus et le cadeau qu'il nous offre à travers ses prêtres dans la confession ! Depuis lors, rien ni personne n'a pu m'enlever cette paix, cette confiance d'enfant.

Message du 25 février 1993

« Chers enfants, aujourd'hui je vous bénis de ma bénédiction maternelle et je vous invite tous à la conversion. Je désire que chacun de vous se décide à changer sa vie et que chacun de vous travaille davantage dans l'Église, non par des paroles ni par des pensées, mais par l'exemple, afin que votre vie soit un joyeux témoignage de Jésus. Vous ne pouvez pas dire que vous êtes convertis, car votre vie doit devenir une conversion de chaque jour.

Pour comprendre ce que vous devez faire, petits enfants, priez, et Dieu vous donnera ce que vous avez à faire concrètement et en quoi vous devez changer. Je suis avec vous et je vous mets tous sous mon manteau. Merci d'avoir répondu à mon appel. »

LA CHÈVRE NE VOULAIT PAS SE CONFESSER

18 novembre 1995, Medjugorje sous une pluie battante... Veronika finit de dîner dans la maison des Cilic, où elle vient de débarquer. Son voyage l'a épuisée et Mary, une jeune femme américaine, fraîchement arrivée elle aussi, la rejoint pour le café. Une grande sympathie s'instaure entre elles et la conversation se prolonge tard dans la nuit.

- Ici, ce sont mes racines, explique Veronika. Je suis née en Yougo-slavie, il y a soixante-douze ans ! Avec mon mari, on a voulu fuir l'arrivée des nazis. J'étais alors enceinte de neuf mois. On a marché, marché, vers la frontière. Pour ne pas se faire repérer, on est passé par les bois. Mais, à quelques mètres de la frontière, les chiens des SS ont aboyé. J'étais assez loin derrière mon mari, je marchais péniblement. Les SS ont tué mon mari, je l'ai vu tomber. Puis, les chiens sont venus dans ma direction en aboyant, j'ai prié la Gospa de me protéger, ils se sont couchés près de moi sans bruit. J'ai passé une partie de la nuit ainsi, puis je me suis glissée au-delà de la frontière sans me faire remarquer. Les chiens ? Des agneaux ! Le lendemain, j'ai accouché de mon fils. Puis je me suis réfugiée en Australie.

C'est la première fois que je reviens en Yougoslavie... J'ai toujours aimé la Gospa, mais Dieu, je me suis brouillée avec lui, ma vie a été si dure ! Je n'ai plus qu'un quart de rein et je dois faire une dialyse tous les deux jours pour survivre. Quand j'ai appris que la Gospa apparaissait chez nous, j'ai décidé de venir, de revoir ma terre natale, et de me réconcilier avec Dieu. Depuis la mort de mon mari, je ne me suis plus jamais confessée. J'ai dit à la Gospa : « Je vais aller chez toi, à Medjugorje. Je ferai le chemin de croix sur Krizevac, pour obtenir la grâce d'une bonne confession. »

Mais je n'ai que quelques heures devant moi ! A cause des dialyses, je dois repartir demain pour Zagreb par le bus de 14 heures. Pour venir, quelle épopée ! J'ai mis vingt-deux jours depuis Melbourne ! Arrêt à Hong-Kong pour dialyse, puis Bombay, Tel-Aviv, etc. Je n'ai même pas vingt-quatre heures à passer à Medjugorje. Et cette pluie qui n'arrête pas ! Ce n'est pas ce soir que j'irai à Krizevac...

- Oh, mais demain il fera beau ! lance Mary. Venir de si loin, faire un tel voyage pour obtenir la grâce d'une bonne confession ; c'est sûr, la Gospa va arrêter la pluie pour que vous fassiez Krizevac !

- Vous croyez ?

- C'est certain ! D'ailleurs, je peux vous accompagner. Je pourrais vous réveiller à cinq heures, on partirait avant six heures, il fera beau, vous verrez !

La foi de Mary ne visait pas tant à déplacer les montagnes qu'à les assécher.

A cinq heures : pluie battante... Elle réveille Veronika qui ne veut rien entendre.

- Si à six heures la pluie a cessé je me lèverai, sinon non!

Toutes les demi-heures, Mary met le nez dehors... Il pleut de plus en plus fort. A huit heures, elle revient à la charge ·

- Cette fois-ci, on peut y aller. Après, ce serait trop tard pour votre bus. Il pleut encore mais, vous verrez, dès que nous serons dehors, il y aura du soleil.

Veronika se lève, dubitative. Elle prend son petit déjeuner dans le vacarme des gouttières qui crachent leur trop-plein sur la terrasse en ciment... Toute l'affaire est très mal partie.

- Faites un acte de foi, laissez votre parapluie ici, insiste doucement Mary, en ouvrant la porte.

C'est alors que Veronika n'en croit pas ses yeux : à peine a-t-elle mis le pied dehors que les nuages s'enfuient comme un seul homme et le soleil montre son nez...

Les deux femmes se dirigent vers la montagne, mais Veronika peine : soixante-douze ans, un quart de rein, vingt-deux jours de voyage derrière elle... C'est dur ! Mary lui ouvre le pas pour l'aider. Soudain, entre la première et la deuxième station du chemin de croix, Mary voit devant elle une croix toute resplendissante de lumière. Éblouie, elle tombe à genoux et se laisse envahir par la présence de Dieu, tel le prophète sur l'Horeb. Son cœur bat la chamade tant la joie la saisit. Tournant la tête, elle voit Veronika terrassée elle aussi, mais complètement à plat ventre sur le chemin et sanglotant tout son soûl. Dix minutes passent ainsi, dix minutes qui resteront pour ces deux cœurs le secret du Roi. Puis, la croix de lumière disparaît et les deux femmes reprennent leur ascension, mais - ô merveille ! - elles ne sentent plus ni la montée ni les cailloux ni la moindre fatigue. Les voilà transformées en petites chèvres, la vieille comme la jeune, et elles atteignent le sommet en un temps record. Au pied de la grande croix de ciment[1], elles offrent leurs prières les plus ardentes à Dieu et redescendent avec la même étonnante légèreté. Mary rompt le silence pour exprimer sa joie à Veronika :

- Cette fois-ci, ça y est, vous avez reçu la grâce d'une bonne confession ! Avant de prendre le bus, on va bien trouver un prêtre près de l'église.

- Non, je ne veux pas me confesser ! rétorque Véronika en sautant sur les rochers. Je repars tout de suite !

Mary n'y comprend plus rien. A plusieurs reprises, elle propose de trouver un prêtre, mais Veronika se ferme de plus en plus, c'est irrévocable, elle ne se confessera pas !

Le bus s'en va, emportant une Veronika presqu'en colère.

Mary se rend à l'église, la mort dans l'âme, suppliant le Seigneur de ne pas lâcher sa chère Veronika. Le Malin a dû y mettre du sien, se dit-elle, c'est incroyable de recevoir un tel signe, une telle grâce, et de repartir bloquée !

De longues semaines s'écoulent ainsi. Un soir, coup de téléphone, c'est Veronika qui appelle d'Australie.

- Mary ? Oh, laisse-moi te raconter ! Tu as tant prié pour moi... Je veux te donner une belle consolation ! Tu te souviens, en quittant Medjugorje, je ne voulais pas me confesser. Le voyage du retour m'a pris trois semaines et je gardais ce refus en moi. Quelque chose me bloquait de l'intérieur. Mais, arrivée à Melbourne, alors que je descendais

---

[1] Cette croix contient une relique de la vraie Croix. Elle fut érigée en 1933, pour le dix-neuvième centenaire de la Rédemption. La Gospa demande que l'on aille prier devant cette croix. Elle-même se tient là, présente, pour prier avec nous, et de grandes grâces sont accordées en ce lieu.

les marches de la passerelle de l'avion, tout à coup j'ai été saisie d'un repentir très profond. Tous les péchés de ma vie me sont apparus, un à un, avec une clarté incroyable, et c'était si fort que je ne pouvais plus tenir ! En quittant l'aéroport, j'ai couru vers l'église la plus proche pour y trouver un prêtre. Là, je me suis confessée... Une confession extraordinaire. Imagine, quarante ans de péchés, et des péchés terribles !

- Alors comme ça, le Krizevac a fait son effet à retardement !

- Ce n'est pas tout ! Après la confession, Jésus a parlé à mon cœur. Il m'a donné la grâce de dire le *Notre Père* avec le cœur et il m'a demandé de passer le reste de mes jours à prier constamment le *Notre Père*. J'ai reçu la grâce, et depuis trois semaines, cette prière habite mon cœur.

- Le *Notre Père* constamment ?

- Et ce n'est pas tout ! Tu te souviens, je t'avais dit combien j'avais dû lutter durement après la mort de mon mari. Je voulais m'en sortir par mes propres moyens. Ayant toujours peur de manquer, j'accumulais les moindres choses matérielles que je trouvais. J'étais d'une avarice maladive, je gardais tout pour moi. Même mon fils n'obtenait rien de moi. L'argent, l'argent, il me fallait thésauriser toujours plus d'argent et je n'avais aucune charité. Après ma confession, Jésus a changé tout cela : j'ai eu la grâce de renoncer à tous mes biens, j'ai tout liquidé[1]. Une partie est allée à mon fils et l'autre aux pauvres. J'ai vendu ma maison et j'ai pu obtenir une petite chambre dans un monastère pour y finir mes jours dans la prière. Après ce coup de fil, je n'aurai plus rien, mes poches seront vides, car les derniers dollars qui me restaient, j'ai voulu les utiliser pour t'appeler à Medjugorje, te dire ma joie et te remercier...

---

[1] Le saint Curé d'Ars disait : « *Lorsque l'on ouvre le porte-monnaie d'un riche, on sauve son âme !* »

Message du 25 mars 1993

« *Chers enfants, aujourd'hui comme jamais auparavant, je vous appelle à prier pour la paix ; la paix dans vos cœurs, dans vos familles et dans le monde entier. Satan veut la guerre. Il ne veut pas la paix. Priez, priez, priez. Merci d'avoir répondu à mon appel.* »

UNE FEMME, DEUX HOMMES ET PLEIN D'ÉPINES

Sara n'en pouvait plus lorsqu'en 1991, après seize ans de mariage, elle arriva à Medjugorje avec son mari. Il faut dire que Sara aimait deux hommes à la fois. Elle avait perdu le sommeil, et le déchirement de son cœur l'épuisait encore plus. La passion amoureuse qui avait resurgi en elle depuis deux ans pour un ami de jeunesse, ne lui laissait aucun répit. Pourtant elle aimait profondément son mari et ne comprenait pas comment elle pouvait aimer deux hommes en même temps, et de manière si différente.

Elle avait trouvé la foi à dix-huit ans et compris alors que Jésus serait tout pour elle, le sens de sa vie et la source de sa joie. Mais, à vingt-trois ans, un amour fou, passionnel, fait flamber son cœur pour un homme marié et père de famille. Elle craque et vit avec lui une relation très forte, jusqu'au jour où il ne s'intéresse plus à elle. Déchirure terrible ! Mais Sara s'en remet et épouse Bertrand, qui partage sa foi et voit la vie comme elle. Un réel amour les unit, d'un type différent et très profond.

Or, vingt ans plus tard, alors que « l'homme marié » n'avait gardé que de lointaines relations amicales avec Sara, voilà qu'une rencontre entre eux s'avère très bouleversante. Sara voit qu'il a changé et une passion incœrcible pour lui prend feu soudain en elle. Le volcan se réveille, plus violent que jamais ! Les tentations se bousculent en son esprit et en son corps, d'autant plus que cet homme l'invite à un week-end. « OK, ce sera un échange spirituel profond, je te respecterai », lui répond-il lorsqu'elle met les points sur les i avant d'accepter. Mais Sara n'est pas dupe. C'est vrai, elle souhaite que cet homme se rapproche de Dieu, mais elle ne peut nier qu'elle rêve aussi de se retrouver dans ses bras. L'attente du week-end provoque en elle une grande angoisse, et après avoir reporté le rendez-vous plusieurs fois, il est finalement annulé. « Le Seigneur m'a protégée », me dit-elle. Mais la passion continue de la hanter. Nuit et jour, elle « vit avec lui », repassant ses

Jakov à 9 ans.

© Photo Bruchet, 1982

Vicka ou le sourire de Medjugorje.

Ivan, Marija, Jakov, Vicka et Ivanka sur le lieu des apparitions. En bas, le Père Slavko.

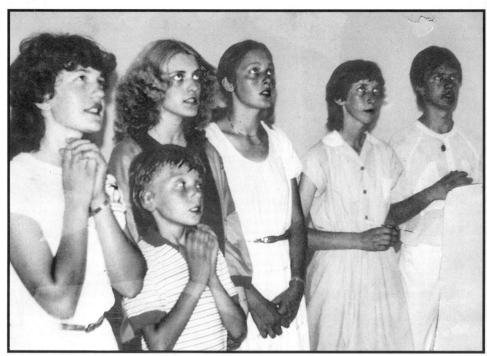

Une des rares photos des six voyants en extase. *"Je ne choisis pas forcément les meilleurs"* leur a dit Ma[...]

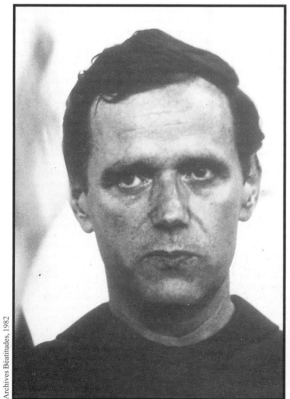

Le Père Jozo Zovko paie cher d'être le "curé des voyants":
dix-huit mois de prison chez les communistes.

Ivan :"Je suis plus à l'aise avec la Gosp[...]
qu'avec vous les pèlerins ..."

"Avant la Sainte Vierge", un habitat très pauvre

L'église devenue le confessionnal du monde.

Soldat croate sur le Pordbrdo. *"Seuls le jeûne et la prière peuvent arrêter les guerres..."*

Parmi les centaines d'églises détruites, celle des franciscains à Mostar.

Les foules de pèlerins n'ont pas chassé les moutons...

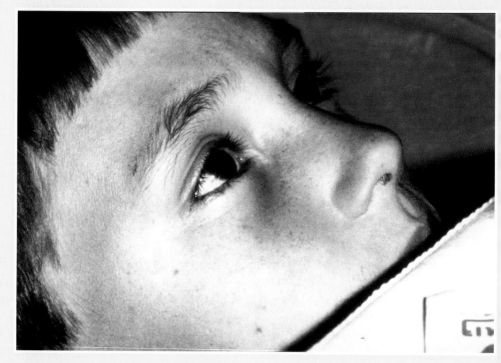

Jakov en extase en 1982. *"J'ai besoin de toi, tu es important pour moi "* lui dit Marie. Il a dix an...

Jean-Paul II reçoit les infirmes de guerre amenés par Vicka : "Courage, je suis avec vous !"

Jean-Paul II reçoit un groupe croate dont Mirjana (à gauche) et Mgr Franic (à droite). Mirjana aura vingt minutes d'entretien privé avec le Saint Père. "Si je n'étais pas le Pape, je serais déjà à Medjugorje" lui dit-il.

Un haut lieu d'apparitions, "la Croix bleue". Ici la statue de Marie. De nombreux miracles y sont accordés.

Mirjana reçoit son apparition annuelle (18 mars 1991). *"Assistez à la messe une fois par moi pour tous ceux qui ne connaissent pas l'amour de Dieu"* lui dit Marie.

Mirjana, Marko et Marija. *"Satan veut détruire vos familles"* lui a dit Marie. *"La meilleure arme contre lui est le rosaire en famille."*

Marija. Elle reçoit les messages mensuels pour le monde. La Gospa lui a dit : *"Je te donne mon amour pour que tu le donnes aux autres."*

Le Père Svetozar et Vicka à Montréal chez Georgette Faniel, une âme sœur de Medjugorje.

Jelena . A 12 ans elle a fondé un groupe de prière sur la demande de Marie. Sa beauté et son témoignage touchent beaucoup de jeunes.

L'infatigable Père Slavko Barbaric explique le dernier message.

Ivanka et ses deux aînés. La voyante la plus cachée des six. La Gospa lui a raconté l'avenir du monde.

La croix de Krizevac érigée en 1933 domine le village. Elle a tourné, dansé. Selon la promesse de Marie, de grandes grâces sont données à ceux qui prient là.

Malades et handicapés font la montée. Tous redescendent joyeux, certains guéris.

La paroisse prie le rosaire sur Podbrdo. Le Père Petar est celui qui révèlera les dix secrets de Mirjana.

Mère Teresa intensifie ses liens avec Medjugorje.

Denis Nolan, l'initiateur des W.E. Medjugorje aux USA en 1987. Il y en a aujourd'hui 200 par an.

François-Joseph Maillard. Ses interventions à la prière du soir ne manquent pas de piquant.

Francis avant sa mort. A Medjugorje, il a dit oui à la sainteté.

Christian et Colette Estadieu avec Vicka en 1988. Leur témoignage a sauvé du naufrage des centaines de familles.

Francis, l'*enfant chéri* de Marija, avant son accident.

Colette un mois avant sa mort en mars 1996. "La Gospa est toujours avec toi" lui a dit Vicka.

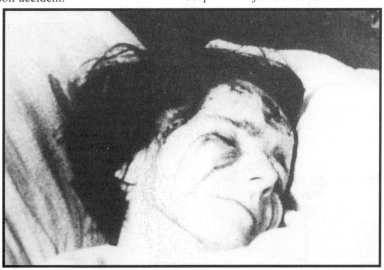

Marthe Robin, la mystique française, morte trois mois avant les apparitions. *"C'est la Sainte Vierge qui viendra sauver la France"* lui avait dit Jésus.

paroles, revoyant son regard, frémissant à sa voix... le Malin transformait cela presque en une obsession, ne lui laissant aucun répit. Il lui suggérait sans cesse que craquer avec cet homme n'était pas grave du tout mais bien normal : « Tu l'as déjà connu et aimé ; une fois de plus ou une fois de moins, quelle différence ? Tu as juré de ne pas trahir ton mariage, d'accord, mais avec cet ami très cher, c'est différent ! Tu lui parleras de Dieu ; et si vous avez une relation physique, les dégâts seront très limités, puisque ce ne sera pas nouveau... »

Même dans la prière, ces pensées la talonnent. Le trouble[1] est très grand car, au fond, Sara sait bien que ce week-end n'est pas voulu par Dieu. Elle n'est pas capable de voir cet homme sans commettre d'adultère, il faut regarder la réalité en face. Elle veut à tout prix le voir, le sauver, mais Dieu lui demande d'y renoncer, car il a un autre plan.

Avec son mari, comme par hasard, les choses grincent tout à coup. Quelques-uns de ses défauts l'agacent et un échec professionnel survient pour lui, obligeant Sara à reprendre du travail : le tableau est complet !

Mais Sara a dans sa vie quelque chose d'extraordinaire, quelque chose qui va la sauver, une chose qu'elle a commencée à l'âge de dix-huit ans et qu'elle résume humblement en trois mots : « J'ai toujours prié. »

- Au plus profond de l'épreuve, me dit-elle, j'ai crié vers Marie. Dans la nuit, alors que je doutais de pouvoir retrouver la paix, je continuais à prier. J'étais triste de cet espoir déçu et je n'imaginais pas que Marie pût panser mon cœur. Avant cette épreuve, j'avais déjà commencé à vivre les messages de Marie à Medjugorje et, depuis cinq ans, je priais le chapelet. Mon mari l'avait toujours fait, moi non, car je trouvais ça sans intérêt, une prière stupide. Mais, comme Marie parlait de la paix du cœur, de la paix dans les familles, je m'accrochais à cela ! Je ne savais plus du tout quel goût avait la paix de Dieu...

C'est dans ce profond désarroi qu'elle débarque à Medjugorje avec son mari :

- J'apportai tout ce vécu tumultueux à Marie, à Medjugorje. Au retour, je me demandais bien quelles grâces elle avait pu m'accorder, car le pèlerinage s'était déroulé sans fait marquant. Nous avions tout clôturé par notre consécration à Marie, lors d'une messe solennelle. Dans les semaines qui ont suivi, je me découvris complètement transformée. J'étais dans la paix ! Jamais, de toute mon existence, je

---

[1] Sur le trouble et le plan de Satan pour détruire les familles, écouter la cassette : « *Famille, ne te laisse pas détruire* » par Sœur Emmanuel - Maria Multimédia.

n'avais éprouvé une telle paix ! J'avais abandonné à Dieu, par Marie, ma passion, mes soucis à gérer au quotidien. Tous les reproches accumulés dans ma vie de couple avaient disparu. Depuis longtemps, je sentais dans mon amour pour mon mari comme une épine, quelque chose qui me faisait mal, impossible à accepter. Maintenant, j'accepte mon mari tel qu'il est et je l'aime ainsi. Une barrière infranchissable a disparu. Un état d'inquiétude permanent, comme en arrière-plan, a aussi disparu de ma vie. J'ai du bonheur en moi. Depuis Medjugorje, nous sommes très assidus à la prière du chapelet et les enfants y sont entraînés. C'est l'unité dans la famille et je discerne avec plus d'émerveillement l'harmonie existant entre nous. Dieu a bien fait les choses en nous conduisant l'un vers l'autre.

Mon lien passionnel avec l'autre homme ? Il s'est défait en moi comme de lui-même.

Je me sens bien et m'endors facilement, Marie m'a donné sa paix !

Message du 25 avril 1993

« Chers enfants, aujourd'hui je vous invite tous à éveiller vos cœurs à l'amour. Allez dans la nature et regardez comment la nature s'éveille, cela vous sera une aide pour ouvrir vos cœurs à l'amour de Dieu-Créateur. Je désire que vous réveilliez l'amour dans vos familles, de telle sorte que là où se trouvent le manque de paix et la haine, l'amour règne. Et quand il y a l'amour dans vos cœurs, alors il y a aussi la prière.

Et n'oubliez pas, chers enfants, que je suis avec vous et que je vous aide par ma prière, afin que Dieu vous donne la force d'aimer. Je vous bénis et je vous aime de mon amour maternel. Merci d'avoir répondu à mon appel. »

TU VAS RESSUSCITER LES MORTS !

Mon rôle n'est pas d'aller fouiller dans les poubelles de Medjugorje (omniprésentes et toujours pleines à craquer !) pour exposer ce qui est laid. Au contraire, tel le chercheur de perles, je souhaite révéler au grand jour des merveilles, afin qu'une belle action de grâce monte vers Dieu.

Cette sélection dans les reportages ne doit pas faire de nous des naïfs convaincus que tout est rose dans ce saint village ! Il y a du rose, certes, du rouge aussi, du bleu, mais il y a également du noir.

Le cousin de Vicka, Karlo, me disait l'autre jour :

- Lorsque, enfant, je marchais et longeais les maisons à la nuit tombée, j'entendais chaque famille réciter le rosaire. Je marchais au rythme des *Notre Père* et des *Ave* qui s'échappaient de chaque fenêtre. Aujourd'hui, si je longe les mêmes fenêtres, c'est le bruit des télévisions qui me parvient et cela m'attriste. Nous n'avons pas reconnu le temps où nous avons été visités, c'est grave.

Et le Père Jozo de constater lui aussi :

- Dans les familles, la télévision a remplacé la prière. Ce que l'Islam et le communisme n'ont pas réussi à faire durant des siècles contre la foi du peuple, l'argent l'a fait en dix ans...

Ces deux remarques parmi d'autres font écho au cri de la Gospa : n'abandonnez pas la prière ! Vous seriez perdus ! Sans prière, nous n'avons pas la vie, nous sommes des morts ambulants. Sans prière, nous nous condamnons à l'électrocardiogramme plat sur le plan de l'amour.

Au début des apparitions, la Gospa a livré aux voyants des lumières très intéressantes sur les réalités du ciel et du purgatoire.

Au ciel, les élus vivent entre eux des relations d'amour très personnalisées. Ils se connaissent dans la pleine lumière de Dieu, d'âme à âme et communiquent entre eux d'une manière inconnue ici-bas. Chaque élu sait qui a prié pour lui lorsqu'il vivait sur la terre ou souffrait au purgatoire, et le Seigneur permet entre cet élu et son « bienfaiteur » un lien tout à fait privilégié et éternel au sein du Corps mystique. Si je dis aujourd'hui ces seuls mots : « Père, bénis Jacques dans son épreuve », Jacques aura avec moi (et moi avec lui) une connivence d'amour dans le ciel pour toujours. Ces quatre mots, et la grâce que cette prière aura attirée sur lui, seront en son cœur une source intarissable d'émerveillement et de joie, car son degré de gloire aura été accru par cette grâce. Au ciel, nous connaîtrons exactement le plus petit sacrifice, la plus petite prière que les autres (les hommes mais aussi les anges) auront faits pour nous. Nous jouirons de toutes sortes de faveurs de la part de Dieu, et nous saurons qui nous les a obtenues, comment, quand, à quel prix[1]. Nous comprendrons alors la valeur inouïe, inestimable, de la moindre prière. Nous ouvrirons les yeux sur la splendeur de la Communion des saints.

L'âme qui ne prie pas ne peut se décider par elle-même à se convertir, à rompre avec tel péché, se dépasser dans la charité, se détacher de l'argent, pardonner à un ennemi, etc. Cette âme est comme inerte, elle fait partie de *ces enfants morts qui sont dans le sein de l'Église*, selon le mot de sainte Catherine de Sienne. En revanche, ce que cette âme ne peut produire comme mouvement vers le bien, ma prière peut le lui obtenir. Un jour, cette âme prendra une bonne décision et cela sauvera sa vie. Qui lui aura obtenu cette grâce ? Elle ne le saura qu'au ciel.

Ainsi, au sein même de la vision béatifique qui fera notre éternelle joie, le bonheur des élus sera tissé de ces liens d'amour et de reconnaissance des uns envers les autres. Merveille du Corps mystique !

Lorsque quelqu'un quitte le monde et se consacre à la prière, il choisit alors de se spécialiser dans un métier prodigieux : ressusciter les morts. Je me suis souvent demandée pourquoi personne n'appliquait ce commandement si clair de Jésus : « *Ressuscitez les morts !* » Où est-il, le Lazare contemporain qui clame : « *J'étais mort depuis quatre jours quand quelqu'un m'a dit : Lève-toi !* » Non, Jésus ne nous demande pas d'aller dans les cimetières et de crier : « Allez ! Réveillez-vous là-dedans ! Tout le monde debout ! » Il s'agit d'autre chose.

Marie à Medjugorje me donne la clé : chacune de mes prières va toucher un paralysé de l'âme pour le mettre debout. Et, lorsque j'arriverai au ciel, il bondira comme un cerf et nous nous étreindrons dans la joie qu'un homme qui était mort soit revenu à la vie. Je connaîtrai aussi que, si je n'ai pas sombré lorsque j'étais moi-même au fond du trou, c'est parce quelqu'un d'autre a prié pour moi.

En préférant la télévision à la prière[2], nous cessons d'entendre le cri des morts. Qui se portera à leur secours ?

C'est Satan qui veut faire de nous des prostrés de l'écran, des mangeurs de vide, des maniaques du zapping.

---

[1] Le plus souvent (mais pas systématiquement) les âmes qui sont au purgatoire savent qui, sur terre, est en train de prier pour elles. Si l'on prie pour une âme qui est déjà au ciel, Dieu en fait profiter une autre âme, qui nous en sera éternellement reconnaissante. Que de surprises nous attendent... !

[2] J'ai interrogé les voyants : la Gospa ne demande pas que nous jetions notre téléviseur. Mais elle demande souvent de l'éteindre, surtout durant les neuvaines qui précèdent les grandes fêtes. Là encore, elle nous laisse libres, afin que nous décidions toute chose par amour et non par contrainte.

A Medjugorje, l'église s'est en partie vidée de ses villageois lorsque la télévision a diffusé *Santa Barbara*[1] à l'heure de la messe. *Santa Barbara* ? Pas si sainte que ça !

Il existe sûrement au ciel une sainte Barbara. Mais, celle-là, je la soupçonne de nous souffler : «*Ne te trompe pas de métier, ne te trompe pas de bonheur : appuie sur « off », débranche et va ressusciter les morts !* »

Message du 25 mai 1993

« *Chers enfants, aujourd'hui je vous appelle à vous ouvrir à Dieu par la prière, afin que le Saint-Esprit commence à faire des miracles en vous et à travers vous. Car, chers enfants, chacun de vous est important dans mon plan de salut. Je vous invite à être porteurs du bien et de la paix. Dieu peut vous donner la paix seulement si vous vous convertissez et si vous priez.*

C'est pourquoi, mes chers petits enfants, priez, priez, priez, et faites ce que le Saint-Esprit vous inspirera. Merci d'avoir répondu à mon appel. »

UNE CONQUÊTE NORVÉGIENNE

Denis Nolan raconte :

- Il faisait un froid épouvantable ce soir-là dans la ville universitaire de Notre-Dame (USA). Or, mon émission télévisée hebdomadaire sur Medjugorje avait été enregistrée un mois auparavant par une belle journée ensoleillée et j'avais alors invité les téléspectateurs à me rejoindre la semaine suivante au Centre *Fatima* pour prier le rosaire. Mais une réunion à l'intérieur du Centre s'avéra impossible ce soir-là. Il fallait prier dehors ! Je tremblais à l'idée d'éventuels cas de pneumonie dûs à une longue station à genoux dans la neige devant la statue de la Gospa. Mais rien n'arrête les enfants de Medjugorje et, blizzard ou non, le groupe de prière décida de se réunir quand même.

---

[1] Une de ces fadaises de séries américaines qui exaltent ce que le Seigneur vomit : la fascination de l'argent, l'orgueil de la richesse, l'impureté, la volonté de puissance...

Justement, une dame arrivait en taxi. Taraudé par le remords de n'avoir pas prévenu les gens du mauvais temps, je lui proposai de la ramener en ville après la réunion. Elle accepta de bon cœur.

Sur le chemin du retour, elle me raconta son histoire :

- Il y a six mois que mon mari, mes filles et moi-même sommes arrivés à Notre-Dame. Nous venons de Norvège. Mon époux fait des recherches à l'Université. En arrivant, j'ai été très choquée par les statues de la Vierge qui émaillent le campus. Je trouvais que c'était de l'idolâtrie, du sacrilège même ! Un mois après notre installation, le 6 octobre 1991, j'ai remarqué à la librairie du campus un livre dont la couverture représentait la Vierge de Medjugorje. Saisie d'une impulsion subite, je le pris et commençai à le lire. Je ne pouvais plus m'en détacher. Je l'achetai et le lus d'une traite, du premier mot au dernier, sans jamais m'interrompre.

J'ai lu toute la nuit et, le lendemain matin, je me dirigeai vers la basilique du Sacré-Cœur. Comme je montrai le bout de mon nez, j'entendis le prêtre parler du rosaire. J'eus soudain l'intime conviction que tout ce que je venais de lire sur Medjugorje était vrai ! Je me précipitai à la résidence des prêtres et frappai. Le supérieur m'ouvrit. J'essayai de lui expliquer tout ce dont mon cœur débordait, mais je crains fort que mon débit accéléré et ma véhémence n'aient littéralement terrorisé le saint homme. Lorsqu'enfin il comprit ce que je disais, il me posa LA question « Mais enfin, qu'est-ce que vous voulez ? Vous voulez devenir catholique ? » Mon « OUI ! » fut immédiat.

Gurti Blomberg entra dans l'Église catholique à Pâques, l'année suivante. Son zèle à servir la Gospa et à répandre les messages de Medjugorje est infatigable. Elle a écrit à la presse catholique norvégienne pour leur reprocher de ne pas avoir écrit une seule ligne sur Medjugorje. Elle leur a même envoyé son propre témoignage pour qu'ils le publient ! On l'a vue transporter un magnétoscope sur son vélo dans le seul but de partager en famille une vidéo sur Medjugorje !

Gurti est maintenant rentrée en Norvège et elle avoue clairement le but de sa vie : convertir son pays au catholicisme[1]. Elle chante dans la chorale de sa paroisse et, tous les vendredis, un petit groupe se réunit autour du curé pour dire le rosaire.

---

[1] La Norvège compte seulement 2% de catholiques.

Là où elle a été placée, Gurti témoigne des merveilles de la Gospa, ce qui n'est pas tous les jours facile, une grande partie de sa parenté étant anti-catholique. Mais les choses avancent bien, et sa confiance obtient du ciel miracle sur miracle.[1] »

---

[1] La Gospa a un faible pour les protestants...

* Un célèbre médecin anglican menait une vie de prière intense et vivait en grande intimité avec le Christ. Il vint à Medjugorje pour élucider ce phénomène des apparitions de Marie, étrange pour lui. Il voyait le culte de Marie comme un obstacle vers Jésus. Il arriva donc avec un certain malaise.
Je le rencontre le soir-même. Avec des larmes dans les yeux, il me raconte : « J'ai entendu la voix de Jésus alors que je m'approchais de l'église. Il me dit : « *J'ai moi-même demandé à ma Mère de venir ici. Elle y attire tous les peuples et elle me les amène. Toutes les générations la diront bienheureuse.* »
Le lendemain, il reçut la même parole. Depuis lors, Marie est devenu pour lui un tremplin vers Jésus !

* Une autre fois, j'amenai un pasteur protestant suisse à Vicka. Entendant dans sa bouche que Marie avait pleuré parce que nous (les catholiques) avions oublié la Bible, cela lui rendit la Vierge très sympathique. « Si c'est ça, me disait-il en riant, elle est des nôtres ! »

Message du 25 juin 1993
(12ème anniversaire des apparitions)

« Chers enfants, aujourd'hui encore je me réjouis de votre présence ici. Je vous bénis de ma bénédiction maternelle, et j'intercède pour chacun de vous auprès de Dieu. Je vous appelle à nouveau à vivre mes messages et à les mettre en pratique dans votre vie. Je suis avec vous, et je vous bénis tous de jour en jour.

Chers enfants, ces temps-ci sont particuliers, et c'est pourquoi je suis avec vous pour vous aimer et vous protéger ; pour protéger vos cœurs de Satan et vous rapprocher tous davantage du Cœur de mon Fils Jésus. Merci d'avoir répondu à mon appel. »

MES GENOUX SE BLOQUAIENT

Le Père Albert Shamon (New York) me ravit toujours par son humour espiègle, et quand il me cherche... il me trouve ! Toute l'Amérique connaît la qualité de sa théologie et son profond attachement à l'Église. Un jour, il voulut en avoir le cœur net au sujet de ces soi-disant apparitions à Medjugorje... et il opta pour la meilleure des solutions : venir voir.

Il raconte son premier jour :

- Pas trop rassuré, je décidai de me munir du Saint Sacrement, comme tout prêtre le fait lorsqu'il est appelé au chevet d'un malade. J'avais l'intuition que si ces apparitions étaient l'œuvre du démon, la présence de Notre-Seigneur y ferait un boucan du diable !

Lorsque j'arrivai, une foule importante était déjà massée devant la porte menant à la pièce des apparitions. Je craignais fort de ne pas pouvoir rentrer, mais le franciscain qui gardait la porte m'aperçut, me reconnut, écarta la foule et me dit d'entrer. J'attribuai cette faveur au Saint Sacrement que je portais.

La salle était pleine comme un œuf, je me retrouvais plaqué contre le mur, bien content d'être là malgré tout. Lorsque Marija et Jakov, escortés du Père Slavko, arrivèrent, ils se mirent à genoux dans l'embrasure de la porte pour prier le rosaire. Ils s'arrêtèrent au troisième mystère douloureux. Le père Slavko entreprit alors de leur dégager un peu d'espace dans la pièce et fit se déplacer tous les gens qui se trouvaient devant moi. A ma grande satisfaction, je me retrouvai donc juste à côté de Marija.

L'apparition commença et, sur un signal du Père Slavko, tout le monde se mit à genoux. Tout le monde sauf moi car, malgré mes efforts, mes genoux refusaient de plier, ils étaient comme bloqués. Confus, je me courbai en deux pour ne pas me faire trop remarquer.

Je concélébrai la messe ce soir-là et mes genoux fonctionnèrent tout à fait normalement.

Le lendemain soir, je décidai de tenter à nouveau ma chance[1] et me postai devant la porte. Le même franciscain me fit signe d'entrer et je remerciai Jésus, que je portais toujours, de cette insigne faveur. Mais au moment de l'apparition, impossible de me mettre à genoux ! Malgré tous mes efforts, rien à faire. Je dûs encore me plier en deux.

Toujours muni du Saint Sacrement, je fus autorisé une troisième fois à assister à l'apparition. Comme mes genoux étaient à nouveau bloqués, je demandai à la Sainte Vierge de me dire pourquoi. Et il m'a semblé qu'elle disait : *« Je ne veux pas que mon Fils s'agenouille devant moi. »*

Je suis parti de Medjugorje, convaincu de l'authenticité de ce qui s'y passe.

---

[1] Par souci d'équité, il est très rare d'être admis plus d'une fois à assister aux apparitions.

Message du 25 juillet 1993

« *Chers enfants, je vous remercie pour vos prières et pour l'amour que vous me montrez. Je vous invite à vous décider à prier à mes intentions. Chers enfants, offrez des neuvaines, vous sacrifiant là où vous vous sentez le plus liés. Je désire que votre vie soit liée à moi. Je suis votre Mère, et je désire, petits enfants, que Satan ne vous fourvoie pas, car il désire vous mener sur le mauvais chemin. Mais il ne le peut pas si vous ne le lui permettez pas.*

C'est pourquoi, petits enfants, renouvelez la prière dans vos cœurs, et alors vous comprendrez mon appel et mon vif désir de vous aider. Merci d'avoir répondu à mon appel. »

L'ENFANT QUI RESSEMBLAIT À JÉSUS

Francis naît en décembre 1980 à Glasgow (Grande-Bretagne), et très vite ses parents découvrent chez lui un caractère impulsif, turbulent et coléreux. A l'âge de cinq ans, alors qu'il s'ébat dehors, un camion le renverse et l'écrase. Francis est défiguré à vie et son corps gravement endommagé. Commence alors pour lui le terrible chemin de croix d'un petit garçon aveugle qui rêve de sauter et de courir après les oiseaux et surtout de revoir le visage de sa maman. En un an, il subit treize opérations. On lui enlève un rein car un cancer s'est déclaré. Sa marraine, Margaret, vient chaque jour le voir et lui parle de Jésus. Il apprend à prier et ses parents le surprennent parfois à parler à Jésus dans les termes bouleversants d'une intimité amoureuse. Mais la santé de Francis empire de jour en jour. Voilà que le cancer se généralise et la mort se profile à l'horizon, malgré les chimiothérapies répétées.

Ses parents l'amènent alors à Medjugorje. Francis a maintenant six ans (voir cahier photos). Chose curieuse, il ne se plaint jamais malgré ses souffrances. Margaret ne le quitte pas d'une semelle sauf pour le rosaire et la messe où elle le confie à Nora, l'amie de Marija. Le petit Francis pourra-t-il assister à une apparition ? Nous sommes en juillet 1987, la Gospa apparaît dans la minuscule chambre du presbytère, il lui faudra attendre son tour durant trois longues semaines.

Ces jours-là, Nora garde le petit sur ses genoux durant le rosaire, sous un arbre, car la chaleur est caniculaire. Comme Francis ne peut voir de ses yeux, il veut voir de ses mains. C'est ainsi qu'il *sent* l'expression des visages. Tandis que le rosaire en croate commence, Nora en traduit les mots à Francis, mais elle remarque vite que c'est lui, ce petit bout de chou de six ans, qui va lui apprendre à prier car il sait bien des choses sur Jésus...

- Mais, tu ne sais pas prier, lance-t-il soudain.
- OK ! Francis... Alors toi, tu vas m'apprendre à dire le rosaire !
- Tu veux savoir comment Jésus priait le rosaire ?
- Euh, oui... Jésus priait le rosaire ?

- Oui, bien sûr, l'Enfant-Jésus priait le rosaire ! (Comment peux-tu ignorer ça, à ton âge ? semblait-il dire.)

- Mais, comment pouvait-il dire le rosaire ? Ces mots sont ceux que l'ange dit à sa mère !

- Mais l'ange n'a fait que répéter ce qu'il entendait ! Au ciel, Dieu parle comme ça à Marie ! L'ange ne faisait que transmettre ce qu'il avait reçu de Dieu !

Nora se tait, pour laisser le petit prier à sa manière.

- *Je te salue Marie, pleine de grâce...* dit-il très lentement.

Et il s'arrête, tout rempli de joie. Alors, un cri d'émerveillement jaillit de sa bouche :

- Oh Maman ! Bien sûr que tu es pleine de grâce, tu es toute remplie de Moi !

Nora comprend, à cet éclatement de joie, que Jésus lui-même célèbre sa mère. Dieu lui-même dit « *Je te salue Marie, pleine de grâce* » ! Le Père parle à Marie ! Et l'Enfant-Jésus dit les paroles qu'il entend dire au Père...

Francis s'étonne de plus en plus de l'ignorance de Nora mais continue sa prière. Il murmure :

- *Le Seigneur est avec toi...* Oh Maman, penses-tu que Je pourrais jamais te laisser ?

Nora ne peut que se taire et retenir ses larmes.

Voilà les rosaires de Nora et de Francis, en ces jours où il attend son rendez-vous avec la Gospa. Puis la permission arrive, et sa mère se faufile avec lui dans la chambre des apparitions. Nora prie dehors, avec la certitude que Francis ressortira guéri. Sa foi est si grande ! En grande joie, elle ne peut que rendre grâce à l'avance, pour ce cadeau de la guérison.

Juste avant la messe, Francis sort du presbytère et sa mère le confie à Nora qui lui rend sa place favorite sur ses genoux. Mais elle remarque aussitôt que l'enfant se tord de douleur, plus qu'à l'accoutumée. Nora réalise qu'il n'est pas guéri. Elle se tait, muette de chagrin.

- Tu ne me demandes pas ce que la Vierge a fait quand elle est venue ?
- Euh... si ! Qu'est-ce qu'elle a fait ? Dis-moi !
- Et bien, elle est venue, et voilà j'étais guéri !

Les mains de Francis parcourent le visage de Nora et détectent sa déception.

- Mais tu ne penses qu'au corps ! dit-il sur un ton de reproche.
- Alors, dis-moi tout. Comment as-tu été guéri ?

Francis revit la scène de l'apparition, et tout joyeux explique à Nora :

- Tu sais, à peine la Sainte Vierge était arrivée que j'ai ouvert tout grand mon cœur. Et j'ai pardonné au chauffeur de camion.

Nora est interloquée. Francis ne parlait jamais de son accident, ni de ses opérations, ni de ses souffrances. Avait-il gardé ce secret en lui durant ces longs mois ? Le chauffeur de camion lui était-il resté en travers du cœur ?

Et avec un sourire de joie pure, angélique, il s'écrie :

- Et je suis libre ! Libre ! Alors, tu sais ce que j'ai dit à la Sainte Vierge pour la remercier ? Je lui ai dit : « Maman, j'accepte toute ma souffrance. Mais en échange, je te demande de rendre libres tous ceux qui viendront ici, comme moi je suis devenu libre. »

Francis savait qu'il mourrait du cancer. Nora garde le silence, et elle se dit : « Maintenant c'est sûr, il va mourir. »

Alors Francis s'approche de son oreille comme pour lui partager un merveilleux secret :

- Oui, c'est ça, je vais mourir !

Oh, la joie qui illumine son visage ! Francis n'a que six ans et tout son bonheur est d'avoir été guéri dans son cœur pour avoir la liberté d'aimer !

De ce jour-là, Francis a semé l'amour de Jésus partout où il est passé. Les témoignages pourraient remplir un livre, voici quatre scènes parmi d'autres.

Francis avait une nature difficile. Par moments, à l'occasion de contrariétés, il se mettait à trépigner, taper du pied, rouge de colère. Sa mère ne lui disait rien, ne voulant pas ajouter à ses fardeaux. Mais, à Medjugorje, elle reçut une leçon de la Gospa : elle n'aidait pas son petit

Francis en agissant ainsi. Elle devait quelque fois le gronder, doucement mais fermement, pour l'aider à se corriger.

Quelques jours après le séjour à Medjugorje, elle demande à Francis de ranger un jouet, puis passe dans une autre pièce. Mais cela rebute Francis. Soudain, elle l'entend taper du pied et se révolter. Se souvenant du mot de la Gospa, elle prend son courage à deux mains, s'approche de la chambre pour aller le gronder quand elle entend : « Passe derrière moi, Satan ! Tu sais que j'ai choisi d'être bon ! » Il se calme et, percevant sa mère dans l'embrasure de la porte, lui dit en souriant :

- Maman ? Tu m'as demandé quelque chose ? Je le fais tout de suite !

De ce jour, les colères disparurent complètement. A Medjugorje, sa mère le savait, Francis avait pris sa décision :

- Je choisis la sainteté.

La deuxième scène se situe à Fatima, quelques mois plus tard. Les parents espéraient toujours une guérison physique. Alors qu'ils faisaient avec Francis le chemin de croix, dans ce beau parc à l'extérieur du sanctuaire, Francis disparaît. Ses parents le cherchent partout et le retrouvent hors du chemin (n'oublions pas qu'il est aveugle !), là où l'ange de Fatima est représenté grandeur nature donnant l'Eucharistie aux trois petits voyants. Ces statues de pierre sont entourées d'une barrière de protection. Ils n'en croient pas leurs yeux : Francis est perché dans les bras de l'ange et tient avec lui une conversation animée ! Comment s'est-il retrouvé là-haut ? Impossible à expliquer.

- Francis ! Qu'est-ce que tu fais ?
- Je parle avec l'Ange de la Paix, maman...

Comment sait-il que c'est l'Ange de la Paix ? Ses parents l'aident à descendre.

- Francis, lui demande discrètement sa mère un peu plus tard, qu'est-ce que tu lui disais à l'Ange de la Paix ?

- Tu sais maman, entre Dieu et les âmes, il y a parfois des secrets !

La troisième scène se situe dans le grand hôpital des enfants malades à Glasgow, où des milliers d'enfants souffrent et meurent. Francis y est transporté car son cancer, à ce stade très avancé, l'exige. Mais, lorsque ses parents viennent le voir... pas de Francis ! Le petit aveugle squelettique et perclus de douleurs indescriptibles s'est envolé dans les autres chambres. Il a envoyé promener ses tuyaux, ses perfusions, tout ce qui le retenait prisonnier et le voilà qui passe de lit en lit, au chevet des autres petits malades. Que fait-il, que leur raconte-t-il ? Il suffit de s'approcher pour l'entendre : Francis leur parle de Jésus avec des mots que seul un petit martyr peut trouver ; il console les enfants et leur demande d'offrir toutes leurs souffrances à Jésus pour qu'il n'y ait plus de péchés dans le monde...

La quatrième scène arriva le 15 septembre 1988, chez Marija Pavlovic à Medjugorje. Le téléphone sonne et Nora décroche.

- Oh, Francis ! C'est toi !

- Oui Nora. Est-ce que Marija est là ? S'il te plaît, dis-lui que ce soir, quand la Gospa viendra, elle doit lui demander quelque chose pour moi. Je voudrais que Marie me fasse une promesse ; lorsque je serai au ciel, qu'elle me donne ce titre : « *l'ange gardien des enfants abandonnés.* »

Notre petit Francis repartait vers le Père dix-sept jours plus tard, le 2 octobre 1988, en la fête des Anges Gardiens...

Message du 25 août 1993

« Chers enfants, je désire que vous saisissiez que je suis votre Mère. Je désire vous aider et vous appeler à la prière, car seulement par la prière vous pouvez saisir, accepter mes messages et les mettre en pratique dans votre vie. Lisez les saintes Écritures, vivez-les et priez, afin de saisir les signes de ce temps. Celui-ci est un temps spécial. C'est pourquoi je suis avec vous, afin de vous rapprocher de mon Cœur et du Cœur de mon Fils Jésus.

Chers petits enfants, je désire que vous soyez des enfants de lumière et non pas de ténèbres. Pour cela, vivez ce que je vous dis. Merci d'avoir répondu à mon appel. »

L'ÉTRANGE MESSAGE ÉLECTRONIQUE

Paris, mai 1994. Mon amie Bernadette P. m'avait organisé une conférence à l'église Saint-Léon, dans le quartier où j'habitais avant.

Trois minutes avant de prendre la parole, l'épreuve habituelle m'attendait : je devais tout à la fois vérifier la bonne hauteur et l'intensité du micro, réadapter le pupitre, y coincer le livre des messages de façon à ce qu'il ne glisse pas, inviter les personnes tassées au fond de l'église à

s'avancer, rappeler au curé la bonne prononciation du mot
« Medjugorje » pour sa petite introduction, apprendre que la dame qui
devait s'occuper du bouquet de fleurs n'était toujours pas arrivée et
réconforter l'autre dame qui lui avait confié cette tâche, garder « la vue
basse » pour ne pas reconnaître dans l'assemblée tant d'amis chers et ne
pas bondir sur chacun pour les saluer, réajuster dans ma tête le coup
d'envoi des premiers mots et dans mon cœur l'onction de Marie sans
laquelle tout mot serait inutile... bref, c'est ce moment-là que François
choisit pour apparaître, me happer fortement par le bras et me lancer
d'une voix suppliante :

- Ma sœur, ma sœur ! Il faut que je vous parle tout de suite, c'est
incroyable ma sœur, je dois vous dire ce qui m'arrive, ma sœur, vous
n'allez pas me croire ! Il faut que je vous raconte...

Je ne l'avais jamais vu, je ne le connaissais pas, mais je ne pourrai
jamais plus l'oublier car son look dépassait en couleurs tout ce qu'un
théâtre aurait pu fabriquer. La misère du monde, physique et morale
était concentrée sur cet être sorti de je ne sais quel film dramatique. Une
angoisse indicible ravageait son regard.

- Excusez-moi, Monsieur, mais je dois commencer dans deux minutes!

- Ça ne peut pas attendre, ma sœur laissez-moi vous dire, je ne sais
même pas ce qui va se passer, ni pourquoi je suis ici ce soir...

- Si vous ne le savez pas maintenant vous le saurez très vite au cours
de la conférence !

- De quoi vous allez parler ?

- De Fatima et de Medjugorje.

- C'est quoi ?

- C'est justement ce que vous allez découvrir !

Il tremblait des pieds à la tête et empêchait toute autre personne de
m'approcher. Il avait sorti de sa poche un petit agenda électronique et
me le mettait devant les yeux pour que je lise ce qui était inscrit sur
l'écran.

- Que lisez-vous, ma sœur ?

Ses mains étaient aussi décharnées et livides que son visage.

- C'est promis, Monsieur, je lirai tout ça tranquillement après la
conférence ; venez me retrouver ici même. Mais, en attendant, asseyez-
vous par là et écoutez bien chaque parole de la conférence : il y aura des
messages pour vous !

Un bref instant, ses yeux s'illuminèrent et vite je m'éclipsai. Mon temps de parole était strictement limité à une heure. Redoutable enjeu que celui des âmes ! Je le savais : l'assemblée était truffée de gens qui ne mettaient jamais les pieds à l'église car j'avais donné cette consigne à mes amis : « Amenez des incroyants, c'est pour eux que je parlerai. » En bref, j'avais une toute petite heure pour leur faire découvrir et aimer le Bon Dieu... Bien pauvrement mais avec joie, je fis de mon mieux.

Évidemment, mon petit monsieur m'attendait à la sortie, brandissant plus que jamais son agenda électronique.

- Ma sœur, vous m'avez promis...

Après avoir brièvement échangé avec d'autres personnes, je m'asseois avec François derrière un pilier. Je l'avais gardé pour la fin, devinant que son histoire serait très, très particulière... Son angoisse avait visiblement diminué, mais son débit de parole montrait encore une grande agitation intérieure.

- J'ai bien tout écouté, ma sœur ! Jamais je n'aurais cru que tout ça pouvait exister... Toute votre histoire m'a beaucoup plu, et maintenant je comprends pourquoi « on » m'a fait venir ici... Je suis tout bouleversé !

Tandis qu'il parlait, je scrutais son pauvre visage défait. Ses cheveux décolorés en blond et bouclés artificiellement, ses sourcils soigneusement épilés et son anneau d'or à l'oreille gauche ne faisait que rehausser la détresse de son expression. Je suis peut-être en train de parler à un condamné à mort me disais-je, il est si décharné ! Il tremble de faiblesse. Peut-être a-t-il un virus qui le ronge ?

- Un grand malheur vient de m'arriver, ma sœur. Je vivais avec quelqu'un qui est mort du SIDA il y a deux semaines. Je l'aimais tellement que je ne pouvais pas vivre sans lui. Je me demande sans cesse « Où est-il ? Où est-il ? » Je l'appelle, c'est idiot je sais, mais c'était mon ami et je n'ai plus personne ! Et hier, j'attrape mon agenda pour chercher un numéro et qu'est-ce que je vois sur l'écran ? Un message incompréhensible, que je n'avais pas écrit ! Je lis, je relis, impossible de comprendre comment ces lignes se sont écrites, puisque je garde cet agenda toujours sur moi. Tenez, regardez vous-même, ma sœur.

Je regarde l'écran et j'y lis : « Mardi 17 mai, vingt heures, Saint-Léon. »

- Mais, c'est la conférence de ce soir !

- Oui, mais comment cela est apparu sur cet écran ? Je vous le demande ! Quand j'ai vu ça, je me suis tout de suite dit « ça y est, c'est mon ami qui me lance un message, c'est sûrement lui, c'est un rendez-vous qu'il me fixe quelque part. Mais, Saint-Léon ça ne me disait rien.

J'ai cherché, cherché, j'ai regardé s'il n'y avait pas une station de métro de ce nom-là, un hôtel, un restau... rien ! Puis quelqu'un m'a dit : *« Saint-Léon, c'est peut-être une église, c'est le nom d'un saint... »* Mais personne ne connaissait cette église. Alors, je suis entré dans l'église de mon quartier, la personne à l'accueil a consulté un livret et m'a dit : « C'est dans le XVème, près de la Motte-Piquet... » Voilà, c'est comme ça que je suis arrivé ici ce soir, sans savoir sur quoi j'allais tomber...

J'avale ma salive, j'essaie de rassembler mes esprits, je marque un temps de silence pour invoquer le Seigneur, mais François ne me laisse pas cinq secondes.

- Et maintenant, ma sœur, qu'est-ce que je dois faire ?

Cette interrogation me rappelle quelque chose, dans les Actes de Apôtres, lorsque les gens demandent à Pierre le jour de la Pentecôte : « Que devons-nous faire ? » François est à l'écoute, comme un petit enfant captivé, ou plutôt comme un naufragé de l'amour qui vient de trouver le créneau pour être sauvé et qui attend d'une personne la parole-clé qui va faire basculer sa vie de l'enfer vers le ciel. Et ce soir, la personne... c'était moi !

Il faut répondre vite quelque chose de très simple. L'église est encore pleine, mais déjà des bruits de clé se font entendre, les portes vont bientôt fermer.

- C'est très facile, lui dis-je pour le réconforter. Tu achètes une Bible dès ce soir au stand là-bas, et le livre *« Paroles du Ciel »*. Tu t'en imprègnes bien chaque jour, et tu commences à prier comme je l'ai expliqué ce soir. La Sainte Vierge te guidera elle-même, à travers ses messages dans le livre. Et puis, tu viens au plus vite nous retrouver à Medjugorje. Là, tu verras, c'est un lieu où ton cœur se dilatera et où tu trouveras une grande paix.

- Mais, c'est où ? Comment y aller ?

- Va voir la dame là-bas au fond, c'est mon amie Geneviève[1] qui organise des pèlerinages, elle te donnera tous les détails.

- C'est fou ce que je me sens bien avec vous, ici, au milieu de vous tous. On voit que vous avez la lumière. Je comprends maintenant... C'est sûrement mon ami qui a écrit ce message pour que je vienne ici et que je découvre tout ça.

---

[1] Association Notre-Dame de la Paix , BP 2347, 75023 Paris cedex 01
Tél. : 01 45 08 57 66 - Fax : 01 42 36 24 48.

- Ton ami, ou bien alors... La Sainte Vierge, peut-être ? C'est ta mère, elle voulait que tu la connaisses... Mais, je l'avoue, c'est la première fois que je la vois passer un message par électronique !

Je partais dès le lendemain pour Medjugorje, et, trois mois plus tard, je vis arriver François dans un groupe de pèlerins. Il avait déjà complètement changé de tête, il ne tremblait plus et ses joues s'étaient un peu remplies. Une certaine sérénité l'avait gagné. Un groupe de prière l'avait accueilli. Il avait trouvé la foi et commencé à vivre les sacrements, à sa manière. Le travail de la grâce se frayait un chemin en lui, à travers les méandres hallucinants de ses blessures, à travers les stigmates d'une enfance et d'une jeunesse dont seule la miséricorde aurait le droit de parler. Aujourd'hui, je ne sais pas ce qu'il est devenu, ni même s'il est vivant ou mort.

François, si le Seigneur t'a repris, aide-nous du haut du ciel à attirer vers le cœur de Dieu tous ceux qui ont souffert comme toi. Si tu es vivant, alors sache que ta petite sœur de Medjugorje prie pour toi chaque jour et qu'elle rêve d'avoir de tes nouvelles !

Message du 25 septembre 1993

« Chers enfants, je suis votre Mère, et je vous invite à vous rapprocher de Dieu à travers la prière, parce que lui seul est votre paix, votre Sauveur. C'est pourquoi, petits enfants, ne cherchez pas des consolations matérielles, mais cherchez Dieu.

Je prie pour vous, et j'intercède auprès de Dieu pour chacun individuellement. Je recherche votre prière, afin que vous m'acceptiez moi-même et que vous acceptiez mes messages comme aux premiers jours des apparitions. Et alors seulement, lorsque vous ouvrirez vos cœurs et que vous prierez, des miracles s'accompliront. Merci d'avoir répondu à mon appel. »

UN PROTESTANT VOIT LA VIERGE

Il faut l'avouer, Barry est un dur à cuire. Sa femme Patricia ? Un trésor de délicatesse que je soupçonne de prier sans cesse tant est pénétrant son rayonnement. De son Angleterre natale, elle venait souvent se ressourcer à Medjugorje et confier à la Gospa son « parpaillot » de mari. Quelle merveille s'il pouvait lui aussi découvrir un jour la joie de marcher avec le Dieu Vivant !

Bien que baptisé protestant, Barry ne croyait pas en Dieu et se passait fièrement de lui. Un vieux souvenir gisait cependant au fond de son cœur : étant jeune, il avait une fois adressé une prière à Dieu lors d'une grande souffrance : « Envoie-moi une bonne épouse ! » Il se trouvait alors en voiture et dut s'arrêter près d'une maison inconnue pour une raison technique. La jeune femme qui en sortit le flasha tellement, qu'il l'épousa trois mois plus tard ! Il oublia de remercier ce Dieu inconnu qui l'avait si vite gratifié d'un mariage si heureux. Un seul défaut : Patricia était catholique. Barry fit tout pour détruire sa foi, mais comprit vite qu'il marchait là sur un terrain dangereux.

Mais, vers la quarantaine, Patricia se retrouva minée par un isolement spirituel trop dur, au sein d'une Angleterre matérialiste et privée d'enthousiasme. C'est alors que Medjugorje la sauva de la dérive et lui offrit ce dont elle n'osait plus rêver : prendre un bain dans le cœur de Dieu, dans un lieu où le ciel touche la terre chaque jour !

En conversant avec elle, je m'émerveillais de son incroyable confiance en la Providence. Elle SAVAIT que toute sa parenté se convertirait, à l'heure fixée par Dieu. C'est alors que la guerre éclata en Bosnie-Herzégovine.

Le soir du 1er janvier 1993, Barry et Patricia regardent la télévision et entendent l'appel lancé par l'association *Medjugorje Appel* : on demande trente chauffeurs pour convoyer des tonnes de marchandises vers la Bosnie. Sans savoir que Patricia connaissait Bernard Ellis, juif converti à Medjugorje, l'homme-clé de cette organisation, Barry se prend au jeu et déclare à sa femme qu'il a bien envie de se lancer dans cette aventure, d'autant qu'il a son permis poids lourd. Patricia n'en croit pas ses oreilles ! Bernard avait prévu qu'une partie des camions irait à Medjugorje, l'autre à Zagreb.

Et deux semaines plus tard, accompagné de Patricia, notre parpaillot fait son entrée à Medjugorje au volant de son camion ! Son unique souci : porter secours aux réfugiés. Dès la première nuit, il est sollicité pour rendre service et le matin, tandis qu'il rentre dans sa chambre d'hôte au pied de Krizevac pour y retrouver sa femme, voilà que Patricia s'est envolée ! Barry sort sur la terrasse et, là, aperçoit l'église, plantée dans la vallée. Ses yeux se portent sur les deux tours qui s'élancent vers le ciel et, curieusement, il ressent une attirance irrésistible vers cette église. Une pensée s'impose à lui : « Je dois entrer dans cette église et y dire une prière. » Barry ne se reconnaît pas. Dire une prière, lui, l'athée de service ?! Dire une prière alors qu'il n'y a pas de Dieu, et qu'après la mort c'est le trou noir pour tous ? Ça va pas la tête ! Mais c'est plus fort que lui, Barry se met en route et marche d'un pas assuré vers l'église. Une question pratique se pose : quelle prière va-t-il bien pouvoir dire ? Il n'en connaît que deux : le *Notre Père* qu'il a appris à l'école, et le *Je vous salue Marie* qu'il a fini par mémoriser à force d'entendre sa femme l'enseigner aux enfants. Laquelle choisir ?

Arrivé dans l'église, il constate que c'est l'heure du ménage et se cale discrètement sur le banc du fond. Il opte pour dire les deux prières et reste là cinq minutes en silence. Puis il décide d'aller nettoyer son camion. Là, un franciscain le voit et lui donne son chapelet. Plus tard, il rentre dans sa chambre où Patricia n'est toujours pas revenue et décide de prendre un peu de repos. Comme la luminosité est intense, il relève la couverture sur son visage. Mais une lumière bleutée vient l'aveugler. Il se dit que la couverture est mal mise et l'arrange autrement. Mais la lumière bleue ne fait que s'intensifier, elle envahit toute la chambre et Barry commence à trouver cela bizarre. Une tache blanche encore plus lumineuse apparaît alors dans le bleu ; la tache s'approche peu à peu de lui et grandit à vue d'œil. Ciel ! Que se passe-t-il ?

« La tache de lumière blanche devint alors complètement nette, racontera Barry, et voilà, c'était Marie, la Mère de Dieu, je la voyais, je savais que c'était elle. La lumière bleue se transforma en rayons qui jaillissaient d'elle. Comme elle était belle !

Je n'étais pas du tout effrayé, je la regardais, fasciné. Je savais qui j'avais en face de moi. Alors, elle leva la main et me salua d'un signe. Elle ne disait rien. Puis elle partit. Je me suis assis pour inspecter la chambre. Une odeur de rose flottait dans l'air et je ressentais dans toute ma personne une paix inimaginable. Jusque dans mon corps ! Et je ne pouvais que répéter : « Pourquoi moi ? pourquoi moi ? Qu'est-ce que j'ai fait pour mériter cela, moi, le rustre, le paysan mal dégrossi ?! » Je repensais à toutes les mauvaises actions de ma vie... malgré tout cela, Marie était apparue à un homme comme moi !!!

Patricia rentra peu après dans la chambre et je lui racontai tout. Elle était au septième ciel[1] ! Elle voulait faire de moi un catholique en vingt-quatre heures ! Elle me proposa d'aller à la messe. Dans l'église, je me répétais « pourquoi moi ? » Lorsqu'arriva le moment de la communion, Patricia me proposa de l'accompagner pour recevoir la bénédiction du prêtre. Je devais mettre les bras croisés sur ma poitrine pour bien montrer que je ne pouvais pas communier mais, malgré cela, le prêtre pressa l'hostie contre ma bouche et je dus recevoir le Corps du Christ. J'étais si bouleversé que je ne pouvais empêcher mes larmes de couler. Vous auriez vu le gros-dur pleurer comme un enfant ! Quelle journée ! Sur le chemin du retour, je rencontrai un pèlerin qui me dit : « Je suis catholique depuis toujours, je viens souvent ici, je n'ai jamais rien vu ni rien senti ! » Mais pour moi qui venais pour la première fois, qui ne mettais jamais les pieds à l'église, en un jour je cumulai d'entrer dans une église (1), de dire une prière (2), de recevoir un chapelet (3), de voir la Sainte Vierge (4) et de recevoir le Corps de son Fils Jésus (5) !!!

De retour en Angleterre, je décidai d'aller à la messe avec Patricia et découvris peu à peu la prière, et la prière sincère. Je continuai à faire mes convois humanitaires pour la Bosnie et une fois nous avons même transporté le voyant Ivan pour le trajet Londres-Medjugorje ! A l'heure de l'apparition, nous nous mettions à genoux dans le camion... Au fond de moi, je gardais un vif désir de revoir la Sainte Vierge.

Plus tard, Bernard me proposa de conduire un bus de pèlerins. Je troquais donc mes denrées alimentaires contre un chargement de frères

---

[1] Le témoignage de Patricia, parallèlement à celui de Barry, fera l'objet d'un chapitre l'an prochain...

et sœurs. Sur la route, nous nous arrêtames dans un hôtel près de la Slovénie. Juste après le dîner, coupure de courant ! Je monte chercher une lampe-torche dans ma chambre, et tandis que je redescends dans le hall, je me sens poussé à chanter une hymne à Marie.

Tout le groupe se met alors à chanter avec moi et se lance, peu après, dans une prière spontanée. La louange envahit tout l'hôtel ! C'est alors que Marie apparut à nouveau à mes yeux, comme à Medjugorje, avec ce halo bleu autour d'elle. J'étais le seul à la voir. Je compris alors que je n'avais encore rien fait pour elle, rien fait pour Dieu, malgré tant de grâces reçues. Lorsque Marie veut quelque chose (ou quelqu'un !) elle ne lâche pas prise ! Je sentais qu'elle m'appelait à me rapprocher d'elle et de son Fils Jésus ; je devais m'engager envers elle. Je décidai donc d'entrer dans l'Église catholique. Patricia me trouva alors un accompagnateur merveilleux.

Durant des mois, je continuai mes pèlerinages à Medjugorje comme chauffeur, et Patricia m'aidait. J'avais le secret désir que parmi mes « passagers », certains puissent connaître aussi le bonheur de voir la Vierge et je fus vite exaucé ; quatre pèlerins la virent sur la colline de Podbrdo.

Je suis entré dans l'Église à Pâques 1995. Depuis lors, le Seigneur nous a appelés, Patricia et moi, à travailler pour lui dans notre propre paroisse et notre diocèse, là où se trouve le sanctuaire de Walsingham[1].

Marie a entrepris de ramener à son Fils toute notre parenté. Nos deux enfants se sont convertis ainsi que plusieurs parents autrefois athées. Elle a déjà réconcilié plusieurs couples (beau-frères, belle-sœurs) et nous avons bon espoir pour les autres.

Pour ma part, je suis engagé dans une équipe qui aide ceux qui songent à devenir catholiques. Je suis disponible pour tout ce que le Seigneur et sa Mère voudront de moi, et je grandis peu à peu dans leur amour.

Mon rêve ? Que le monde entier découvre la Vierge Marie ! »

---

[1] Il y a une une prophétie au Curé d'Ars, connue dans tout le Royaume-Uni, qui dit : *« Quand l'Angleterre reviendra à Walsingham, la Sainte Vierge reviendra en Angleterre. »* Grâce à Barry et Patricia Kelly, des foules s'y rassemblent pour des week-ends de prière en lien avec Medjugorje.

Message du 25 octobre 1993

« Chers enfants, au cours des années je vous ai invités à prier et à vivre ce que je vous dis, mais vous vivez peu mes messages. Vous parlez, mais vous ne vivez pas, c'est pourquoi, petits enfants, cette guerre dure si longtemps. Je vous invite à vous ouvrir à Dieu et à vivre avec Dieu dans votre cœur, en vivant le Bien et en témoignant de mes messages. Je vous aime, et je désire vous protéger de tout mal. Mais vous ne le voulez pas !

Chers enfants, je ne peux pas vous aider si vous ne vivez pas les commandements de Dieu, si vous ne vivez pas la Messe, si vous ne rejetez pas le péché. Je vous invite à devenir apôtres de l'amour et de la bonté. En ce monde sans paix, témoignez de Dieu et de l'amour de Dieu, et Dieu vous bénira et vous donnera ce que vous lui demandez. Merci d'avoir répondu à mon appel. »

J'ÉTAIS UN BÉBÉ AVORTÉ

Marcia S. est une femme très respectée dans toute la région de San Francisco. Berger du plus ancien groupe de prière de la ville, chacun connaît sa grande foi et combien les autorités ecclésiales locales la sollicitent volontiers pour des missions délicates. Je la connais bien et l'admire.

Medjugorje a bouleversé sa vie, elle ne peut plus rencontrer quelqu'un sans lui parler du pouvoir extraordinaire du rosaire. Sur un appel intérieur de la Sainte Vierge, elle a fondé douze groupes de rosaire autour de San Francisco pour « encercler » la ville, pour l'entourer de la couronne royale de Marie formée de douze étoiles, pour rendre à Dieu ce qui devrait être à Dieu et qui malheureusement est tombé au pouvoir des ténèbres. En effet, parmi les métropoles du monde, San Francisco souffre plus qu'une autre d'un satanisme actif, et la Vierge y cherche des instrument de choix pour vaincre le Destructeur de ses enfants.

Un jour, la morsure du découragement s'attaque à Marcia car son mari, déjà dépressif, est atteint d'une cécité évolutive qui requiert des soins attentifs 24h sur 24. Physiquement et nerveusement, Marcia est à bout de forces, si bien que la tentation lui vient d'annuler la soirée *« Prière-Témoignage de Medjugorje »* qu'elle doit animer ce soir-là dans une église de la grande baie, « Le Saint-Rédempteur », la paroisse de San Francisco qui touche le plus de victimes du SIDA par l'Évangile. Marcia sait que la plupart de ses auditeurs seront « gays » ou lesbiennes.

Elle sait qu'une foule nombreuse l'y attend. L'idée même de sortir la voiture l'épuise... Qu'à cela ne tienne, elle ira quand même ! Elle ne peut pas prendre le risque de laisser des âmes sur leur faim car des vies sont en jeu ! Son ami Denis l'appelle :

- S'il y a un endroit au monde que Satan a bien en main, dit-il, c'est San Francisco. Il ne veut pas que les gens y entendent parler de la Sainte Vierge ou de Medjugorje. Tes paroles vont ouvrir le manteau de Marie et les gens vont accourir vers elle par grappes entières ! Tiens bon !

Marcia a l'âge de Marie au pied de la croix et elle parle d'elle comme de sa meilleure amie ou, mieux, comme de sa confidente. Leur connivence est visible. Les mots jaillissent de sa bouche avec une grande tendresse et aussi avec une puissance mystérieuse et, dans l'assemblée, les mouchoirs sortent des poches les uns après les autres...

La soirée se termine et un homme jeune, visiblement bouleversé, s'avance vers Marcia pour lui raconter ce qu'il vient d'expérimenter alors qu'elle passait la vidéo sur Medjugorje. Des larmes coulent doucement de ses yeux :

« J'étais un bébé avorté. Comment j'ai vu le jour ? Je ne sais pas, mais l'on m'a jeté dans une poubelle. Je vivais encore. La poubelle se trouvait sur le parking de l'hôpital. Je m'époumonais à crier et un homme qui passait par là entendit mes cris. Saisi d'horreur, il chercha d'où cela pouvait venir, quand il finit par ouvrir la poubelle. J'étais ensanglanté mais bien vivant. Il m'emporta chez lui en me couvrant comme il pouvait, et me soigna pendant quelques jours. Il décida alors de me garder pour m'élever et fit une demande d'adoption qui fut acceptée.

J'ai donc grandi auprès de lui avec ses amis qui habitaient là aussi, tous des hommes, car cet homme était homosexuel. Étant bébé et durant toute mon enfance, je n'ai jamais été touché, langé, nourri ou même embrassé par une femme. Je ne connaissais rien de la présence maternelle d'une femme. Je ne sais pas ce qu'est une mère. J'ai évolué dans ce milieu et à l'adolescence, tout naturellement, je suis devenu homosexuel moi aussi. Quoi de plus naturel ?

Il y a quelques années, j'ai commencé à découvrir l'Évangile à travers des membres de l'église épiscopalienne. Ils m'invitaient à me joindre à eux et je pris un jour la décision de devenir prêtre dans cette église.

Le jour de mon ordination, je me tenais debout avec quelques autres candidats, prêt à m'avancer vers l'autel pour recevoir l'ordination. Mais tous s'avancèrent sauf moi, car malgré moi je restai comme cloué sur place. On aurait dit que des bras me retenaient, m'empêchant de faire un pas en avant. Je ne fus pas ordonné, et depuis lors je me suis toujours demandé pourquoi je ne m'étais pas avancé, qu'est-ce qui avait bien pu me retenir ainsi ?

Ce soir, lorsque j'ai regardé la vidéo, j'ai été bouleversé. Alors que l'on voyait ces jeunes en extase, j'ai senti nettement des bras féminins m'entourer avec amour, un amour indescriptible. Une femme était derrière moi, j'en étais convaincu. Captivé par la vidéo, dont je ne pouvais détacher mes yeux, je sentis à nouveau ces bras autour de moi. C'était si fort que je pouvais à peine le supporter ! J'ai cru mourir de joie ! Tout mon corps tremblait. Je pleurais et pleurais. La chaleur et l'amour de cette étreinte étaient tels que je fondais littéralement. Je me retournai pour voir qui c'était, mais il n'y avait personne sur le banc derrière moi ! Alors j'entendis une voix féminine me dire : *« Dan, je t'aime et tu es à moi. »* J'expérimentais pour la première fois de ma vie des bras féminins qui m'entouraient. J'avais trouvé ma Mère ! Je compris alors en un éclair pourquoi je n'avais pas réussi à m'avancer pour l'ordination... C'était elle ! Elle m'en avait empêché car l'homosexualité n'est pas de Dieu, et je devais d'abord abandonner ces pratiques-là, m'en repentir... »

Marcia écoute le récit de Dan avec le même cœur que s'il s'agissait de son propre fils. Elle retient à peine ses larmes elle aussi. Elle comprend pourquoi elle a dû se faire tellement violence pour venir ce soir. Cet enfant n'était pas encore sorti du sein de sa mère qu'il était déjà une victime, pense-t-elle. Une victime de notre société. Et il a suffi de parler des apparitions de Marie à Medjugorje pour qu'il soit délivré du plan que Satan avait sur sa vie...

- Marcia, que dois-je faire pour devenir catholique ? lui demande Dan.

Aujourd'hui, San Francisco compte un catholique de plus et le manteau de la Gospa un habitant de plus. Et pas des moindres ! Celui-là, Marie l'attendait depuis longtemps, depuis son séjour dans la poubelle. Oui, elle l'attendait pour le serrer dans ses bras, pour le presser enfin contre son cœur de mère... d'autant plus que Dan se prépare maintenant à la prêtrise.

Message du 25 novembre 1993

« Chers enfants, en ces temps, je vous appelle comme jamais auparavant à vous préparer à la venue de Jésus. Que le petit Jésus règne dans vos cœurs, et quand Jésus sera votre ami, seulement alors vous serez heureux. Cela ne sera pas difficile de prier ni d'offrir des sacrifices, ni de témoigner de la grandeur de Jésus dans votre vie, car il vous donnera la force et la joie en ces temps.

Je vous suis proche par ma prière et mon intercession, et je vous aime et vous bénis tous. Merci d'avoir répondu à mon appel. »

LE SECRET DE VICKA

Un matin, je devais retrouver Vicka pour partir avec elle aux États-Unis, ainsi que Don Dwello de New York. Au dernier moment, Don me dit, la mort dans l'âme :

- Vicka est malade, elle ne vient pas, sa sœur m'a dit de partir sans elle...

- Quoi ? m'étonnai-je. Mais hier encore elle était en pleine forme !

- Ça l'a prise hier soir. Avec Ivanka P. on est allé la voir ; elle a dû s'aliter, son bras était paralysé, sa main toute bleue et elle souffrait beaucoup. Elle m'a dit que ça passerait peut-être cette nuit, mais ce matin sa petite sœur m'a prévenu que ça avait au contraire empiré...

Neuf jours plus tard, je reviens de mon périple aux USA où j'avais témoigné de la Gospa. J'arrive chez Vicka, que je surprends en train d'étendre son linge, un grand sourire aux lèvres.

- Alors, comme ça tu es guérie ! Et tu m'as laissée partir toute seule en Amérique ! Quand t'es-tu sentie mieux ?

- Mais ce matin seulement ! Je me suis levée et tout allait bien ! J'ai même pu parler à un groupe de pèlerins, tu vois, tout ça est passé !

- Ce matin !? Alors tu es restée huit jours malade, juste le temps de la mission ? Comment expliques-tu que ça tombait pile durant la mission ?

- Mais c'est comme ça ! (expression typique des gens d'ici). La Gospa avait son plan : toi tu devais parler, et moi je devais souffrir. C'était son choix ! (La Gospa, de toute évidence, n'avait pas consulté les cinq mille Américains de Pittsburgh qui auraient préféré la formule inverse !)

- Et qu'est-ce que tu as eu exactement ?

Là, il faut renoncer à toute explication logique avec Vicka...

- Rien d'intéressant, tu vois, c'est passé ! Jusqu'à ce que ça revienne, c'est comme ça, la vie !

Elle rit et change de sujet.

Sam, un médecin américain, voulut alors la faire soigner correctement et me demanda de lui exposer le sérieux du projet, ce que je fis :

- Tu vas voir un des meilleurs médecins des USA, il va d'abord faire des examens, te garder un peu en observation, et cela peut te sauver la vie ! On ne sait jamais... si tu avais quelque chose de grave. Toi, tu serais contente d'aller au ciel, mais nous, on tient à te garder encore longtemps !

- Je ne sais pas, il faut voir... attendons un peu...

Dans sa bouche, cela voulait dire : « laisse tomber ! » Une idée me vient à l'esprit :

- Mais Vicka, ta santé, tes forces, elles appartiennent à la Gospa ? Alors c'est à elle de décider... Si tu lui demandais à elle, quoi faire ?

- Tu as raison, dit-elle avec reconnaissance comme si cette pensée ne l'avait pas effleurée elle-même. Je vais lui demander.

Deux jours plus tard, Vicka me fait part de la réponse d'en-haut : « *Cela n'est pas nécessaire* » avait dit la Gospa...

Allons bon ! Si la Gospa elle-même nous casse le travail...

A ma connaissance, personne n'a encore expliqué le mystérieux secret qui repose sur Vicka, et nous ne sommes pas au bout de nos étonnements.

Reportons-nous en 1983-1984. Vicka avait une grave maladie au cerveau. J'entends encore le Père Laurentin annoncer avec peine : « Elle va mourir. » Elle souffrait tellement qu'elle perdait connaissance pendant de longues heures, presque chaque jour. Sa mère, transpercée de la voir souffrir ainsi, lui disait :

- Va te faire faire une piqûre de calmant, tu ne peux pas rester ainsi... ! Mais Vicka répondait :

- Maman, si tu savais les grâces que ma souffrance obtient, pour moi-même et pour les autres, tu ne parlerais pas comme ça !

Après un long chemin de croix, la Gospa lui dit : « *Tel jour, tu seras guérie* ». Vicka écrivit cela à deux prêtres pour qu'ils aient l'annonce écrite avant le jour J qui tombait une semaine plus tard. Vicka fut guérie. Elle garda de cette expérience une connaissance très profonde du mystère de la souffrance et de sa fécondité.

Voici un épisode personnel : alors que je traduisais Vicka pour un groupe de pèlerins, elle partagea ceci :

La Gospa dit : « *Chers enfants, lorsque vous avez une souffrance, une maladie, un problème, vous pensez : Oh pourquoi cela est-il tombé sur moi, et pas sur quelqu'un d'autre !? Non, chers enfants, ne dites pas cela ! Au contraire dites : Seigneur, je te remercie pour le cadeau que tu me fais ! Car la souffrance, lorsqu'elle est offerte à Dieu, obtient de grandes grâces !* »

Et Vicka l'intrépide d'ajouter (de la part de la Gospa) :

- Dites aussi : « *Seigneur si tu as d'autres cadeaux pour moi, je suis prête !* »

Ce jour-là, les pèlerins repartirent pensifs, avec de quoi méditer... Quant à moi, le soir-même, une personne me dit quelque chose de très méchant alors que je me dirigeais vers l'église pour la messe. Cela me blessa au cœur, si bien que je dus lutter pour vivre à fond ma messe au lieu de ressasser la chose dans ma tête. Au moment de la communion, j'offris ma souffrance à Jésus et me revinrent les paroles de Vicka. Je priai alors ainsi : « Seigneur, je te remercie pour le cadeau que tu me fais ! Sers-toi de cela pour répandre plein de grâces et, si tu as d'autres cadeaux pour moi, ... (là, je pris mon souffle pour continuer la phrase) je... je... , attends encore un peu pour me les donner !!!

Le secret de Vicka, c'est qu'elle ne compte pas, dans ses OUI à Dieu. Comme les enfants de Fatima, elle a vu l'enfer et n'a plus du tout envie de lésiner lorsqu'il s'agit du salut des âmes. Lorsqu'un jour la Gospa a demandé : « *Qui d'entre vous veut bien se sacrifier pour les pécheurs ?* » Vicka fut la plus prompte à se désigner volontaire. « Je demande seulement la grâce de Dieu et sa force pour pouvoir aller de l'avant » dit-elle.

Ne cherchons pas plus loin pourquoi Vicka transmet tant la joie du ciel à ceux qui l'approchent ! Ça ne marche que comme ça !

Dans une interview pour la télévision américaine, elle s'écria :

- Mais vous ne réalisez pas la grande valeur qu'ont vos souffrances aux yeux de Dieu ! Ne vous révoltez pas lorsque la souffrance arrive. On se met en colère parce qu'on ne cherche pas vraiment la volonté de

Dieu. Si on la cherche, la colère s'en va. Seuls ceux qui refusent de porter la croix se révoltent. Mais vous pouvez être sûrs que, si Dieu donne une croix, il sait pourquoi il la donne, et il sait quand il va l'enlever. Rien n'arrive par hasard[1].

Pour elle le voile s'est déchiré, elle sait de quoi elle parle.

Message du 25 décembre 1993

« *Chers enfants, aujourd'hui je me réjouis avec le petit Jésus, et je désire que la joie de Jésus entre dans chaque cœur. Petits enfants, avec le message je vous donne la bénédiction, ainsi que mon Fils Jésus, afin que dans chaque cœur règne la paix.*

Je vous aime, petits enfants, et je vous invite tous à vous rapprocher de moi par la prière. Vous parlez, parlez, mais vous ne priez pas. C'est pourquoi, petits enfants, décidez-vous pour la prière. Seulement ainsi vous serez heureux, et Dieu vous donnera ce que vous recherchez de lui. Merci d'avoir répondu à mon appel. »

AU PAYS DES ENFANTS TROUVÉS

Février 1995. Rémi et Claire habitent près de Paris, et deux lourdes croix pèsent sur leurs cœurs :

1° Rémi est au chômage depuis trois ans, ce qui oblige sa femme à travailler pour faire bouillir la marmite.

2° Malgré tous les traitements médicaux possibles, le diagnostic tombe comme un couperet : ils ne peuvent pas avoir ce deuxième enfant

---

[1] Cela me rappelle un dialogue mémorable entre Marthe Robin et un prêtre belge. Celui-ci avait un grand charisme de prédication et voyageait beaucoup. Il était très demandé pour des retraites, des émissions radio, des homélies, car sa parole provoquait des conversions. Or, il eut un accident bête : alors qu'il faisait le ménage dans son église, la lourde statue de saint Joseph lui tomba sur la jambe. Cela l'obligea à renoncer à son ministère de prédicateur. Il souffrait beaucoup, moralement et physiquement, et sa jambe lui causait mille problèmes. Arrivé chez Marthe, il voulut lui exprimer combien tout cela était dommage. Mais, avant même qu'il aborde le sujet, elle lui lança soudain : « *Père, avec votre patte (sic) vous faites beaucoup plus pour le Royaume de Dieu que vous n'avez fait de toute votre vie avec votre bouche !* »

dont ils rêvent depuis six ans. Pour leur type de stérilité, au dire de la médecine parisienne, le seul espoir reste la fécondation in vitro.

A cette souffrance s'ajoutent les chuchotements de leurs proches et certains petits sourires narquois lorsque Rémi et Claire expliquent tout simplement leur souci de demeurer fidèles à l'éthique de l'Église concernant la procréation et les manipulations génétiques. Pour rien au monde, ils ne veulent s'écarter de l'enseignement du pape. Ils préfèrent être montrés du doigt et traités de « réacs » par ceux qui pensent que l'homme est plus malin que Dieu en matière de vie. Par ailleurs, ils ont vu autour d'eux quelques couples se briser à la suite de ces tentatives de fécondation artificielle, humiliantes et ruineuses, qui ont d'ailleurs échoué.

Rémi souffre de plus en plus de voir sa femme transpercée dans ses aspirations à la maternité. Lorsqu'ils se sont mariés, n'ont-ils pas souhaité avoir beaucoup d'enfants ? Ils ne peuvent s'empêcher de penser : « Tant d'avortements ont lieu chaque jour[1]. Et nous qui voulons plein d'enfants, faut-il que nous en soyons empêchés ? Notre petite Inès n'aura-t-elle jamais ces frères et sœurs rêvés ? »

Leur peine est immense et lancinante. Mais, un an plus tard, Claire me confie :

« Unis dans notre foi, nous avons confié notre détresse à Notre Seigneur et, par l'intercession de notre puissante et bienheureuse Vierge Marie, notre chère Maman du ciel, nous lui avons demandé de prendre pitié de nous et de nous exaucer. C'est au cours de ce cri d'appel que nous avons pensé à Medjugorje. Nos finances étaient à marée basse et les circonstances semblaient se mettre en travers. Nous décidâmes que Rémi (sans travail) irait seul, car je ne pouvais m'absenter.

---

[1] Impossible de taire ici un autre type de joie : les projets d'avortements annulés. Un 25 juin, fête de Marie Reine de la Paix, un enfant échappa à la mort. En effet, après ma conférence aux francophones, un jeune vint me voir tout bouleversé : « Où puis-je trouver un téléphone ? » demanda-t-il. Il avait été touché par les messages de la Gospa sur la vie, les enfants, l'avortement... :
- Mon amie va avorter dans deux jours parce que je lui ai dit : « OK vas-y ! » Il faut absolument que je l'appelle, que je lui explique les messages, et nous allons garder le bébé ! Elle ne demande que ça... C'est mon attitude d'indifférence qui lui faisait rejeter le bébé. Elle ne se sentait pas le courage d'assumer toute seule cet enfant. Mais, maintenant, je veux sauver et aimer cette vie !
En ces jours, nous avons vu combien la Mère de Dieu ressuscite ses enfants et les libère des chaînes du péché, même inconscientes. Ce garçon disait : « Je ne me rendais pas compte ! »

Ayant repéré un pèlerinage qui partait pour l'Annonciation, nous avons fait le chèque le 25 février. Et le 25 mars, alors que Rémi s'envolait pour Split, j'apprends que je suis enceinte ! Incroyable mais vrai ! Rémi partit déjà exaucé, et il passa son pèlerinage à pleurer de joie et à remercier Marie. Notre petite fille est née en novembre, nous l'avons appelée Marie Laetitia, *Joie de Marie* ! »

L'histoire de Claire aurait pu se noyer au milieu d'une longue liste, car on ne compte plus les *bébés miracles* qui peuvent se vanter d'avoir vu le jour grâce à un pèlerinage à Medjugorje ! Quant aux voyantes, Marija et Vicka, si vous les branchez sur ce sujet, elles sont intarissables d'exemples, tous plus touchants les uns que les autres (apporter kleenex...) ! Ce n'est pas un hasard si la Gospa portait son petit Nouveau-Né dans les bras lors de sa première apparition sur la colline, le 24 juin 1981. Comme Jésus, elle est venue pour la vie !

Pourtant, tous les couples stériles ne reviennent pas guéris de Medjugorje. Comme Marie l'a dit plusieurs fois déjà à Fatima[1] : « *Je guérirai certains, d'autres pas.* »[2] Il en est de même à Medjugorje.

Pourquoi ?

J'aime cet humble mot du Père Emiliano Tardif[3], sans cesse confronté lui aussi à ces « pourquoi ? » car, au cours de l'Eucharistie, certains malades guérissent, d'autres pas :

« Nous sommes face au mystère de l'amour de Dieu, s'il est vrai que le Seigneur n'en guérit que quelques-uns, il nous offre à tous la guérison définitive : la vie éternelle où il n'y aura plus ni maladie, ni deuils, ni pleurs. Nous recevons gratuitement la guérison, mais qui sommes-nous pour demander à Dieu : pourquoi guéris-tu un tel et pas un tel ? On n'est pas guéris parce qu'on le mérite, c'est un pur don de Dieu. »

Je l'ai vu de mes yeux : aucune femme qui vient à Medjugorje implorer la grâce de la fécondité ne repart stérile. A l'une est accordé un enfant qu'elle portera dans son sein de chair, à l'autre est accordé une autre forme de maternité, non moins réelle et concrète car la Vierge n'est pas une gentille idéaliste planeuse ! Non ! Marie conduira cette

---

[1] Voir : « *les Mémoires de Sœur Lucie* » ou « *Lucie raconte Fatima* » - Éditions DDB.

[2] Voir : « *Paroles du Ciel* » - Éditions des Béatitudes - premiers messages, 1981, 1982 et 1983.

[3] Cassettes du Père Tardif - Maria Multimédia « *Eucharistie et Guérison* » et « *Souffrance et Guérison* » ; et le livre : « *Jésus est le Messie* » qui raconte comment Jésus guérit - (chap. 4) Pneumathèque.

femme à reconnaître très vite dans sa vie, par des clins d'œil perceptibles à son cœur, la merveilleuse maternité qui a été préparée pour elle. Elle lui soufflera : *« Tu vois ce petit-là, qui est à moi mais qui n'a personne pour l'aimer, pour lui parler ? Tu vois ce jeune ? Tu vois cette vie brisée... je te les confie. »*

Car, lorsqu'une femme prend réellement la main de Marie pour regarder le monde comme Marie le voit, elle découvre que germe au plus profond d'elle-même un fruit d'amour insoupçonné et devant chaque être humain sur la terre, elle se dit : « C'est mon enfant ! »

Les entrailles de la Mère de Dieu sont en elle !

« Je veux que vous aimiez chaque homme sur la terre de ce même amour dont je vous aime », dit la Gospa.

FLASH-BACK SUR 1993

Janvier : La Cardinal Glancy de Sydney invite tous les évêques d'Australie à faire bon accueil à Ivan et au Père Slavko durant leur voyage apostolique en Océanie qui rassemblera plus de cent mille personnes.

2 février : Grand voyage de Marija au Brésil, avec le Père Orec.

Février : La presse s'empare du scandale des milliers de femmes violées.

18 mars : Apparition annuelle à Mirjana :« *Chers enfants ! Mon désir est celui-ci, donnez-moi vos mains, ainsi je pourrai vous porter comme une mère sur le juste chemin, ainsi je pourrai vous porter vers votre Père. Ouvrez votre cœur, et laissez-moi entrer. Priez, car je suis avec vous dans la prière. Priez, ainsi je pourrai vous guider. Je vous amènerai à la paix et au bonheur.* »

11 avril : Mariage de Jakov avec l'Italienne Anna-Lisa, à Medjugorje. Ils habiteront Medjugorje.

28 avril : Le journal *Le Monde* titre : « Medjugorje, zone protégée par la Vierge » (en page 4).

25 juin : Apparition annuelle à Ivanka. La Vierge pleurait et elle montra à Ivanka des images terribles. Puis elle laissa ce message : « *Ouvrez vos cœurs à mon Fils afin qu'il puisse vous guider sur le juste chemin. (...) Soyez porteurs de la paix.* »

2 juillet : Premier soldat de Medjugorje mort au front, Ilija Barac, vingt ans.

8 septembre : Mariage de Marija avec l'Italien Paolo Lunetti. Ils feront leur voyage de noces en France. Ils habitent Monza, près de Milan.

Octobre : Premier pèlerinage du Père Daniel-Ange. Il consacre à Medjugorje deux chapitres de son livre : « *Guetteur !* » (Tome II).

7 novembre : Première visite d'Éphraïm, fondateur de la Communauté des Béatitudes. De ce pèlerinage naîtra la fondation de la « *Communion Marie Reine de la Paix* » (BP 24, F - 53170 Saint-Denis du Maine, France).

9 novembre : Destruction du vieux Pont de Mostar, le dernier des 18 ponts.

ANNÉE
1994

Message du 25 janvier 1994

« Chers enfants, vous êtes tous mes petits enfants. Je vous aime. Mais, petits enfants, vous ne devez pas oublier que sans la prière vous ne pouvez être proches de moi. En ces temps, Satan veut susciter le désordre dans vos cœurs et vos familles. Petits enfants, ne lui cédez pas ! Vous ne devez pas lui permettre de vous diriger, ni vous, ni votre vie. Je vous aime et j'intercède pour vous auprès de Dieu.

Petits enfants, priez. Merci d'avoir répondu à mon appel. »

AVEC MARIE, VAINCRE SATAN

Lorsque Marija habitait encore la maison de ses parents, de nombreux pèlerins venaient la voir pour parler un peu avec elle, surtout des Italiens car Marija parle bien cette langue (elle avait reçu ce cadeau de la Gospa pour son anniversaire en avril 1983 : après l'apparition, elle parlait couramment l'italien, sans l'avoir jamais appris).

Une jeune italienne, possédée, était à Medjugorje depuis quelques jours et tout le monde la rejetait car son comportement troublait énormément. En effet, elle avait fait, entre autres choses, un pacte avec Satan, participé corporellement à des messes noires et autres activités sacrilèges, si bien qu'elle était réellement possédée du démon. Marija, qui voyait chaque jour la Mère de toutes les Miséricordes, accepta de l'héberger, car elle voyait bien que cette fille cherchait la paix et la guérison à Medjugorje.

Durant un mois, la vie de la famille Pavlovic changea... Les phénomènes occasionnés par le démon, qui tenait cette fille et la torturait, étaient spectaculaires. Marija réagissait sans se démonter, étonnée certes, mais inébranlable dans sa paix et sa bonté.

Un prêtre italien de passage habitait aussi chez Marija en ces jours et évidemment, entre Satan et « le Sacerdoce », cela faisait des étincelles. Par exemple un jour, le prêtre voulut prier discrètement pour la jeune fille (impossible de prier devant elle, sans la transformer en furie !). Alors qu'elle se trouvait dans sa chambre, il en profita pour la bénir silencieusement de l'autre côté de la porte, traçant en l'air avec sa main un signe de croix. Elle ouvrit violemment la porte et hurla :

- Arrête de me torturer (et je passe sur le vocabulaire...) !

Une autre fois, alors qu'elle gisait par terre et souffrait un véritable enfer intérieurement, une amie de Marija se tenait près d'elle pour la réconforter. Puis, dans son cœur, elle pria la Gospa de venir elle-même la consoler et la bénir. Au même moment, la jeune fille sursauta comme brûlée au fer rouge et cria :

- Arrête tes sales prières !

Mais Marija avait vu juste, la persévérance de son accueil tout simple, sa patience et la prière de tous vinrent à bout de l'Abominable. Il finit par lâcher prise et, en un mois, la jeune fille était délivrée. Elle repartit en paix dans son pays.

La haine séculaire qui oppose Satan à la Vierge est une réalité très tangible à Medjugorje. J'ai raconté dans « *Medjugorje, la guerre au jour le jour* » ce qui arriva à Jelena la veille du 5 août 1984 (anniversaire des 2000 ans de la Vierge). Mais grande fut ma surprise, lorsque Jelena elle-même me parla de certains messages sur Satan, donnés par la Gospa au petit noyau d'animateurs de son groupe de prière. Jelena était à l'époque une très jeune adolescente et Marie lui dit : « *Un jour, Satan alla trouver Dieu*[1]. *Il lui demanda de lui livrer Medjugorje, en échange de quoi il renonçait au reste du monde.* »

Et Jelena d'ajouter : « Bien sûr, Dieu refusa ! La Gospa voulait nous montrer ainsi l'importance centrale de Medjugorje dans les plans de Dieu aujourd'hui pour le salut du monde. Il faut bien situer ce message dans son contexte. »

J'étais quand même perplexe, bien que convaincue de l'honnêteté de Jelena : elle avait toujours fait preuve de sobriété et d'une étonnante justesse, dans les messages qu'elle rapportait. J'allai trouver le Père Tomislav Vlasic qui avait été le directeur spirituel de ce groupe de prière. La Gospa avait dit de lui aux voyants : « *Il vous guide bien* ». Il me confirma totalement ce message et ajouta même :

- Il n'y a rien d'étonnant ! Nous sommes encore loin d'avoir compris les plans de Dieu à travers Medjugorje. La Gospa elle-même a souvent dit : « *Vous ne comprenez pas mes plans !* »

Un autre message cuisant devait trouver auprès de lui sa confirmation. La Gospa avait dit à Jelena : « *Satan et ses anges ont quitté beaucoup de lieux de la terre pour venir s'implanter à Medjugorje et y défaire mes plans.* »

---

[1] Cela rappelle le livre de Job, dans la Bible

A temps et à contre temps, la Gospa nous prévient que Satan est actif, qu'il veut nous détruire et qu'il est fort comme jamais auparavant. Comme une mère prévenante, elle nous rappelle inlassablement les armes que Jésus nous a données pour vaincre Satan : le jeûne et la prière (pour notre protection, elle recommande l'eau bénite).

Au Canada, un prêtre m'a dit qu'il avait cru à Medjugorje lorsque ses paroissiens se mirent à jeûner après leur pèlerinage.

- Je vous parle en tant que curé : Le jeûne ? vous pouvez toujours essayer de faire avaler la pilule aux gens ! Mais pas un de nous, prêtres, n'aurait réussi dans sa paroisse à convaincre qui que ce soit de jeûner ! Aujourd'hui, ils rentrent de Medjugorje et, sans qu'on leur dise rien, ils se mettent à jeûner deux jours par semaine... Cela a transformé toute la paroisse. Pour moi il n'y a pas de doute, ça ne peut être que la Sainte Vierge en personne qui apparaît là-bas !

Un exorciste de Rome vint en pèlerinage à Medjugorje. Je lui demandai quel était son avis, après vingt-trois ans de ministère, sur le plus grand travail de Satan aujourd'hui :

- C'est la destruction de la famille, dit-il. J'ai vu en Australie des gens organisés comme « Adorateurs du Démon », ils lui rendaient un culte dans le but de détruire les familles. Je l'ai vu de mes yeux ! Et c'est pire en Europe où il y a encore plus d'organisations qui veulent détruire les mariages. Allez dans les Parlements : qui respecte le mariage ? Les lois vont à l'encontre du mariage.

Il appelle la Sainte Vierge : *« Le plus puissant exorciste du monde »*, désignée pour cela par Dieu lui-même. D'après lui, il y a plusieurs moyens de soulager et délivrer les personnes tourmentées par les démons. Pour les laïcs, il recommande d'aller avec la personne dans une église, devant une statue de la Vierge (bénie selon le rite de l'Église) et d'y prier le rosaire avec elle. Il a très souvent vu, là, à quel point la Mère de Dieu est puissante pour vaincre Satan dans les cœurs.

Cet exorciste a aussi expérimenté les bienfaits des prières dites devant le Saint Sacrement exposé. On y amène la personne tourmentée et on lui demande de regarder Jésus-Eucharistie. Au début, elle ne veut pas et ne reste pas tranquille. Elle ferme les yeux. Mais, si elle regarde Jésus, elle sera sauvée. L'important est de continuer à suivre cette personne, de lui permettre de se remplir de la connaissance et de l'amour de Dieu. (Les formules d'exorcisme sont réservées aux prêtres. Il serait dangereux pour des laïcs non préparés de s'adresser directement au démon).

Un autre témoin de Medjugorje m'a dit :

- Medjugorje ? C'est le talon de Marie ! C'est là qu'elle écrase le plus la tête du Serpent.

Des six voyants, seule Mirjana vit Satan face à face (au cours d'une apparition qui précéda celle de la Vierge). Elle en fut effrayée. Il semblait beau, séduisant, mais ses yeux étaient rouges et haineux. Elle me confia qu'elle ne voulait rien dire sur lui maintenant, mais qu'elle en parlerait plus tard.

- Tous, nous attendons la victoire du Cœur Immaculé, me dit-elle.

Je ne peux taire ici une parole de Marthe Robin au philosophe Jean Guitton : *« Lucifer a toujours de la rage. Mais, lorsque la Vierge apparaît, il ne peut rien contre elle. La Vierge est si belle, pas seulement dans son visage mais dans tout son corps. Quant à lui, il est capable de tout imiter. Il imite même la Passion. Mais il ne peut pas imiter la Vierge. Il n'a pas de pouvoir sur elle. Quand la Vierge paraît, si vous voyiez cette dégringolade, vous vous mettriez à rire ! »*[1]

Pourquoi Satan est-il si enragé contre Medjugorje ? N'oublions pas qu'à chaque apparition, à chaque venue de la Vierge, Satan perd un peu plus de son pouvoir.

« C'est pourquoi il est devenu si agressif » expliqua la Gospa à Mirjana.

Les fidèles peuvent réciter la prière à saint Michel Archange, que le Pape Léon XIII a recommandé de dire après la messe : « *Très glorieux Prince des armées célestes, saint Michel Archange, défendez-nous dans le combat, contre les principautés et les puissances, contre les chefs de ce monde de ténèbres, contre les esprits de malice répandus dans les airs. Venez en aide aux hommes que Dieu a faits à son image et à sa ressemblance, et rachetés à si haut prix de la tyrannie du démon. C'est vous que la sainte Église vénère comme son gardien et son protecteur : vous à qui le Seigneur a confié les âmes rachetées, pour les introduire dans la céleste félicité. Conjurez le Dieu de paix qu'il écrase Satan sous nos pieds, afin de lui enlever tout pouvoir de retenir encore les hommes captifs, et de nuire à l'Église. Présentez au Très-Haut nos prières, afin que, bien vite, descendent sur nous les miséricordes du Seigneur ; et saisissez vous-même l'antique serpent, qui n'est autre que le diable ou Satan, pour le précipiter enchaîné dans les abîmes, en sorte qu'il ne puisse plus jamais séduire les nations.* »

---

[1] Jean Guitton « *Portrait de Marthe Robin* » (p. 101) Éditions Grasset, 1986.

En 1995, le Pape Jean-Paul II a lui aussi recomandé que l'on récite cette prière après la messe.

Il existe aussi une prière très puissante où l'on invoque Marie comme Maîtresse des anges. Le Pape Pie X a donné son imprimatur le 8 juin 1908 :

« Auguste Reine des cieux et Maîtresse des anges, vous qui avez reçu de Dieu le pouvoir et la mission d'écraser la tête de Satan, nous vous le demandons humblement, envoyez les légions célestes pour que, sous vos ordres, elles poursuivent les démons, les combattent partout, répriment leur audace et les refoulent dans l'abîme. Qui est comme Dieu ? O bonne et tendre Mère, vous serez toujours notre amour et notre espérance. O divine Mère, envoyez les saints anges pour me défendre et repousser loin de moi le cruel ennemi. Saints anges et archanges, défendez-nous, gardez-nous. »

Message du 25 février 1994

« Chers enfants, aujourd'hui je vous remercie de vos prières. Vous tous m'avez aidée pour que cette guerre s'arrête le plus tôt possible. Je suis proche de vous, et prie pour chacun de vous. Je vous en prie : priez, priez, priez.

Par la prière uniquement nous pouvons vaincre le mal et protéger tout ce que Satan veut détruire dans vos vies. Je suis votre Mère, et je vous aime tous de la même façon, et j'intercède pour vous auprès de Dieu. Merci d'avoir répondu à mon appel. »

UN DÉLICIEUX DÎNER !

Bernadette C. avait eu huit enfants et ceux-ci étaient encore petits quand la guerre éclata en 1939. Le drame arriva lorsqu'Olivier, son mari, fut capturé par le nazis en 1940 puis emmené en Allemagne dans des camps de concentration.

Se trouvant seule pour nourrir et élever ses enfants, Bernadette n'en pouvait plus de fatigue et de chagrin, d'autant plus qu'elle était absolument sans nouvelles de son mari. Cela la minait jour après jour et seule sa grande foi en Dieu lui permettait d'assumer sa tâche et de survivre. Bien sûr, elle craignait le pire pour son mari : était-il mort ? à la torture ? affamé et squelettique dans un bunker ou au fond d'une cave ?

En 1943, à bout de forces, elle entend parler de Marthe Robin et du Foyer de Charité de Châteauneuf-de-Galaure (Drôme) qui à l'époque était encore en construction[1]. Elle décide alors d'aller voir Marthe, et entreprend un long voyage en train, changeant plusieurs fois de gare car elle habite à des centaines de kilomètres de là. Elle mettait tout son espoir dans cette rencontre car, se disait-elle, seule une sainte de cette trempe-là pourrait lui porter secours. Dans le train, elle formule la demande qu'elle ferait à Marthe. Ecrasée par les mille et une tâches matérielles de la maison, absorbée sans répit par la cuisine, le linge, le ménage et, bien sûr, le souci constant de trouver l'argent minimum pour survivre avec ses petits, Bernadette n'a plus, à son grand regret, la possibilité de prendre les longs temps de recueillement et de prière qu'elle aimait tant.

Elle est assoiffée de Dieu. Elle demandera à Marthe comment prier malgré les circonstances actuelles, et profitera à fond de cette retraite pour se plonger en Dieu comme jamais auparavant.

Épuisée mais pleine d'espérance, elle arrive à Châteauneuf et s'inscrit sur la liste des retraitants qui désirent être reçus par Marthe. Dès le premier jour, elle est convoquée à *La Ferme* pour dix minutes d'entretien avec Marthe. En chemin, elle se répète les mots de ses questions et se prépare à exprimer toute sa détresse de trois ans de séparation sans nouvelles. Elle entre, le cœur battant, dans la chambre de Marthe où il fait noir comme dans un four. A peine assise sur la petite chaise au pied du lit de Marthe, elle se présente et n'a pas le loisir de placer un seul mot car, aussitôt, Marthe enchaîne sur la ferme, les enfants, les petits plats mijotés, les tâches domestiques... bref, exactement ce que Bernadette n'a pas envie d'entendre ! Et pas un mot sur la prière Les dix minutes passent ainsi quand soudain, juste avant la fin de l'entretien, Marthe s'écrie :

- Oh, voilà ce que vous allez faire : vous allez vite rentrer chez vous et, arrivée à la maison, vous allez dresser une table de fête et préparer un délicieux repas pour vos enfants !

Le choc est rude pour Bernadette qui prononce d'une voix blanche le « *Je vous salue Marie* » qui clôt la rencontre.

---

[1] Ce foyer continue à proposer des retraites. Foyer de Charité, BP 11 - 26 330 Châteauneuf-de-Galaure. Tél : 04 75 68 79 00.

La mort dans l'âme, elle prépare ses paquets et refait le chemin inverse, attendant de longues heures dans les mêmes gares et se demandant bien pourquoi elle avait tant investi dans un voyage aussi décevant. Si seulement elle avait pu vivre ces cinq jours de retraite, mais même cela ne lui avait pas été accordé. Son lot est décidément de replonger dans ses casseroles et de renoncer aux horizons spirituels dont elle rêve. Elle se disait : « Ce n'était pas la peine de faire un si long voyage et d'aller voir une si grande sainte pour s'entendre dire qu'il faut faire de la bonne cuisine ! Surtout quand on n'a même pas l'argent nécessaire pour cela. »

Mais Bernadette obéit, et rassemble tout son maigre avoir pour préparer le dîner de fête. Puis les enfants se mettent à table avec elle.

Au cours du repas, la sonnette retentit, la porte s'ouvre. C'est son mari qui revient d'Allemagne ! Il est vivant !

- Tiens justement, on a préparé un repas de fête !

Message du 25 mars 1994

« Chers enfants, aujourd'hui je me réjouis avec vous, et je vous invite à vous ouvrir à moi et à devenir instruments entre mes mains pour le salut du monde. Je désire, petits enfants, que vous tous qui avez senti l'odeur de la sainteté à travers ces messages que je vous donne, vous la portiez à ce monde affamé de Dieu et de l'amour de Dieu.

Je vous remercie tous, qui avez répondu si nombreux, et je vous bénis de ma bénédiction maternelle. Merci d'avoir répondu à mon appel. »

TOUT EST BON POUR SAUVER !

N'ayons pas peur de glisser les messages de Marie aussi dans nos lettres. Un pèlerin français m'a raconté qu'il était condamné à devenir aveugle, à cause d'un glaucome et d'une opération ratée. Sa souffrance était grande quand il reçoit au courrier une image de la Gospa avec cette phrase : « _Si vous saviez combien je vous aime, vous pleureriez de joie !_ » Un cri de douleur jaillit alors de son cœur : « Ton amour, c'est le moment de me le montrer ! J'ai mal ! »

Dans l'heure qui suit, sa vue redevient quasi normale et son décollement choroïdien disparaît complètement !

Ce frère venait peu de temps après à Medjugorje pour rendre grâce, d'autant plus que cette guérison entraîna peu à peu la conversion de sa famille, et... c'était des durs ! Voilà le cheminement d'un simple message.

On ne sait jamais où la Gospa va viser ses nouvelles conquêtes, ni quel stratagème elle va inventer pour ramasser ceux de ses enfants qui ne sont jamais rejoints par l'Église. Pour cela, tout lui est bon ! Une amie qui guide des pèlerinages me raconte :

- Madame X, de la banlieue parisienne, part à la foire pour se distraire avec quelques amis. Elle tombe sur un stand où l'on peut pêcher à la ligne, et en guise de poissons, le forain a placé des petits paquets enveloppés de papier cadeau. La dame attrape une canne à pêche et tente sa chance... sur quoi va-t-elle tomber ? Et voilà que son hameçon lui rapporte un petit paquet dur et plat. C'est une cassette sur Medjugorje ! (« *Les 24 heures de la Gospa* » avec des listes de pèlerinages). Elle n'avait jamais entendu parler de Medjugorje. De retour chez elle, elle écoute la mystérieuse cassette et la Vierge la touche si fort qu'elle expérimente un véritable *coup de cœur*.

Lorsqu'elle appela mon amie pour se joindre à un pèlerinage, sa vie avait déjà pris un tournant à angle droit avec Marie, et une joie inconnue jusqu'alors avait envahi son existence.

Oui, un cœur imaginatif doté d'une main active avait placé une petite cartouche d'amour dans un stand de foire. Ce cœur ne saura qu'au ciel à qui la Gospa la destinait !

Message du 25 avril 1994

« Chers enfants, aujourd'hui, je vous invite tous à vous décider à prier à mon intention. Petits enfants, j'invite chacun de vous à aider à la réalisation de mon plan à travers cette paroisse. Maintenant, de manière spéciale, je vous invite, petits enfants, à vous décider à cheminer sur la voie de la sainteté. Seulement de cette manière vous serez proches de moi.

Je vous aime et je désire vous conduire tous avec moi au paradis. Mais, si vous ne priez pas et si vous n'êtes ni humbles ni obéissants aux messages que je vous donne, je ne peux pas vous aider. Merci d'avoir répondu à mon appel. »

CE SOIR, ILS PEUVENT ME TOUCHER !

Marija aime raconter cette histoire car, pour tout le village de Medjugorje, elle fut un changement radical.

Nous sommes en août 1981, un été « chaud » à tous points de vue car la canicule n'a rien à envier au bouillonnement qui agite le cerveau des miliciens communistes. En effet, voilà que des « feux » s'allument sur la colline des apparitions et disparaissent lorsqu'on s'en approche sans laisser aucune trace... ! Et les enfants disent que ce sont des « feux surnaturels », des signes donnés par la Gospa ! Mais jusqu'où vont-ils aller ? Et la croix de Krizevac que tout le monde a vu tourner et danser... la voilà maintenant qui disparaît pour faire place à un grand brasier ! Le village ne parle plus que de ça... Et les miliciens de penser : « De quoi on a l'air, nous les communistes, qu'est-ce qui est en train de nous tomber sur la tête ?! »

- Votre Gospa, disent-ils aux voyants, c'est contre nous qu'elle en a ! Elle veut nous détruire !

- Pour des athées, c'est bien vu, pense le Père Jozo sans le dire (il se rattrapera plus tard). C'est tout à fait ça : la Gospa est venue libérer notre peuple du joug communiste. Elle a entendu nos prières et elle a un plan pour détruire l'empire du Mensonge et rendre à Dieu ses captifs. Les démons n'ont-ils pas tremblé, eux aussi, à la venue de Jésus ? « Que nous veux-tu, Jésus de Nazareth, es-tu venu pour nous perdre ? » Oui, les communistes ont compris juste, notre Gospa est plus forte qu'eux...

D'ailleurs, personne ne pourra faire taire les voyants. L'ordre formel leur a pourtant été donné de déclarer qu'ils n'ont rien vu, qu'ils ont menti de A à Z et qu'ils resteront dorénavant bouche cousue ; mais rien n'y fait ! Vicka est la plus terrible. Sommée de rester chez elle et de se faire oublier, elle monte sur le toit de sa maison pour clamer les derniers messages de la Gospa, avec les décibels qu'on lui connaît... pas besoin de haut-parleur ! Pour rien au monde elle ne se déroberait à la mission que la Gospa lui a confiée comme aux cinq autres : « *Dites au peuple que...* »

Les miliciens qui gardent sa maison n'en peuvent plus. Ajoutez à cela que quelques-uns se convertissent à la voix de leur Mère qui transperce leurs cœurs parfois mal blindés... Mais ceux-ci sont bien vite « déplacés » et envoyés très loin à Zagreb, Sarajevo ou... en prison !

Comme les voyants ne se taisent pas, les miliciens décident d'interdire la colline au peuple. Des cordons sont déployés au pied de Podbrdo, ainsi les foules ne pourront plus se rendre par milliers là-haut pour l'apparition quotidienne.

Mais la Gospa est une « Vierge sage », elle avait prévu le verdict et elle s'est donc organisée en fonction de ses fils miliciens.

- *Demain*, dit-elle aux voyants, *j'apparaîtrai dans le champ de Gumno. Dites aux villageois de vous y accompagner.*

Le soleil d'août est encore bien haut dans le ciel lorsque la Gospa apparaît à ses enfants, vers 18 h 40.

- *Aujourd'hui*, dit-elle aux voyants, *tous ceux qui le veulent peuvent venir me toucher.*

- Mais, répondent les voyants, comment les gens peuvent-ils venir te toucher alors qu'ils ne te voient pas ! On est les seuls à te voir !

- *Allez les chercher et amenez-les vous-mêmes à moi. Alors ils pourront me toucher.*

C'est nouveau..., les voyants, étonnés, s'exécutent[1]. Ils expliquent alors aux villageois le cadeau que leur propose la Gospa, et les aident un à un à s'approcher d'Elle.

Avec une stupeur émerveillée, guidés par les voyants, les villageois posent leur main sur l'épaule de la Vierge, sur sa tête, sur son voile ou

---

[1] A l'époque, le degré d'extase n'était sans doute pas le même, car ils pouvaient garder une certaine conscience du monde extérieur pendant l'apparition.

sur ses bras... Et chacun ressent sa présence tout à fait réelle, sans toutefois la voir ni l'entendre. Certains ressentent même une chaleur à son contact, d'autres du froid, d'autres encore quelque chose comme de l'électricité, un courant indéfinissable. L'émotion est vive, inoubliable !

Alors que cette scène des plus incroyables se déroule, les voyants remarquent que des taches apparaissent sur la robe de la Sainte Vierge. Les taches prennent peu à peu de l'ampleur, à tel point que la robe devient vraiment sale... Et une grande tristesse assombrit le visage de la Gospa.

Rien ne va plus ! Ce n'est pas normal ! Les voyants se troublent.

- Gospa ! Ta robe est devenue toute sale !

- *Ce sont les péchés de ceux qui me touchent,* répond-elle humblement !

Comme tous les enfants, les voyants sont catégoriques. En plus, ils sont croates et amoureux de leur Reine. Les choses de Dieu sont saintes, pas question de les salir...

- Arrêtez de toucher la Gospa, crient-ils aux villageois, arrêtez !

C'est alors que la Vierge leur parla très sérieusement de la confession, de la nécessité de la confession pour chacun. *« Il n'y a personne sur la terre qui n'ait besoin de se confesser au moins une fois par mois »,* explique-t-elle.

Un homme s'écrie :

- Allons tous nous confesser pour nous purifier !

Ce soir-là, une vague de pécheurs déferla sur la paroisse, une vague si grosse que le pauvre Père Jozo faillit en perdre son latin ! Il dut faire appel à ses confrères des villages voisins pour répondre aux demandes de confession. Ce soir-là, la miséricorde coula à flots. La démonstration de la Gospa, dans tout l'éclat de sa simplicité, avait su toucher les cœurs de ses enfants plus profondément qu'aucun long discours.

Depuis lors, Medjugorje ne désemplit pas de pécheurs en quête de pardon, si bien qu'on lui attribue un vocable bien mérité.

Medjugorje ? *Le confessionnal du monde.*

Message du 25 mai 1994

« Chers enfants, je vous invite tous à avoir davantage confiance en moi et à vivre plus profondément mes messages. Je suis avec vous et j'intercède pour vous auprès de Dieu. Mais j'attends aussi que vos cœurs s'ouvrent à mes messages.

Réjouissez-vous parce que Dieu vous aime et vous donne chaque jour la possibilité de vous convertir et de croire davantage en Dieu-Créateur. Merci d'avoir répondu à mon appel. »

PAS DE VISION POUR FRANJO ?

Mon ami Franjo est un homme qui n'a pas les deux pieds dans le même sabot, et il conduit sa barque avec beaucoup de sagesse : tantôt aux champs pour les durs travaux agricoles, tantôt chez lui pour y recevoir des pèlerins ; le baromètre de son humeur reste égal et plutôt haut. Lorsque la Gospa fit son entrée dans son village la première fois, il finissait à peine son adolescence, et il comprit vite qu'avec elle, sa vie ne serait plus jamais la même.

Franjo ne s'en laisse pas facilement conter. Durant toute son enfance, il a souffert de la faim et il a dû se battre durement pour tout simplement survivre, lui et toute sa famille. Avant d'adhérer à une nouvelle, si attirante soit-elle, il vérifie et prend son temps.

Un soir, Franjo m'ouvre son cœur, et me livre un des plus beaux témoignages du village, le voici en quelques mots :

Depuis un mois (depuis le deuxième jour des apparitions), le village a adopté un nouveau rythme. Tout le monde va à l'église tous les jours, et il n'est pas rare que quelque chose se passe...

Un soir, Franjo se sent nettement mal à l'aise. En effet, les membres de sa famille et ses voisins se sont attroupés sur le petit chemin qui mène à l'église, leurs regards fixés vers le ciel, visiblement captivés par un fait étrange qu'ils contemplent avec une joie sans mélange. De leur bouche s'échappent des exclamations de surprise. Tous voient quelque chose, sauf Franjo. Il a beau regarder dans la même direction : rien à l'horizon !

Dans les maisons, on se raconte encore tard le soir tous les détails de ce phénomène. Le soleil s'est mis à danser, laissant jaillir des traits de différentes couleurs aux teintes si belles qu'on ne peut les décrire. Il s'avançait vers le petit groupe puis reculait, comme dans un battement de cœur, et parfois une silhouette féminine se laissait voir près de lui. Franjo écoute les récits en souriant un peu jaune et découvre qu'il est bien le seul à n'avoir rien vu. Quelle frustration ! Pourquoi pas lui ? Est-ce que la Gospa le bouderait ? Le lendemain, la même chose se reproduit à un autre tournant du chemin et, à nouveau, Franjo est le seul à ne rien voir. Il rentre alors en lui-même, repasse sa vie dans sa tête pour la soumettre à un sincère examen-radio sous les rayons de l'Évangile, et il y découvre des péchés qu'il n'avait encore jamais avoués. Un combat intérieur s'engage alors. Va-t-il avoir le courage d'aller dire cela à un prêtre ? L'extraordinaire grâce de lumière apportée au village par la venue de la Gospa finit par l'emporter : Franjo va se confesser, il raconte tout, il libère sa conscience de tout ce qui pesait sur elle[1].

Ce soir-là, pour la troisième fois, tout près de l'église, la petite troupe s'arrête net sur le chemin : le soleil danse à nouveau ! Et, cette fois-ci, une croix de gloire apparaît aussi ! Franjo lève timidement les yeux et... il voit ! Tout est clair devant ses yeux ! Il participe aux exclamations de tous et son cœur jubile.

- Franjo, lui demandai-je, comment expliques-tu cela ?

- La confession ! c'est la confession ! répond-il humblement mais avec assurance. Mes péchés m'empêchaient de voir. Après la confession, le voile est tombé de mes yeux...

---

[1] Le saint Curé d'Ars parlait de la confession avec beaucoup de réalisme. Certains pénitents n'osaient pas tout avouer en confession, et il s'en apercevait (comme le Padre Pio qui lisait dans les consciences). Alors il lança dans une homélie : « *Les péchés que nous cachons reparaîtront tous. Pour bien cacher ses péchés, il faut bien les confesser !* »

Message du 25 juin 1994
(13ème anniversaire des apparitions)

« *Chers enfants, aujourd'hui je me réjouis dans mon cœur en vous regardant tous, présents ici. Je vous bénis et je vopus appelle tous à vous décider à vivre les messages que je vous donne ici. Je désire, petits enfants, vous mener tous à Jésus, car il est votre Salut.*

C'est pourquoi, petits enfants, plus vous prierez, plus vous serez à moi et à mon Fils Jésus. Je vous bénis tous de ma bénédiction maternelle. Merci d'avoir répondu à mon appel. »

DEUX CONTRATS POUR LE BONHEUR

Jelena Vasilj est très heureuse à Rome, où elle poursuit sa théologie à l'Université Dominicaine de l'Angelicum. Elle impressionne toujours ceux qui l'écoutent par sa sagesse et sa grande profondeur. A ma question :

- Qu'est-ce que la Gospa t'enseigne ces temps-ci (à travers tes locutions) ?

Elle répondit :

- Dieu est présent dans chaque détail de notre vie, dans la moindre action de notre journée, dans les choses les plus matérielles et apparemment insignifiantes. Il se donne totalement à chaque seconde, et nous avons tort de coincer notre accueil et notre relation avec lui dans des horaires à part. Il faut des temps où l'on s'arrête pour lui, bien sûr, mais ne manquons pas de lui être ouverts à chaque seconde, nous serons ainsi enrichis par le don constant de lui-même, et le plus petit instant prendra une immense valeur. C'est ce que vivait la Vierge sur la terre : une communion permanente avec lui.

Jelena a maintenant vingt-quatre ans et n'a pas encore décidé la direction de sa vie.

- L'important, dit-elle, est que je sois complètement dans le présent. Je ne m'inquiète en rien de l'avenir, car Dieu le connaît. Que je me marie ou pas, cela n'a pas d'importance pour moi, ce n'est pas un souci car Dieu comble totalement mon cœur. Toute femme est appelée à la maternité, et à se donner par amour, c'est la plus belle chose pour elle ; mais il y a mille manières de vivre cette maternité, pas seulement dans la chair. J'apprends de Marie à être mère des âmes, même devant mes bouquins ! Le monde ne comprend pas cela, et pourtant il meurt du manque de maternité...

L'abandon à Dieu ? Un contrat sûr... !

Un autre type de contrat m'a éblouie récemment, voici comment les choses se sont passées :

Marija recevait ce jour-là une foule compacte, et son amie Kat avait à peine l'espace nécessaire à ses côtés pour la traduire. Tandis qu'elle parcourait du regard tous les pèlerins, elle fut soudain flashée par un visage qui tranchait complètement sur les autres, un visage si lumineux qu'il irradiait comme un soleil au milieu de la grisaille. La joie ! Une joie indicible coulait de ce visage et Kat avait du mal à se concentrer sur sa traduction. Jamais vu une joie semblable ! Pourtant, l'homme se tenait humblement au fond, contre le mur, et rien dans son aspect extérieur ne pouvait le rendre remarquable.

Dès que Marija eut fini son topo, Kat la laissa sans scrupule aux prises avec ses chérubins de pèlerins avides de photos, d'autographes et *tutti quanti*, et elle fonça vers ce soleil qui brillait près du mur.

C'était un prêtre minuscule, haut comme trois pommes, et tellement âgé qu'il semblait dater du siècle passé !

- Mon Père, pardonnez ma question, si elle est indiscrète, mais j'aimerais bien savoir pourquoi vous êtes dans une telle joie. Vous devez avoir un secret...

Le prêtre venait d'Italie, et Kat observa ses yeux de plus près : malgré son grand âge, il avait le regard innocent d'un tout petit enfant.

- Je vais vous le dire, Mademoiselle. J'ai quatre-vingt quinze ans. Lorsque j'avais cinq ans, je m'aperçus avec tristesse que les gens se plaignaient tout le temps, pour un oui, pour un non, et cela me choqua. Je sentis aussi que Jésus était peiné par cela. Alors, je fis un contrat avec lui et lui fis la promesse que, durant les cent premières années de ma vie, je ne me plaindrais jamais ; qu'au contraire, je le glorifierais pour tout, les choses bonnes comme les désagréables, et que je célèbrerai toujours le don de la vie. Et je dois dire, Mademoiselle, que j'ai tenu ma promesse. Et, durant toutes ces années où j'ai célébré la vie, le mal n'a pas pu me toucher, j'ai évité tous les démons !

- Incroyable ! Mais, si vous avez quatre-vingt quinze ans, votre contrat va bientôt expirer ! reprit Kat en riant.

- J'y ai pensé l'autre jour... Alors, j'ai dit à Jésus que j'étais prêt à renouveler le contrat pour les cent prochaines années de ma vie !

Message du 25 juillet 1994

« *Chers enfants, aujourd'hui je vous invite à vous décider à consacrer patiemment du temps à la prière. Petits enfants, vous ne pouvez pas dire que vous êtes à moi et que vous avez fait l'expérience de la conversion à travers mes messages si vous n'êtes pas prêts à donner chaque jour du temps à Dieu.*

Je suis proche de vous et je vous bénis tous. Petits enfants, n'oubliez pas que si vous ne priez pas, vous n'êtes proches ni de moi ni de l'Esprit Saint qui vous conduit sur le chemin de la sainteté. Merci d'avoir répondu à mon appel. »

LES APPARITIONS DE NUIT

Les années 80 ont vu « l'âge d'or » des apparitions de nuit sur la montagne avec le groupe de prière des jeunes du village, sous la houlette de Marija et d'Ivan. Un jour, Marija et Ivan décidèrent d'aller passer une soirée de prière sur la montagne avec quelques autres jeunes. Leur but ? remercier la Gospa pour ses apparitions. Cette initiative s'était reproduite deux ou trois fois, lorsqu'un soir, de façon inattendue, la Gospa apparut aux trois voyants présents, sur la montagne. Elle voulait ainsi les remercier et leur montrer combien elle était sensible à leur action de grâce. On ne comprendra jamais assez à quel point la Vierge est touchée par nos moindres petits geste gratuits envers elle. Elle leur promit de revenir ainsi, la nuit, sur la montagne, pour les former ; et ainsi se constitua le groupe de prière de Marija et Ivan. La Vierge indiqua elle-même le nom des membres, et leur nombre : seize, en comptant Ivan. Souvent, Vicka se joignait à eux avec sa sœur Ana, son beau-frère Nedjo et d'autres, qui devinrent les piliers de ce groupe, guidé plus spécifiquement par Ivan. Trois soirs par semaine, le groupe priait au moins deux heures sur Krizevac, parfois sur Podbrdo, et vers la fin de la rencontre la Vierge apparaissait aux voyants. Ivan transmettait alors au groupe les consignes de son *berger céleste*. Le lieu et l'heure de cette apparition étaient convenus la veille par la Vierge avec Ivan, lors de l'apparition quotidienne. Parfois, la Gospa demandait à Ivan de réunir le groupe dans une maison et non sur la montagne, elle le prévenait que la Milice les attendait là-haut.

Hiver comme été, par tous les temps, ces jeunes répondaient à l'invitation de Marie. Ni le vent glacial de décembre, ni les pluies torrentielles de mars n'empêchaient la Gospa de faire grimper ses supporters en pleine nuit ! Souvent, elle convenait avec les voyants que les pèlerins pourraient se joindre au groupe, ce qui est encore le cas aujourd'hui. Parfois, des dizaines de milliers de personnes recouvrent la montagne, c'est très impressionnant.

Le but de Marie n'était pas, comme les critères de l'efficacité humaine l'auraient supposé, de chercher à agrandir le groupe pour toucher de plus en plus de jeunes. Non ; une fois de plus elle démontrait que ses plans ne sont pas les nôtres. Elle voulait former une sorte de « commando » à elle, formé de longues années à son école et, si le village donnait seize saints à l'Église, à travers ce petit groupe, là se situerait la véritable efficacité vue du côté de Dieu.

A l'aube des années 90, lorsque je suis arrivée à Medjugorje, j'ai vite compris que cette réalité créée de toutes pièces par la Gospa représentait un élément majeur, central et sans doute parmi les plus beaux de son plan secret pour Medjugorje. Nous avons là un événement unique dans l'histoire ! Réalité toute humble, certes : Ivan est d'un naturel timide, le groupe ne comprend que des jeunes du village (et certains sont souvent absents car mariés ailleurs...), l'animation des chants est totalement artisanale, il n'y a pas de prêtre, le rendez-vous n'est jamais annoncé aux pèlerins dans l'église... Pauvreté en tout, ressentie concrètement au niveau des genoux lorsqu'il faut les poser en équilibre sur des pierres pointues, entre les pieds du voisin de devant, le parapluie de la dame de gauche, le sac à dos du grand-père de droite... Mais quelle joie pour la Gospa de nous voir ainsi autour d'elle, la Mère de tous ! *« Je suis heureuse de vous voir ce soir en si grand nombre »* dit-elle souvent.

Elle est heureuse, mais pour nous aussi c'est le ciel. Nulle part ailleurs je n'ai ressenti avec une telle acuité la proximité du ciel, son atmosphère, ses parfums, sa consistance, ce *je ne sais quoi* qui nous transporte hors du temps et de l'espace et nous immerge dans la plénitude de Dieu. On a là le vrai Medjugorje, non retouché.

Un épisode touchant me revient :

Un soir, Vicka remplaçait Ivan, parti en Amérique. Elle avait escaladé Krizevac au pas de charge, en bonne maquisarde d'Herzégovine qu'elle est, et la voilà devant la croix, s'entretenant avec la Gospa au cours de l'apparition. Elle m'avait demandé de traduire le message pour les pèlerins, je m'étais donc placée à ses côtés et pouvais l'observer à mon aise. La conversation allait bon train (je ne peux mimer ici les expressions et gestes de Vicka, mais ils sont sur vidéo). Cela dura bien vingt minutes. Lorsque Vicka donna le message en croate, il tenait en une phrase : *« Chers enfants, à la maison, priez les mystères joyeux devant la croix, et priez à mes intentions. »*

Je dis à Vicka : « C'est tout ? Mais, la Gospa t'a dit beaucoup plus de choses ! » Sa réponse m'enchanta :

- D'abord, la Gospa a prié puis elle a donné le message. Et après, *abbiamo parlato delle cose nostre* (nous avons parlé de nos choses à nous).

De quelles « choses » s'agit-il ? Je n'ai rien voulu demander, mais l'extraordinaire lien d'intimité qui lie désormais ces voyants avec la Mère de Dieu, après quinze ans d'apparitions, est prodigieux. Vicka est la plus « paysanne » des voyants, certains pourraient la regarder de haut à cause des limites de son vocabulaire ou de sa très mauvaise grammaire. Mais la Reine du monde prend plaisir à venir s'entretenir avec elle des choses de tous les jours et, sans doute, des « affaires courantes » du ciel !

Ce lui est un besoin d'amour.

Message du 25 août 1994

« Chers enfants, aujourd'hui je m'unis à vous d'une manière particulière, priant pour le don de la présence de mon fils bien-aimé dans votre patrie. Priez, petits enfants, pour la santé du plus cher de mes fils qui souffre et que j'ai choisi pour ces temps. Je prie et j'intercède auprès de mon Fils Jésus, afin que se réalise le rêve qu'avaient vos pères.

Priez, petits enfants, de manière particulière, car Satan est fort et veut détruire l'espérance dans vos cœurs. Je vous bénis. Merci d'avoir répondu à mon appel. »

À TABLE AVEC JEAN-PAUL II

Rome, le 24 novembre 1993. Tous les évêques de la CEDOI[1] déjeunent avec le Saint-Père, à l'occasion de leur visite *ad limina*. Voici quelques extraits de leur conversation :

---

[1] Conférence Episcopale D'Océan Indien regroupant Maurice, Rodrigues, la Réunion, les Seychelles et les Comores.

Question :

- Dans une visée spirituelle, comment voyez-vous l'enchaînement des apparitions mariales surtout depuis la Rue du Bac, la Salette, Lourdes et jusqu'à Fatima ?

Réponse :

- Quand j'ai rendu visite à Ali Agça en prison il m'a dit : *« Je ne comprends pas comment un tueur professionnel comme moi, qui ne rate pas une cible, a pu vous manquer. Quelle fête il y avait chez vous à cette date, qu'est-ce qui s'est passé ? »*

Je lui ai dit que c'était la fête de Notre-Dame de Fatima. Il m'a alors dit : *« Alors c'est elle qui s'est interposée! »*.

Je lis ce signe dans la Foi et comme une intervention de Marie à ce moment de l'Histoire.

Q - Vous savez qu'en ce qui concerne la consécration de la Russie à Marie, les opinions divergent. Certains estiment que cette consécration demandée par Marie à Fatima a été faite, tandis que d'autres estiment qu'elle ne l'a pas été.

R - J'ai fait cette consécration de la Russie à Marie, et j'ai demandé aux évêques de s'y associer. Certes, je ne l'ai pas mentionnée explicitement, pour des raisons de forme et de perception, mais la consécration a été faite. Sœur Lucie (la voyante) en convient.

Q - Concernant le troisième secret de Fatima lui-même, des journaux ont rapporté que, lors de votre voyage en Autriche, vous aviez affirmé que cela ne servait à rien de le révéler... quand on sait que des morceaux de la planète allaient disparaître et que, dans le contexte de l'affrontement de l'époque (URSS / USA), certains allaient en faire une utilisation politique ?

R - Dans des audiences générales, j'ai entendu des Américains crier plusieurs fois « Consecrate USSR to the Heart of Mary ! » L'utilisation politique aurait été évidente...

Q - Il n'y a alors que la conversion, avec l'arme du chapelet (cf. Autriche) et c'est pour cela que dans *Dives in Misericordia* vous demandez d'implorer la miséricorde divine, même si l'humanité contemporaine méritait pour ses péchés un nouveau « déluge », comme le mérita jadis la génération de Noé[1] ? Ainsi, on comprend que vu les péchés contemporains, seule cette pure miséricorde nous sauvera.

---

[1] Cf. Gn 8, 15.

R - Ça, ça vient de sœur Faustine[1], une mystique polonaise qui a une grande dévotion au cœur de Jésus.
Le plus important c'est bien la conversion avec l'appui de Marie.

Q - Comme dans le message de Medjugorje ?

R - Comme le disait Urs von Balthasar, Marie c'est la Mère qui prévient ses enfants. Pour beaucoup, il y a un problème avec Medjugorje, avec les apparitions qui durent depuis trop longtemps, on ne comprend pas. Mais le message est délivré dans un contexte particulier, il correspond à la situation du pays. Le message insiste sur la paix, sur les relations entre les catholiques, les orthodoxes et les musulmans. *Il y a là une clef pour la compréhension de ce qui se passe dans le monde, pour son avenir.*

* * *

Beaucoup de prêtres et d'évêques se demandent s'il est souhaitable ou non de laisser un témoin de Medjugorje parler dans les églises. Ce fut le cas de Monseigneur Felipe Benites (Asunción, Paraguay) qui, en octobre 1994, voyait se profiler une tournée du Père Slavko en Amérique du Sud. Profitant d'un séjour à Rome, il résolut son problème de la meilleure manière : il s'adressa au pape lui-même. Celui-ci lui répondit sans ambages :

- Autorisez tout ce qui concerne Medjugorje[2].

D'aucuns mettent en doute certaines paroles du Saint-Père citées dans le livret « *Medjugorje face à l'Eglise* », mais cela ne devrait pas poser le moindre problème. Nous avons une règle d'or dans ma communauté : pour toute parole rapportée, sujette à caution, nous allons vérifier auprès de la personne concernée ! En l'occurrence, Jean-Paul II

---

[1] En 1938, Sœur Faustine apprit de Jésus que « *de la Pologne jaillira l'étincelle qui préparera le monde à ma dernière venue* ». La référence au pape polonais est ici évidente (cf. § 1731 du Journal de Sœur Faustine).

[2] J'ai pu vérifier moi-même cette position du pape, le 15 novembre 1996, alors qu'il me recevait en privé avec trente autres personnes. Arrivé à ma hauteur, il fit comme pour chacun un geste de bénédiction en l'air. Je lui dis alors : « J'habite à Medjugorje depuis sept ans, et ma mission est de répandre le message de Medjugorje par des livres, des cassettes, des émissions, des conférences, un peu partout dans le monde. Est-ce que... » A ces mots, son visage s'éclaira, sa main fit un bond sur mon front et il me dit : « Je vous bénis ! » Puis il regarda avec joie mon livre pour les enfants (« *Les enfants, aidez mon Cœur à gagner !* »), et celui sur Medjugorje (« *Medjugorje, la guerre au jour le jour* »), et il me donna une troisième bénédiction ! Plusieurs ministres polonais étaient présents, pourtant je fus la seule à recevoir trois bénédictions.

est encore vivant et Monseigneur Benites aussi. Il serait peu scientifique de publier un doute sans avoir consulté ces personnes au préalable.

Puisque nous sommes avec le Saint-Père, je ne peux vous cacher une anecdote qui m'a beaucoup touchée. Si chacun des voyants porte de façon particulière un aspect de l'intercession pour le monde, Marija a reçu de prier pour les prêtres et les âmes consacrées. Dès le début des apparitions, elle a développé un amour très profond pour le Saint-Père[1], doublé d'un désir incoercible de le voir. Elle répétait à tous (dont la Gospa) : « *Je veux voir le Pape !* ».

Un jour, alors que Jean-Paul II était accueilli par des centaines de milliers de personnes en Amérique du Sud, la Gospa fit une surprise à Marija lors de l'apparition : elle lui montra le pape et Marija le vit « en vrai », parlant à une foule. Sortie de son extase, elle décrivit la scène à quelques proches et leur cita les mots du pape qui parlait de l'attentat du 13 mai 1981 survenu Place Saint-Pierre.

Le lendemain, l'un d'eux tombe sur le journal : la photo de la une reproduisait la description faite la veille par Marija, et le titre reprenait les mots-mêmes du pape qu'elle avait rapportés, à l'heure où il les prononçait...

Quelque temps plus tard, elle put *voir le pape* à Parme, avec un groupe. Il la reconnut, alla vers elle et lui tapota la joue en disant en croate : « *Budi dobra !* » *(Sois bonne !)*.

---

[1] Marija ne cache pas qu'il y a des années, elle a offert sa vie pour le Saint Père (comme Vicka l'a fait pour les pécheurs). Le 1er avril 1997, jour anniversaire de sa naissance, la Gospa lui apparut beaucoup plus longtemps que d'habitude et bien sûr elle embrassa Marija sur la joue, comme elle le fait toujours pour les anniversaires. Marija saisit cette occasion pour renouveler l'offrande de sa vie pour le Saint Père, entre les mains de Marie. Marija se tenait à moins de deux mètres de moi, et je voyais son visage irradié. Puis elle nous expliqua que cette offrande prenait un sens tout particulier, en ces jours où Jean-Paul II vient pour la première fois dans son pays (Sarajevo, Bosnie-Herzégovine). Elle nous confia que la Gospa désirait que nous priions de manière spéciale pour le Saint Père.

Message du 25 septembre 1994

« Chers enfants, je me réjouis avec vous et je vous invite à la prière. Petits enfants, priez à mon intention. Vos prières me sont nécessaires, à travers elles je désire vous rapprocher de Dieu. Il est votre salut. Dieu m'envoie pour vous aider et pour vous mener au paradis qui est votre but.

C'est pourquoi, petits enfants, priez, priez, priez. Merci d'avoir répondu à mon appel. »

MOURIR À MEDJUGORJE, MOURIR AVEC LE CŒUR !

Il y a des petits malins qui, voyant leur grand âge arriver, demandent à la Vierge de pouvoir mourir à Medjugorje. Heureusement qu'elle ne les exauce pas, car c'est un casse-tête épouvantable pour l'hôte croate et une tuile pour le guide du groupe. Certes, on a vu un prêtre très âgé s'écrouler près de l'autel dans l'église, pour achever sans doute sa messe dans le Royaume ; ou cette petite grand-mère partie dans son sommeil, à peine arrivée à Medjugorje. Mais c'est rare et... totalement déconseillé ! (Aucune chance de ressusciter sur la colline des apparitions, votre corps sera tout de suite emmené à Split...)

La solution réside ailleurs. En tant que « Française de la capitale », je pleure comme vous sur la manière inhumaine de traiter les mourants et les morts dans nos villes. Mais, si chacun de nous prend cette tâche à cœur, nous pouvons grandement améliorer la situation. Parmi nous, certains sont maire de leur village, curé, médecin, légiste, ou employé des pompes funèbres, etc... La Gospa saura inspirer à chacun dans la prière les changements à apporter à leur office pour permettre à tous de « mourir avec le cœur », et aux proches de « vivre le deuil avec le cœur ».

Ici, à Medjugorje, les Croates ont su garder une très belle tradition. Dès que quelqu'un meurt, on court prévenir l'église, qui alors sonne le glas. Un prêtre vient aussitôt auprès du défunt et lui donne les sacrements « sous conditions », s'il ne les a pas reçus avant la mort. Lorsque les gens du village entendent les cloches, ils se mettent en prière pour celui qui vient de quitter notre terre. Puis, s'étant informés de son nom, ils viennent visiter la famille et aider aux préparatifs des funérailles. A la messe du soir, le prêtre annonce le décès et toute l'assemblée prie pour le défunt qui sera enterré le lendemain à 15h.

Pendant les 24 heures où le défunt est encore dans sa maison, son corps est exposé dans son cercueil ouvert, pour permettre à tous de le voir une dernière fois et de prier à ses côtés. Des chapelets sont alors égrenés presque non-stop, avec des aspersions d'eau bénite (usage recommandé par la Gospa). Les enfants sont présents comme les adultes, car ici on ne cherche pas à cacher la mort. Lorsque le papa de Marija est mort, Marija entendit sa nièce de quatre ans déclarer à son cousin de trois ans : « Tu sais, nous aussi on sera un jour comme papy, on est tous pareils : on naît, on devient grand, on va à l'école, on se marie, on a des enfants, on devient grand-père et après on meurt et on va au ciel avec Dieu. C'est comme ça ! »

Il y a des scènes bouleversantes. Au cours des 24 heures de veille, chaque membre de la famille s'approche du défunt pour lui déverser spontanément son cœur, son amour comme son chagrin, à haute voix. On lui parle comme à un vivant à qui on fait les plus sublimes confidences, on rassemble le meilleur de soi-même pour le lui exprimer avant qu'il ne quitte la maison. On exprime non seulement la douleur, mais aussi les remerciements pour tout le bien qu'il a fait ; et, même, on remercie Dieu de nous l'avoir donné, puis repris, à l'heure qu'il a choisie. La Gospa a dit : « Ici, j'ai trouvé de vrais croyants », leur manière de vivre la mort est un exemple !

On ne ferme le cercueil que lorsque le prêtre revient pour la sépulture. A nouveau, il prie avec la famille. Puis, commence une longue procession dans les rues, scandée jusqu'au cimetière par le rosaire. Toutes ces prières sont une grande aide pour le défunt ! Au moment de la mise en terre, on n'hésite pas à crier, ça libère le chagrin. Un proche fait une collecte pour offrir des messes. Puis, la vie reprend, car il faut bien se battre pour survivre. Quelle santé !

Étant proche de la nature et, donc, du Créateur, ce peuple n'est pas dépressif. Devant la vie comme devant la mort il dit : « Bogu hvala ! » (Merci à Dieu !)

Nous savons que la plus grande aide que nous puissions offrir à un défunt est la célébration de la messe. Il n'existe pas au monde de plus grand acte d'amour que celui-là. Mais pourquoi attendre que quelqu'un soit enterré pour faire célébrer une messe à son intention ? S'il se convertit avant de mourir grâce aux fruits de la messe, alors il jouira d'une plus grande gloire au ciel, pour toute l'éternité ! Nous n'avons que le temps de la terre pour déterminer notre degré de gloire au ciel car « au soir de la vie nous serons jugés sur l'amour ».

Par ailleurs, beaucoup de malades viennent dans ce « nouveau Lourdes » qu'est Medjugorje et, effectivement, les guérisons y abondent. Même des cancers avancés, des SIDA... mais, là encore, je pleure sur le délaissement spirituel dont souffrent nos malades chez eux. Ils arrivent parfois ici, comme pour tenter leur ultime chance de guérison, après des mois d'analyses médicales, examens, hospitalisations, opérations infructueuses, rechutes douloureuses... etc. Leur parcours de souffrances est souvent terrible. Et, si je leur demande : « Avez-vous reçu le sacrement des malades ? », la majorité me répond : « Ah, non, on ne m'a rien dit là-dessus ! » Quel dommage ! Combien de guérisons n'ont pas eu lieu à cause de cette ignorance !

Tous les malades ne peuvent pas venir à Medjugorje, mais tous peuvent recevoir le sacrement des malades. Pourquoi attendre que le malade soit à l'article de la mort pour lui offrir ce sacrement, alors que celui-ci peut le guérir dès le début des symptômes de la maladie ?[1]

Ce sacrement va aussi aider le malade à vivre en paix son « passage », si la guérison physique n'a pas lieu. Car, à cette heure cruciale où une éternité se joue, Dieu fait tout pour attirer cette âme à lui, mais l'Accusateur aussi risque d'intervenir. Il tentera de faire perdre à cette âme toute confiance en la miséricorde afin de lui fermer les portes du ciel : « C'est trop tard pour toi ! Avec tout ce que tu as fait, tu ne crois quand même pas que Dieu va te pardonner, ce serait trop facile ! » etc.

Beaucoup de familles sont inconscientes du combat spirituel qui saisit alors le mourant[2]. Appeler un prêtre, prier avec ferveur et longuement à

---

[1] D'après des paroles que j'ai recueillies du Père Finet et aussi du Père Bondallaz, Marthe Robin, lorsqu'elle revivait la Passion, voyait parfois Jésus enseigner ses apôtres après l'institution de l'Eucharistie. Selon elle, Jésus leur parlait longuement des sacrements qu'ils auraient à donner, la sainte Messe, le pardon des péchés, et il leur montrait aussi comment préparer le saint Chrème pour l'onction des malades. Il leur parlait de la grandeur et de la dignité du sacerdoce en des termes bouleversants ! Jésus leur expliquait aussi les divers usages du saint Chrème, les prières qu'ils devraient faire en l'appliquant, à quelles parties du corps il fallait l'appliquer et à quelles occasions il devait être employé. Le saint Chrème est un remède efficace dans les maladies de l'âme et du corps (voir les prières du rituel qui sont si belles). Il leur parla aussi de toutes sortes de grâces et de bénédictions pour le malade et pour son entourage. Si Dieu n'accorde pas la guérison au malade, celui-ci pourra quitter la terre sans trouble, ni frayeur. Il aura bénéficé de toute l'aide que l'Église peut lui offrir..

[2] Certains saints ont assisté spirituellement les mourants. Sœur Faustine raconte : « Aujourd'hui, le Seigneur est entré chez moi et m'a dit : « *Ma fille, aide-moi à sauver les âmes. Tu iras chez un pécheur mourant et tu vas réciter ce petit chapelet. Ainsi tu lui obtiendras la confiance en ma Miséricorde, car il est déjà au*

son chevet, l'aider à bien pardonner à ses ennemis, le prévenir avec délicatesse qu'il va bientôt se présenter devant Dieu, voilà les seules marques d'amour qui lui sont désormais utiles.

A Medjugorje, bien souvent, la parenté du mourant s'arrange pour assurer auprès de lui un rosaire non-stop car qui, mieux que Marie, peut monter la garde pour protéger et attendrir une âme, elle qui écrase la tête du Serpent[1] ? Si le mourant est loin, à l'hôpital, cette veille peut s'organiser à la maison. Mais, même à Medjugorje, j'ai parfois été peinée de voir que les proches passaient plus de temps autour d'un bon raki, et d'autres consolations alimentaires, qu'auprès du mourant. Comme Jésus l'avait fait remarquer à Marthe, dans la maison de Lazare, les devoirs de l'hospitalité peuvent être excessifs et nuire au véritable amour.

Comment mourir avec le cœur ? ... En vivant avec le cœur ![2]

---

désespoir. » Soudain, je me suis trouvée dans une chaumière inconnue où un homme âgé agonisait déjà dans de terribles supplices. Autour du lit, il y avait une multitude de démons et la famille qui pleurait. Dès que j'ai commencé à prier, les esprits des ténèbres se sont dispersés avec un sifflement et en me menaçant. Cette âme se tranquillisa et, pleine de confiance, se reposa dans le Seigneur. A cet instant, je me suis retrouvée dans ma chambre. » par Sœur Faustine - Petit Journal, VI. 139, Juin 1938.

[1] Les prières à saint Michel Archange sont aussi très recommandées.

[2] A Medjugorje, aucun voyant n'a peur de la mort. Vicka dit : « Mourir, ce n'est rien, c'est comme passer d'une pièce de la maison à une autre pièce ou même, passer d'un coin de la pièce à un autre ». Il faut dire que, comme Jakov, elle a vu le Ciel avec la Gospa...
En 1986, la Gospa di à Jelena : *« Si vous vous abandonnez à moi, vous ne vous apercevrez pas du passage de cette vie à l'autre vie. Vous commencerez à vivre la vie du Ciel sur terre ».*

Message du 25 octobre 1994

« Chers enfants, je suis avec vous et aujourd'hui je me réjouis de ce que le Très-Haut m'ait fait le don d'être avec vous, de vous enseigner et de vous guider sur le chemin de la perfection. Petits enfants, je désire que vous soyez un merveilleux bouquet que je désire offrir à Dieu pour le jour de la Toussaint.

Je vous invite à vous ouvrir et à vivre en prenant les saints comme exemples. La Mère Église les a choisis afin qu'ils soient une stimulation pour votre vie quotidienne. Merci d'avoir répondu à mon appel. »

UN COMPAGNON TOMBÉ DU CIEL

Ma Communauté (des Béatitudes) a une très belle tradition qui favorise activement son lien avec l'Église du ciel. A l'aube de chaque nouvel an, nous demandons à un saint de nous choisir, et il aura la charge de bien s'occuper de nous durant toute l'année. Il nous protégera, nous soufflera les bons chemins à prendre et nous introduira dans sa grâce propre. Pour savoir quel saint nous a choisi, nous nous réunissons pour prier et, après avoir invoqué l'Esprit Saint, nous faisons passer un panier rempli de petits papiers soigneusement pliés. Des noms de saints y sont inscrits, ainsi qu'une phrase qu'ils ont dite ou une parole qui leur correspond. Chacun reçoit aussi une tâche en lien avec ce saint.

Il est étonnant de constater à quel point les saints prennent à cœur leur ministère à notre égard, chacun selon sa personnalité ! Si quelqu'un ne connaît pas le saint qu'il a tiré, ce sera une occasion de le découvrir et de se laisser enseigner, édifier par ce saint. S'il le connaît déjà un peu, ce sera l'occasion d'en connaître de nouveaux aspects et surtout de le prendre comme compagnon de route.

Il faut savoir que ce sont les saints qui nous choisissent et non pas nous qui les choisissons. C'est rassurant, comme tout ce qui vient d'en-haut !

Bien sûr, nous avons étendu cette tradition à nos visiteurs et amis, à nos familles, et ceux-ci montrent une grande joie à recevoir un saint pour l'année. Une fois de plus, nous avons l'occasion de nous émerveiller devant les agissements de la Providence, car bien souvent l'année ne se termine pas sans que le nouveau compagnon ait réalisé de très belles choses pour son *protégé*. Les exemples ne se comptent plus ! Je n'oublierai jamais cette dame, à Medjugorje, qui avait tiré dans notre chapelle un papier avec Sœur Faustine. Elle ouvrit de grands yeux, un peu déçue de trouver un nom totalement inconnu pour elle. Mais, de retour en France, elle acheta un livre sur elle, et ce fut le flash total ! Tout le message sur la Miséricorde fut pour elle une découverte vitale. L'année suivante, elle revint à Medjugorje et me dit : « Ma sœur, sans l'aide de Sœur Faustine, je ne me serais jamais sortie des événements de cette année. Elle m'a prise par la main et avec elle j'ai pris un tournant radical dans ma vie. Je me demande comment j'ai pu vivre avant ! Maintenant, Jésus est complètement vivant pour moi ! »

Cette tradition a fait tache d'huile, et l'on apprend que dans telle famille, telle paroisse, tel groupe de prière... on passe un petit panier lors des rencontres du nouvel an !

Pourquoi pas dans votre famille ? Pour cela, j'ai rassemblé quelques noms de saints dans les pages suivantes, vous pouvez ainsi les photo-copier et les découper. Ce n'est qu'un petit modèle de lancement, car chacun pourra y ajouter les saints qu'il connaît et enrichir ainsi l'aréo-page céleste[1] qu'il offrira à ses proches !

Ce moyen concret et très personnalisé de développer notre communion avec les saints doit plaire beaucoup à la Vierge, Reine de tous les saints car, à Medjugorje, tout de suite après la Bible, c'est la vie des saints qu'elle nous a recommandé de lire. Dans leurs vies se trouvent des situations, des combats, des problèmes, des chutes même, où chacun de nous peut reconnaître sa propre histoire. Comment ont-ils fait pour vivre la sainteté à travers toutes ces circonstances bien humaines ?

Pour la Vierge, la sainteté n'est pas une théorie fumeuse, lointaine et inaccessible, mais une victoire de l'amour appliquée à chaque moment de notre journée, le plus insignifiant soit-il en apparence. En nous connectant avec ces merveilleux compagnons que sont les saints[2], elle nous guérit là encore de notre manque d'incarnation, autrement dit, de

---

[1] Les noms choisis doivent recouvrir uniquement des personnes qui sont mortes (pas des « saints » que l'on admire et qui sont encore en vie). Ils doivent être reconnus par l'Église, canonisés, bienheureux ou vénérables, ou avoir leur cause déjà introduite à Rome (comme Charles de Foucault, Marthe Robin, etc.).

[2] Écouter les 24 merveilleuses cassettes de Sœur Laure sur les saints (Maria Multimédia).

notre manque de cœur. Comme elle a tissé de ses mains la tunique sans couture de Jésus sur la terre, elle tisse encore tous les moindres liens entre ses enfants du ciel et ceux de la terre, elle tisse l'Église finale. Pour cela elle n'a pas d'autre fil que l'amour, ni d'autre canevas que son cœur.

Chers saints... nos portes vous sont ouvertes !

Saint Pierre Apôtre	**Ste Marguerite-Marie** (Paray le Monial)
« Seigneur, tu sais tout, tu sais bien que je t'aime. » *Prie pour le Saint-Père et le Vatican*	« Je vous conjure de faire votre demeure dans le Sacré-Cœur de Jésus. » *Prie pour ceux qui sont tentés de se suicider*
Sainte Marie de Magdala	**Joseph-Benoît Cottolengo**
« Elle avait apporté un vase de parfum. Se plaçant alors en arrière (de Jésus), tout en pleurs, à ses pieds, elle se mit à lui arroser les pieds de ses larmes ; puis elle les essuyait avec ses cheveux, les couvrait de baisers, les oignait de parfum... » (Lc 7, 37) *Prie pour la conversion des pécheurs*	« Exercez la charité, mais exercez-la avec enthousiasme. Ne vous faites jamais appeler deux fois, soyez prêts. Interrompez n'importe quelle autre activité, même très sainte, et volez en aide aux pauvres. » *Prie pour les malades du corps et du cœur*
Saint Curé d'Ars	**Marthe Robin** (France)
« Il en est qui pleurent de ce qu'ils n'aiment pas Dieu... Eh bien ! ceux-là l'aiment ! » *Prie pour la sainteté des prêtres*	« Jésus, je te remercie, car tu nous prends comme nous sommes et tu nous offres au Père comme tu es. » *Prie pour les vocations sacerdotales*
Sainte Thérèse de l'Enfant-Jésus	**Bienheureuse Sœur Faustine** (Pologne)
« Pour souffrir en paix, il suffit de bien vouloir ce que Jésus veut. » *Prie pour ceux qui vont bientôt mourir*	« Ta misère fait naufrage dans l'abîme de ma Miséricorde. » *Prie pour que les confessionnaux se remplissent*
Sainte Hélène	**Saint Simon de Cyrène**
« O Jésus innocent, ta Croix c'est ma croix. » *Prie pour les enfants que l'on torture*	« C'est la Croix qui te porte, ce n'est pas toi qui la porte. » (Saint Curé d'Ars) *Prie pour les agonisants*

Saint Séraphim de Sarov (Russie)	**Saint Joseph**
« Le vrai but de la vie chrétienne consiste en l'acquisition du Saint-Esprit. » *Prie pour une nouvelle Pentecôte d'amour*	« Tu aimeras le Seigneur ton Dieu de tout ton cœur, de toute ton âme et de tous tes moyens.» (Dt 6, 5) *Prie pour le peuple juif*
Saint Michel Archange	**Sainte Famille de Nazareth**
« Satan est puissant et c'est pour cela que je recherche vos prières pour ceux qui sont sous son influence, pour qu'ils soient sauvés. » (Message de Marie à Medjugorje) *Prie pour les ouvriers du mal*	« Ne crains pas de prendre chez toi Marie ton épouse, car ce qui a été engendré en elle vient de l'Esprit-Saint. » *Prie pour l'unité dans les couples*
Sainte Bernadette	**Saint Jean l'Evangéliste**
« Mes armes sont la prière et le sacrifice, jusqu'à mon dernier soupir. Là seulement, l'arme du sacrifice tombera, mais celle de la prière suivra au ciel. » *Offre des sacrifices à Marie pour ses intentions*	« O Cœur ouvert de Jésus, dévoré d'un amour si pur, dans ta blessure je viens déposer mes blessures et mes manques d'amour. » (Ephraïm) *Prie pour les désespérés*
Sainte Thérèse d'Avila	**St L. M. Grignion de Montfort**
« L'édifice spirituel reposant tout entier sur l'humilité, plus on s'approche de Dieu, plus cette vertu doit grandir. S'il en est autrement, tout est perdu. » *Prie pour les âmes consacrées*	« Plus l'Esprit Saint trouve Marie dans une âme, plus il devient opérant et puissant pour produire Jésus-Christ en cette âme, et cette âme en Jésus-Christ. » *Prie pour les intentions de la Vierge*
Saint Maximilien Kolbe (Pologne)	**Saint Dominique Savio** (Italie)
« L'essentiel n'est pas de beaucoup agir selon notre idée, mais d'être entre les mains de l'Immaculée. » *Prie pour que l'Immaculée règne dans les cœurs*	« Ce que vous faites au plus petit d'entre les miens, c'est à Moi que vous le faites. » *Prie pour que cesse l'avortement*

Saint François d'Assise	Saint Jean-Baptiste
« Je connais Jésus pauvre et crucifié, et cela me suffit. »	« Il faut qu'Il grandisse, et que moi je diminue. »
Prie pour que Jésus soit aimé	*Prie pour les prophètes d'aujourd'hui*
Sainte Thérèse de l'Enfant-Jésus	**Sainte Catherine Labouré**
« On n'a jamais trop confiance dans le Bon Dieu si puissant et si miséricordieux, on obtient de lui autant qu'on en espère. »	« Mon enfant, la croix sera méprisée, on la jettera à terre, on ouvrira à nouveau le Côté de Notre-Seigneur. » (Marie, à la sainte)
Prie pour la sainteté des familles	*Prie pour les ennemis de l'Eglise*
Jacinta de Fatima	**Francisco de Fatima**
« Dis à tout le monde que Dieu nous accorde des grâces par le moyen du Cœur Immaculé de Marie. C'est à elle qu'il faut les demander. »	« Je pense à Dieu qui est si triste à cause de tant de péchés ! J'ai tant de peine qu'il le soit. Je lui offre tous les sacrifices que je peux. Si je pouvais seulement le consoler ! »
Prie pour le triomphe du Cœur Immaculé	*Prie pour les enfants*
Saint Antoine de Padoue	**Sainte Véronique**
« On fait aimer Dieu en aimant comme Il aime. »	« C'est ta Face, Seigneur, que je cherche. »
Prie pour les incroyants	*Console Jésus par l'adoration*
Saint Jean Bosco	**Saint Dominique**
« Les jeunes sont mon grand, mon plus grand espoir. Mais beaucoup de jeunes cherchent le bonheur là où il se perd. » (Marie à Medjugorje)	« Mon Dieu, que vont devenir les pécheurs ? Mon Dieu, aie pitié des pécheurs ! »
Prie pour les jeunes	*Intercède pour les cœurs endurcis*
Sainte Bernadette	**Saint Nicodème**
« Tu voudrais prier comme un saint, je t'invite à prier comme un pauvre. »	« Je suis venu pour les brebis perdues de la maison d'Israël. »
Prie pour les découragés	*Prie pour l'illumination d'Israël*

Saint Vincent de Paul	Charles de Foucault
« Tu as besoin du pauvre que tu aides, autant qu'il a besoin de toi. » *Prie pour avoir la compassion*	« Mon Père, je m'abandonne à toi. Fais de moi ce qu'il te plaira. » *Prie pour la conversion des pécheurs*
Sainte Catherine de Gênes « Chers enfants, je vous demande de prier, de jour en jour, pour les âmes du purgatoire. Par cela, vous aussi, vous obtenez des intercesseurs qui pourront vous aider dans la vie. » (Message de Marie à Medjugorje) *Prie pour les âmes du purgatoire*	**Saint Curé d'Ars** « Mes enfants, on ne peut comprendre le pouvoir d'une âme pure a sur le Bon Dieu : elle en obtient tout ce qu'elle veut. » *Prie pour les prêtres*
Sainte Gertrude (Jésus, à la sainte) « Je désire que mes amis intimes me suivent en cette conduite, en témoignant une plus grande affection à leurs ennemis qu'à leurs bienfaiteurs, parce qu'ils en retireront incomparablement plus de profit. » *Prie pour tes ennemis*	**Bienheureuse sœur Faustine**(Pologne) « Tu feras de grandes choses si tu t'abandonnes entièrement à ma volonté. *« qu'il en soit non point comme je le veux mais selon Ta volonté, O Dieu. »* Sache que ces paroles, prononcées du fond du cœur, transportent l'âme en un instant au sommet de la sainteté. » (Jésus à Sœur Faustine) *Prie pour les prêtres tentés par Satan*
Sainte Mechtilde (Jésus, à la sainte) « Tous ceux qui aiment mes dons chez les autres, recevront le mérite et la même gloire que ceux qui j'ai octroyé ces dons. » *Prie pour les défavorisés*	**Marie Reine de la Paix** « J'ai besoin de toi. Tu es important pour moi. » (Message de Marie à Medjugorje) *Prie pour le plan de Marie à Medjugorje*

Message du 25 novembre 1994

« *Chers enfants, aujourd'hui je vous invite à la prière. Je suis avec vous et je vous aime tous. Je suis votre Mère et je désire que vos cœurs soient semblables à mon Cœur. Petits enfants, sans prière vous ne pouvez pas vivre, ni dire que vous êtes à moi.*

La prière est joie, la prière est ce que désire le cœur humain. C'est pourquoi, petits enfants, rapprochez-vous de mon Cœur Immaculé et vous découvrirez Dieu. Merci d'avoir répondu à mon appel. »

POUR SOURIRE

Une petite fille de six ans entend parler du ciel, du purgatoire et de l'enfer. Elle comprend tout : après la mort, on va dans l'un de ces trois lieux, et c'est important de bien prier pour que tout le monde choisisse d'aller au ciel.

Le lendemain, le sujet revient sur le tapis dans la famille, et elle déclare :

- Eh ben moi, je prie toujours pour trois choses !
- Lesquelles ma chérie ?
- Eh ben pour que personne il va en enfer quand ils sont morts ; et aussi je prie pour tous ceux qui sont dans le purgatoire, pour qu'ils sortent vite et qu'ils vont au ciel...
- Ça ne fait que deux choses. Et la troisième ?
- La troisième, eh ben je prie pour tous ceux qui sont au ciel, pour qu'ils y restent !

* * *

Vicka m'avait raconté que le Vendredi Saint de l'année 1982, elle avait vu Jésus adulte venir avec la Gospa. Je lui pose alors quelques questions sur cette apparition et lui demande, entre autre :

- De quelle couleur sont les cheveux de Jésus, et ses yeux ?
- Il a les cheveux châtains, un peu bouclés avec la raie au milieu, et ses yeux sont châtains aussi.
- Ses yeux sont châtains ? super ! comme les miens !

Alors, elle me regarde droit dans les yeux et, après une observation attentive, conclut :

- Non, beaucoup plus beaux que les tiens !

* * *

Vicka ne s'en laisse pas conter et lorsque l'on exagère, ça peut exploser ! Avant sa maladie, elle avait des réactions très vives, parfois violentes. Maintenant elle est la patience même.

En 1981, alors que les autorités communistes persécutaient la paroisse de mille manières, les voyants furent convoqués à Ljubuski pour y subir de nouveaux tests psychologiques. Il fallait vérifier s'ils étaient « normaux » ou pas...

On les fait asseoir devant une table, et on pose devant chacun d'eux une feuille où est dessinée une table carrée avec seulement trois pieds. Le voyant doit répondre à la question : « Que manque-t-il à cette table ? » Marija écrit avec application : « Il manque un pied », et ainsi font tous les autres voyants... sauf Vicka qui, furieuse de voir qu'une fois de plus on les prend pour des imbéciles, attrape la feuille, la chiffonne avec colère et la balance à travers la pièce. Quant à la tirade qui sortit de sa bouche à ce moment-là, personne ne voulut me la rapporter.

Mais cela ne fut pas perdu pour tout le monde... Marija affirmait en riant à des pèlerins l'autre jour : « dans le village, nous sommes les seuls à posséder des certificats médicaux attestant que nous sommes normaux ! »

* * *

A la messe, Lucie (4 ans) et son frère Vincent (5 ans) écoutent sagement les prières. A un moment donné, Lucie se tourne vers son grand frère et lui demande :

- Vincent, ça veut dire quoi « *Seigneur prend pitié* » ?

Le grand frère, conscient de sa supériorité en matière religieuse, fait comprendre à sa sœur que sa question est naïve.

- Ben ça veut dire « *Kyrie Eleison* », c'est facile !
- Ah bon ! répond la petite sœur, tout à fait rassurée !

* * *

Un soir, la Providence permit que nous nous retrouvions en tout petit comité autour de Marija, et elle se mit à nous raconter *les choses du passé*.

« Dans les premiers temps, nous (les voyants) étions presque toujours ensemble pour l'apparition, sauf Mirjana qui restait à Sarajevo. Mais je dois dire que nous redoutions un peu la présence de Vicka parmi nous, parce que...

Voilà comment les choses se déroulaient : la Gospa arrivait et nous saluait, puis elle nous bénissait en étendant les mains sur nous ; puis venait un moment où nous pouvions lui parler. Alors, toujours dans le même ordre, Ivan commençait comme ça : «*Je te confie toutes les intentions des pèlerins qui sont venus et aussi les malades et les besoins des autres personnes*». Ivanka prenait alors la parole pour dire «*moi aussi je te les confie*», puis à son tour Jakov disait «*moi aussi*», puis moi-même je disais «*moi aussi*». C'est alors que Vicka prenait la parole et se lançait dans un discours qui n'en finissait pas, expliquant à la Gospa tous les détails des situations qu'elle avait rencontrées... «*Et moi, je voudrais te confier la dame italienne qui est venue ce matin ; tu comprends, son fils est très malade, il risque de mourir et alors sa femme est en dépression. En plus, ils n'ont plus d'argent et ne peuvent pas finir de payer la maison, alors le propriétaire veut les en chasser... Ce serait bien que tu guérisses cet homme, c'est sûr que, comme ça, sa femme guérirait aussi et qui sait si, après, il ne pourrait pas retrouver du travail... et je te confie aussi Iva, qui a maintenant 94 ans et ne voit plus clair. Il faudrait qu'elle trouve de l'aide, car hier elle est tombée, elle s'est ouvert le genou, je suis arrivée par hasard, tu aurais vu le sang, ça faisait de la peine, une pauvre vieille abandonnée comme ça, tu pourrais faire quelque chose, surtout qu'elle prie beaucoup, ce n'est pas comme quelqu'un qui...* »

Bref, continue Marija, dès que Vicka commençait, nous savions que nous n'avions plus aucune chance de pouvoir parler avec la Sainte Vierge. Le temps de l'apparition se finissait et nous n'avions rien pu dire...

Or, un jour que la même scène quotidienne se renouvelait, Vicka exposait à la Gospa une intention très longue et elle parlait très vite. Au milieu d'une phrase, elle dut respirer profondément pour reprendre un nouveau souffle... la Gospa profita alors de l'aubaine pour lancer : « *Oce nas* », la prière du *Notre Père* qui marquait la fin de la rencontre. « *Qui es aux cieux...* », renchérirent les autres voyants, tandis que Vicka expirait la grande bouffée d'air qu'elle avait prise pour la suite de l'histoire...

Oui, au ciel, on pratique beaucoup l'humour ! Cela peut en rassurer certains..

Message du 25 décembre 1994

« *Chers enfants, aujourd'hui je me réjouis avec vous et je prie avec vous pour la paix : la paix dans vos cœurs, la paix dans vos familles, la paix dans vos désirs et la paix dans le monde entier.*

Que le Roi de la paix vous bénisse aujourd'hui et vous donne la paix. Je vous bénis et je porte chacun de vous dans mon cœur. Merci d'avoir répondu à mon appel. »

VICKA, UN CAS TRÈS SPÉCIAL...

Pas besoin de referendum ! Parmi les six voyants, Vicka est de loin la préférée, aussi bien des habitants du village que des pèlerins. Par tous les temps, été comme hiver, elle se tient sous la tonnelle de la maison paternelle, redisant inlassablement aux pèlerins de toutes langues les principaux messages de la Gospa. Qui n'a pas touché à son contact la joie du ciel, cette joie qu'elle puise à chaque minute à sa source, en se livrant non-stop au service de sa chère Gospa ? Depuis qu'elle a été très malade (puis guérie miraculeusement), Vicka jouit d'un régime paticulier pour ses apparitions, car la Vierge lui apparaît à une heure différente des autres voyants, en général un peu avant et beaucoup plus longuement. Parfois, lorsque la journée s'annonce chargée ou qu'un voyage est prévu, la Vierge lui apparaît très tôt le matin.

Sa disponibilité et son accueil sont légendaires mais, paradoxalement, personne n'est admis à ses apparitions, qu'elle reçoit chez elle en privé, comme son cousin Jakov. La raison ? Je l'ignore car à toute question (inutile !) de ce genre, Vicka, en bonne Croate, répond en souriant : « C'est comme ça ! »

L'autre jour pourtant, elle m'étonna. Je descendais de la colline et en profitais pour passer devant chez elle, voir si elle était là et lui demander une information. Je la trouvais au prise avec une dame croate qui n'en finissait pas de lui dire et redire ses malheurs, à tel point que Vicka parvenait à peine à glisser de temps à autre : « Je confierai cela à la Gospa » d'un ton qui voulait dire que voilà, on pouvait s'en tenir là. Mon arrivée fut sa délivrance et je lui demandai :

- Est-ce que, cette nuit, la Gospa invite les pèlerins à se joindre au groupe de prière d'Ivan ? (En l'absence d'Ivan, c'est en effet Vicka qui le remplace.)

- Non, pas ce soir, dit-elle en écartant les bras, consciente de me décevoir. Alors, je lui attrapai les mains et me mis à faire le clown en mimant le cœur éconduit...

- Ça y est, la Gospa ne nous aime plus, elle ne veut plus de nous ! ça fait plusieurs semaines qu'elles ne nous a pas invités, elle s'est lassée de nous ; si ça se trouve, on ne sera plus jamais invités... !

Vicka éclata de rire et me dit :

- Attends un peu, j'ai une surprise pour toi !

Comme c'était juste après Noël, je me dis qu'elle voulait me donner une boîte de bonbons apportée par des pèlerins, d'une sorte que les Croates n'aiment pas beaucoup. Mais non, elle me fit signe de remonter avec elle vers la colline et entra avec moi dans la maison de ses parents, à l'étage, dans la *chambre haute*. Seulement alors, je compris : c'était bientôt l'heure de son apparition et elle voulait que je reste avec elle. Incroyable ! C'était la première fois qu'elle m'invitait spontanément.

- Vicka, je ne m'attendais pas à une telle surprise, c'est un merveilleux cadeau de Noël !

- Ah mais, répliqua-t-elle avec le ton d'un enfant malicieux, moi aussi je suis capable de faire des surprises !

Nous nous mîmes à prier le rosaire, au milieu d'un fatras indescriptible. Toute la zone où trônait la statue de Notre-Dame de Lourdes relevait de la caverne d'Ali Baba... des sacs remplis, non pas de colliers mais de rosaires à bénir, des chaînes avec des médailles, des statuettes de toutes tailles et couleurs, pour tous les goûts, des faire-part de mariage, des photos venues de tous les continents, des crucifix, des « saint Joseph » et des « sainte Rita », des « petite » et des « grande Thérèse », des « Padre Pio », des Bibles, et surtout des piles impressionnantes de lettres - des lettres d'amour et de supplication pour la Gospa - où toutes les formes de la souffrance humaine étaient décrites et confiées. (A chacune de ses venues, la Vierge bénit les objets religieux et prie avec le voyant pour les intentions confiées par les pèlerins.)

Vicka se mouvait avec une grande aisance au milieu de son domaine, tandis que moi, je devais bien regarder où je mettais les pieds pour ne pas risquer d'écraser un « Enfant-Jésus » qui se serait faufilé par terre...

A la fin du rosaire, Vicka se tint debout devant la statue près de laquelle la Gospa allait apparaître et commença les 7 *Notre Père*. En une fraction de seconde, son visage s'illumina d'un sourire indescriptible, et ses yeux émerveillés se fixèrent sur celle qui venait d'arriver. Au même moment, elle tomba à genoux très brusquement et un bruit mat me fit penser que les pauvres genoux avaient dû en prendre un coup... l'extase avait commencée ainsi qu'une conversation très animée qui dura 17 minutes. On aurait dit que Vicka n'attendait que ce moment pour pouvoir raconter à sa Mère si tendrement aimée une foule de choses qui lui tenait à cœur. Je me demandais même - que l'on me pardonne - comment la Gospa arrivait à en placer une... !

Dans mon bonheur, je fermai les yeux pour accueillir moi aussi dans mon cœur la Visitation que la Vierge m'offrait ce jour-là de manière si spéciale, bouleversée une fois de plus (on ne s'y habitue pas !) de voir les réalités divines les plus sublimes venir embrasser nos humanités les plus pauvres. Elle est là. Elle a ouvert le ciel pour venir à ce petit rendez-vous d'aujourd'hui chez les Ivankovic, et cette chambre glaciale et mal rangée devient un Thabor. Nos cœurs de misère deviennent des palais en fête !

- La Gospa nous a bénies, me précise Vicka après l'apparition, et elle a prié avec nous. Elle nous demande de prier à ses intentions, et en particulier pour un plan qu'elle est en train de réaliser.

- Et comment était son visage ?

- Joyeux, joyeux !

Nous nous quittons en silence car il nous faut distiller secrètement, au fond de nos cœurs, le bonheur que la Mère de notre Seigneur soit venue jusqu'à nous...

Ce bonheur, plusieurs malades vont le goûter dès ce soir car, avant de s'endormir, Vicka a encore une longue tournée à achever dans le village. Pour ceux qui souffrent, elle a aussi préparé des surprises !

FLASH-BACK SUR 1994

18 mars : Apparition annuelle à Mirjana :

« *Chers enfants, aujourd'hui mon cœur est plein de bonheur. J'aimerais que tous les jours vous vous trouviez vous-mêmes dans la prière comme aujourd'hui, ce grand jour de prière. C'est seulement ainsi que l'on va vers le vrai bonheur, qui comble vraiment l'âme et le corps. Comme Mère, je désire vous aider en cela, permettez-le-moi. A nouveau, je vous dis : ouvrez-moi vos cœurs, et laissez-moi vous guider. Mon chemin mène à Dieu. Je vous appelle à vous mettre en route ensemble, car vous voyez bien vous-mêmes qu'avec notre prière nous détruisons tout mal. Prions et espérons.* »

25 mars : Monseigneur Hnilica célèbre à Medjugorje le 10ème anniversaire de la Consécration du monde et de la Russie au Cœur Immaculé de Marie.

15 avril : Ivan participe à un convoi humanitaire Londres-Medjugorje. Il a ses apparitions devant plusieurs « non-croyants » et des protestants...

2 mai : Grande tournée de Vicka au Canada. A Québec, elle a son apparition dans l'église Saint-Roch, devant deux mille personnes, rompant avec ses habitudes de solitude pour accueillir la Gospa.

Mai-juin : tournage à Medjugorje du film « *Gospa* »... pas un succès !

14 juillet : Naissance de Michaele Lunetti, premier enfant de Marija.

17 juillet : Mariage de Milka Pavlovic, sœur de Marija et voyante du premier jour des apparitions.

25 juillet : Pèlerinage du premier évêque français à Medjugorje, Monseigneur Chabbert, archevêque de Perpignan. Il repart convaincu.

24 août : Ivan rassemble sept mille personnes à Beauraing (Belgique) en présence de Monseigneur Léonard qui témoigne de sa foi dans les apparitions à Medjugorje.

11 septembre : Le Saint-Père est à Zagreb. (Il est empêché de se rendre à Sarajevo.) Marija a son apparition dans la cathédrale, discrètement.

23 octobre : Mariage d'Ivan à Boston (USA), avec Laureen Murphy.

6 décembre : Le Cardinal Vinko Puljic vient à Medjugorje, dans un but d'aide humanitaire, pour sa ville de Sarajevo.

Décembre : Le Père Jozo est déchargé de sa fonction de « gardien » et inaugure de longues tournées de prédication dans le monde.

ANNÉE

1995

Message du 25 janvier 1995

« *Chers enfants, je vous invite à ouvrir la porte de votre cœur à Jésus, comme la fleur s'ouvre au soleil. Jésus désire remplir vos cœurs de paix et de joie. Petits enfants, vous ne pouvez pas réaliser la paix si vous n'êtes pas en paix avec Jésus.*

C'est pourquoi je vous invite à la confession, pour que Jésus soit votre vérité et votre paix. Petits enfants, priez pour avoir la force de réaliser ce que je vous dis. Je suis avec vous et je vous aime. Merci d'avoir répondu à mon appel. »

J'ÉTAIS COUVERT DE BOUTONS

Ce message me rappelle l'histoire de Pascal D. qui, lui, à cette époque, vivait sa vie bien loin de Medjugorje. Et bien loin du Seigneur aussi, au plus grand chagrin de sa femme. Il avait pourtant suivi le parcours classique de l'enfant catholique : baptême, première communion, confirmation, profession de foi, mariage à l'église, mais « aucun flash, explique-t-il, c'était le calme plat, Dieu me laissait tranquille et moi de même ». La piété de sa femme l'agaçait plutôt qu'autre chose.

En janvier 1994, il assiste à une conférence sur Medjugorje à Versailles, en curieux sceptique, mais espérant secrètement en savoir plus sur le sort futur de l'humanité, car il avait entendu parler des fameux « secrets ». Déception totale sur ce point ! La sœur (devinez qui !) n'en dit pas un mot.

Pascal rentre chez lui, muni du livre « *Paroles du Ciel* » et de deux cassettes sur Medjugorje : « la grâce s'est infiltrée, et j'étais déjà transformé au fond de moi sans m'en rendre compte », dira-t-il plus tard.

- J'ai donc lu « *Paroles du Ciel* » et c'est à la suite de cette lecture que tout a changé, m'écrira-t-il par la suite. Devant tout ce que faisait la Sainte Vierge pour nous, j'ai voulu à mon tour répondre à une de ses plus fortes demandes, lui donner au moins quelque chose, moi aussi. Je décidai donc d'aller me confesser. Je ne vous dis pas, ma sœur, la quantité d'horreurs que le prêtre a dû entendre de ma bouche ce jour-là !

Cela faisait trente ans de péchés ! Cette confession entraîna beaucoup de changements dans ma vie, j'appris à prier, à dire le rosaire et, à la plus grande surprise de ma femme, je suivis un groupe de prière (alors qu'avant il ne fallait surtout pas m'en parler !). Quant à la messe, je me mis à y aller, non seulement le dimanche mais bien souvent en semaine, et cela non pas en marchant mais en courant ! A chaque messe, je ressentais une grande joie au fond de mon cœur.

Mais je dois dire qu'après ma confession, il m'arriva une chose spectaculaire : j'étais atteint d'une maladie de peau qui me rongeait depuis neuf ans. Je souffrais d'une acné purulente, avec surinfection de la peau. J'avais le visage et la poitrine entièrement couverts de boutons. Plus que des boutons, ça devenait des pustules ! Un bouton disparaissait, un autre arrivait aussitôt, si bien que des cicatrices marquaient tout mon visage. Les médecins m'avaient fait subir traitements sur traitements, mais rien n'y faisait. Après mon sacrement de réconciliation, mes boutons disparurent complètement, les uns après les autres, jusqu'à ne laisser aucune trace (à l'exception de quelques rares cicatrices à peine visibles).

Au travail, mes collègues me demandaient :

- Tu as changé de dermatologue ?
- Oui, j'ai pris le meilleur !

Je me suis consacré à Marie. Que de renoncements à mon ancienne vie ! La haine que j'éprouvais envers les autres a complètement disparu. Même s'il y a des combats spirituels, je vis des moments merveilleux et je m'accroche à la Gospa comme un enfant qui a retrouvé sa mère.

Message du 25 février 1995

« Chers enfants, aujourd'hui je vous invite à devenir les missionnaires des messages que je donne ici, à travers ce lieu qui m'est cher. Dieu m'a permis de rester si longtemps avec vous et donc, petits enfants, je vous appelle à vivre avec amour les messages que je vous donne et à les transmettre au monde entier, afin qu'un fleuve d'amour puisse couler sur le peuple rempli de haine et sans paix !

Je vous appelle, petits enfants, à devenir paix là où il n'y a pas de paix et lumière là où sont les ténèbres, afin que chaque cœur accepte la lumière et le chemin du salut. Merci d'avoir répondu à mon appel. »

IL Y A UN TEMPS POUR EMBRASSER

Il est quatre heures, et je tourne en rond dans la petite chambre que mes amis américains m'ont aménagée, dans leur maison de Notre-Dame, tout près de l'Université. Ça fait quinze fois que je prends mon bloc pour tenter d'y écrire quelques lignes et que je le repose lamentablement, car ma tête est vide. Je n'arrive ni à prier, ni à lire, ni à écrire et, dans mon désarroi, je ne peux que me répéter en pensant à Marie : « Elle ne m'a jamais abandonnée... Elle ne m'a jamais abandonnée... ce n'est pas demain qu'elle va commencer... »

Demain, je dois parler devant cinq mille personnes sur la prière, mon nom est inscrit sur le programme, rien à faire, il faut que j'y aille. Mes amis de « *Queen of Peace* » m'ont réinvitée car ils avaient bien aimé ma conférence de l'an dernier, ils sont tout contents de m'avoir... s'ils savaient dans quel état j'erre ! Le Seigneur permet que je sois éprouvée, que je ne sente plus rien de ce qui est spirituel ; je sais, c'est provisoire, ça va passer, mais quand il faut monter sur l'estrade dans cet état-là... c'est l'horreur ! L'heure du dîner approche, la nuit va bientôt tomber, et je n'ai toujours rien trouvé d'intéressant à dire. Mon ami Denis déboule tout joyeux :

- *Sister* ! J'ai trouvé un message super sur la prière, note-le, il faut que tu le cites, ça résume tout le cœur de la Gospa...

Le problème, c'est que ça fait dix fois qu'il me passe des messages à citer, tous plus beaux les uns que les autres. Je les entasse, la mort dans l'âme, car je n'ai toujours pas le fil de ce que je dois dire. Je griffonne quelques lignes qui me paraissent d'une platitude affligeante. Mon cerveau et les pauvres neurones qui s'y débattent misérablement me semblent proches de l'électro-encéphalogramme plat.

Je me couche et ne dors pas, guettant toute la nuit le moment où mon pire ennemi (mon réveil) va me signifier que l'heure a sonné d'entrer dans l'arène.

Neuf heures. Ça y est, je suis dans l'arène. Je dois passer à neuf heures trente, après la prière des mystères joyeux. La sécheresse m'étreint sans répit, comme le gel colle à un arbre sibérien. Je tente un ultime chantage au Seigneur :

– Si tu ne m'aides pas, ce sont cinq mille âmes affamées qui vont rester sur leur faim. Or, ce sont TES enfants. Mais si tu me donnes l'onction, imagine toutes ces âmes que tu vas remplir !

Tout au fond de mon cœur, au-delà du trac, je sais qu'il ne peut pas me refuser l'onction.

Quand le présentateur annonce mon tour en des termes dithyrambiques à la mode américaine, je regarde cette foule secouée par les applaudissements[1], et leur confiance me touche. Alors, j'attrape le micro dans la foi pure que la Gospa me tient la main.

Les mots coulent sans trop de difficulté, et, après une vingtaine de minutes, je me mets à raconter un événement de ma vie personnelle datant de l'époque où je n'étais pas encore convertie, afin d'illustrer le premier degré de la prière. Lorsque j'évoque l'appel-surprise que Jésus m'a lancé à l'âge de vingt-cinq ans pour le suivre, mon cœur se met soudain à fondre en moi et l'amour sensible qui m'étreint alors me fait perdre complètement mes moyens. Ma gorge se noue, aucun mot ne peut plus sortir ! Des larmes me viennent aux yeux, des larmes d'amour certes, mais des larmes qui m'empêchent de continuer. De longues secondes s'écoulent ainsi, et ce silence totalement imprévisible ne fait que renforcer l'attention de ces cinq mille cœurs à l'écoute. Que se passe-t-il ? Je le sais : c'est Dieu qui passe. Son onction d'amour se répand sur toute l'assemblée et le temps est comme suspendu. J'ai envie de me mettre à genoux pour adorer. Je m'accroche au pupitre, car la joie qui m'étreint pourrait bien me faire perdre l'équilibre.

Peu à peu, ma gorge se libère et quelques mots bêtes jaillissent : « *I'm sorry, I'm sorry* »[2] Puis je reprends mon topo sur la prière et l'achève normalement.

---

[1] Je raconte cet épisode car beaucoup d'auditeurs ne réalisent pas le moins du monde l'aventure incroyable qui est celle des prédicateurs ou des témoins de l'Évangile. Il fallait lever un peu le voile qui leur cache les coulisses, afin qu'ils portent dans leurs prières les instruments fragiles que nous sommes !

[2] « Je suis désolée, je suis désolée ! » (anglais).

Évidemment, tous se ruent sur moi pour me dire que le moment le plus béni a été celui où je ne pouvais plus parler ! Plus tard, tandis que je m'éloigne de la foule pour me restaurer un peu, je croise une dame allemande qui me fait des grands signes :

- J'ai prié pour vous rencontrer ! J'ai quelque chose à vous dire !

Elle me raconte alors qu'elle se trouvait, tout à l'heure, dans l'assemblée. Tandis qu'elle m'écoutait tranquillement, elle a vu Jésus s'approcher de moi très doucement et me prendre dans ses bras[1]. Et, plus il me serrait contre son cœur, plus je perdais mes moyens. Cela dura quelques temps, le temps où je ne pouvais plus parler. Puis il me montra sa Croix et me dit quelque chose.

Je regarde cette femme inconnue (seuls mes amis la connaissaient) et je l'écoute d'une seule oreille, car je me méfie des visions. Il y a souvent à boire et à manger dans ce que les gens racontent, aussi je préfère ne pas prendre pour argent comptant ces révélations privées à moins, bien sûr, que cela ne vienne confirmer ce que le Seigneur m'a montré par ailleurs. Or, les paroles de Jésus pour moi qu'elle vient de me répéter sont, mot pour mot, celles qu'il a mises dans mon cœur depuis trois semaines et qui me reviennent sans cesse dans la prière, comme une lame de fond récidivante.

- Ah bon, il a vraiment dit ça ?
- Oui, et il semblait tout heureux.

La justesse de cette parole rapportée par la dame me fait penser que le reste de la vision est sans doute réel aussi. Car je n'avais dit à personne ce qui habitait mon cœur.

Alors ce soir-là, lorsque j'ai pu me retrouver enfin seule devant le Saint Sacrement, j'ai remercié Jésus, mais je l'ai aussi un peu grondé :

- S'il te plaît, ne me fais plus jamais des coups pareils, devant les foules ! Il y a des temps pour embrasser !

Mais je le sais, Dieu est Dieu, et il continuera à faire ce qu'il veut, au moment où il veut...

---

[1] Une grande sainte italienne, Gemma Galgani, disait : « Pauvre et cher Jésus ! Il ne rougit pas de se salir les mains dans le misérable fumier que je suis ! » Et elle était sainte...

Message du 25 mars 1995

« Chers enfants, aujourd'hui, je vous invite à vivre la paix dans vos cœurs et dans vos familles. Il n'y a pas de paix, petits enfants, là où on ne prie pas, et pas d'amour là où il n'y a pas de foi.

C'est pourquoi, petits enfants, je vous invite tous à vous décider aujourd'hui à nouveau pour la conversion. Je suis proche de vous et je vous invite tous, petits enfants, dans mes bras pour vous aider, mais vous ne le voulez pas, et ainsi Satan vous tente et dans les plus petits détails votre foi disparaît.

C'est pourquoi, petits enfants, priez, et à travers la prière vous aurez la bénédiction et la paix. Merci d'avoir répondu à mon appel. »

J'AVAIS UNE LAMENTABLE HABITUDE...

La Gospa est une vraie mère : elle n'a pas froid aux yeux lorsqu'il s'agit d'extraire de nos cœurs les agglomérats les plus pourris qui nous polluent secrètement et qui, vus du ciel, doivent dégager des puanteurs insupportables - les puanteurs du péché que plusieurs saints, comme Catherine de Sienne, sentaient physiquement ; chez certains, jusqu'à en tomber à la renverse. A l'heure de la grande lumière finale, ces zones honteuses de notre être se révéleront en plein jour... aïe ! Il vaut mieux leur régler leur compte avant, quand il est encore temps et, pour cela, Marie est l'associée parfaite du prêtre[1]. D'abord, elle excelle dans le dépistage, mais en bonne thérapeute ne s'arrête pas là...

Le témoignage de Guillaume[2] n'est pas le pire que nous ayons reçu, loin de là. (Porter un voile sur la tête m'empêche parfois de publier le pire !) Mais il suffit de multiplier par cinq, dix ou cent la faiblesse cachée de Guillaume pour comprendre jusqu'à quel degré la Toute Pure intervient dans nos vies pour nous refaire une beauté.

Pour Guillaume, cette habitude était si ancrée en lui qu'elle était devenue un automatisme inconscient. C'était plus fort que lui : dès qu'il voyait une femme, il posait immédiatement son regard sur sa poitrine pour en détailler l'anatomie et en évaluer les dimensions.

---

[1] Elle dit : *« Chers enfants, je vous demande des renoncements mais je suis encore plus heureuse lorsque vous renoncez au péché qui vous habite. »*

[2] Publié avec sa permission.

Après avoir entendu à Medjugorje, lors d'une conférence dans « le petit bois », que la Gospa visitait chaque jour la terre précisément pour nous aider à couper avec le mal, une idée germa dans son esprit. Encouragé aussi par ma propre guérison, il demanda à Marie de l'aider et décida de faire les *24 heures de la Gospa*. Il promit à la Vierge un cadeau, un effort, sans trop y croire, me précisa-t-il humblement : renoncer pendant 24 heures à ce « tic du regard ». Il y réussit presque sans effort et, depuis ce jour, renouvelle cette offre avec bonheur... il est délivré !

« Grâces soient rendues à Dieu et à la Gospa » m'écrivait Guillaume dans sa joie d'être devenu un autre homme. Puis il ajoutait ce détail : « Je dois vous dire, ma sœur, que j'ai soixante quatorze ans. »

Message du 25 avril 1995

« Chers enfants, aujourd'hui je vous invite à l'amour. Petits enfants, sans amour vous ne pouvez vivre ni avec Dieu ni avec les frères. C'est pourquoi je vous invite tous à ouvrir vos cœurs à l'amour de Dieu qui est tellement grand et ouvert à chacun de vous. Par amour de l'homme Dieu m'envoya parmi vous, pour vous montrer le chemin du salut, le chemin de l'amour. Si vous n'aimez pas Dieu d'abord, vous ne pourrez pas aimer votre prochain, ni celui que vous haïssez. C'est pourquoi, petits enfants, priez et à travers la prière vous découvrirez l'amour. Merci d'avoir répondu à mon appel. »

UN PARDON SANS MORPHINE

Mon amie Helga, de Mexico, jouit d'une double grâce : un cœur de feu et un sens pratique étonnamment efficace. Il fallait bien qu'elle finisse un jour par se retrouver à Medjugorje ! Mais je la laisse raconter :

« A la suite d'une neuvaine au Padre Pio[1], quelques amis m'offrirent le voyage à Medjugorje en septembre 1989, le rêve ! Medjugorje est vraiment l'antichambre du ciel ! Lorsque vous y arrivez, vous avez l'impression d'être enfin à la maison, votre vraie maison.

---

[1] Un bon moyen à retenir pour ceux qui n'ont pas l'argent du voyage...

Durant l'ascension du Mont Krizevac, pour la fête de la Croix Glorieuse (14 septembre), entourée de dizaines de milliers de personnes, je fis l'expérience de l'amour de Jésus de manière toute surnaturelle. Je pouvais ressentir combien il nous avait aimés durant sa Passion, et que plus il souffrait, plus son amour pour nous coulait de son cœur. Il me semblait que son cœur s'était rompu par un trop-plein d'amour ; même avant qu'il fût transpercé par le soldat romain.

Le jour du départ, je ne pouvais me résoudre à quitter Medjugorje, je voulais rester là pour le restant de mes jours ! J'allai sangloter derrière l'église, suppliant Jésus de me permettre de rester. Mais ses propres mots s'imposèrent à moi : « *Celui qui a mis la main à la charrue et regarde en arrière n'est pas digne du Royaume de Dieu.* »

De retour à Mexico, je voulus vivre toutes les grâces que j'avais reçues à Medjugorje et décidai de faire tout comme à Medjugorje : je me mis à prier les trois parties du rosaire chaque jour, à me confesser très régulièrement, à bien me préparer avant chaque Eucharistie, jeûner le mercredi et le vendredi au pain et à l'eau, lire la Bible et adorer le Saint Sacrement. En un mot, je me suis mise à vivre les messages !

Je voulus aussi lire tout ce qui avait trait à Medjugorje, et c'est ainsi qu'un jour je découvris une chose étonnante : dans le groupe de prière de Jelena, Marie leur avait fait un commentaire du *Notre Père* ! « *Vous ne savez pas prier le Notre Père* » leur avait-elle dit. Elle leur donna alors la consigne de ne prier que le Notre Père durant toute la semaine afin d'apprendre à le prier avec le cœur. Lorsqu'ils commencèrent à faire cela, chacun de ces jeunes réalisa que certaines phrases du Notre Père coinçaient et que leur cœur ne pouvait pas se mettre à fond dedans. Par exemple, certains ne pouvaient pas dire sincèrement : « *Que ta volonté soit faite* » et d'autres « *Pardonne-nous nos offenses comme nous pardonnons aussi à ceux qui nous ont offensés* »...

Cette histoire me toucha si profondément que je décidai de vivre moi aussi cette expérience, dès le lendemain, pour une semaine. Mais, quelle ne fut pas ma surprise de constater que je n'étais même pas capable de prononcer avec le cœur les tout premiers mots de cette prière : « *Notre Père...* » J'avais beau essayer, impossible d'appeler Dieu mon père. Je me mis alors à réfléchir et me souvins qu'à cause du divorce de mes parents, mon père n'avait pas été à mes côtés lorsque j'avais eu le plus besoin de lui. Très vite me monta au cœur une vraie colère contre Dieu, qui avait permis que je manque d'un père, et je lui dis :

« Comment peux-tu me demander de t'appeler « Père » alors que je ne sais même pas ce que c'est que d'avoir un père !? Tu sais bien que papa nous a quittés lorsque j'avais six ans et que je ne le connais pratiquement pas puisqu'il s'est remarié et ne s'est jamais intéressé à nous.

Durant toute la semaine, j'ai continué ainsi à faire un procès à Dieu, mais vers la fin je pu commencer à lui pardonner. D'abord, je pardonnai à Dieu d'avoir laissé mes parents divorcer. Puis je lui demandai la grâce de pardonner à mes parents de ne pas avoir fait ce qu'il fallait pour sauver leur couple, et enfin la grâce de pardonner à mon père de nous avoir abandonnés.

Le lendemain, à la messe, je ne pouvais en croire mes oreilles ! L'Évangile du jour était précisément celui où Jésus enseigne à ses apôtres à prier, leur disant : « *Lorsque vous priez, dites « Notre Père... »*. Dans la voiture, en retournant à la maison, j'éprouvai le besoin impératif de crier à haute voix et de toutes mes forces : « *Notre Père* ! Oui, tu es aussi mon père, mon père chéri, mon papa du ciel, je t'aime, je t'aime énormément ! S'il te plaît, pardonne-moi de ne jamais t'avoir appelé *Père* avec tout mon cœur jusqu'à présent ! »

Je pleurai toutes les larmes de mon corps et suppliai Dieu mon Père de me permettre de revoir mon père de la terre ; de ne pas le laisser mourir avant de lui avoir dit que je l'aimais, que je lui pardonnais de nous avoir quittés. Je demandai à Dieu d'accorder cette même grâce à mes deux sœurs.

Cinq ans plus tard, j'appris que mon père était atteint d'un cancer et que son état s'avérait critique. Avec mes deux sœurs, nous allâmes le voir, et nous pûmes répéter ces visites chaque jour durant trois mois. Nous nous demandâmes pardon mutuellement et mon père demanda même à ma sœur aînée de dire à ma mère à quel point il s'en voulait pour la souffrance qu'il lui avait causée en quittant la maison. Il la priait de lui pardonner. A chacune de mes visites, je lui parlais de Dieu et de la Sainte Vierge. Mon père avait peur de mourir et n'acceptait pas l'idée qu'il ne s'en sortirait pas.

Au stade terminal de son cancer, mon père souffrait beaucoup et il prenait de la morphine trois fois par jour. Or, trouver de la morphine était chose difficile. A chaque fois, il nous fallait présenter une ordonnance spéciale, établie par un médecin.

Un samedi, mon père n'avait plus de morphine et ma sœur voulut s'en procurer. Mais ses deux médecins traitants étaient absents pour le week-end et il n'y avait aucun moyen de se faire faire une prescription médicale.

Mon père pleurait de douleur. Je lui proposai alors de prier, ce à quoi il me répondit qu'il avait oublié comment prier. (Je dois préciser ici que toute ma famille est luthérienne, sauf moi qui devins catholique en 1985). Je dis à mon père que, tout d'abord, nous devions demander pardon à Dieu pour nos péchés, mais il répondit qu'il n'avait jamais volé ni tué !

- Mais, dis-moi papa, as-tu toujours aimé Dieu de tout ton cœur, et ton prochain comme toi-même ?

- Euh... non ! Mais qui fait vraiment cela ?

- Alors papa, tu dois demander pardon à Dieu pour cela.

Il accepta et nous priâmes ensemble pour obtenir le pardon de Dieu. Nous disions à Dieu que nous ne comprenions pas qu'il faille passer par de telles souffrances, mais que nous offrions ces souffrances pour le salut de mon père et le salut du monde. Après un *Notre Père*, mon père me dit :

- S'il te plaît, dis à tes amis catholiques de prier pour moi. Qu'ils demandent à Dieu de m'appeler à lui. Je me sens très fatigué et je suis prêt, maintenant, à mourir.

Les jours suivants, mon père ne ressentit plus aucune douleur. Et cela sans morphine ! Il mourut très paisiblement le vendredi suivant et le Seigneur me permit d'être à son chevet jusqu'au dernier moment.

Une tristesse cependant me tenait sans cesse :

- Mon Père du ciel, dis-je un jour à Dieu, ah ! si seulement mon père de la terre m'avait dit, ne serait-ce qu'une fois, avant de mourir, qu'il m'aimait beaucoup... !

Dans les minutes qui suivirent, alors que j'avais au téléphone la secrétaire de mon éditeur, un ami très cher (de l'âge de mon père) s'empara du téléphone et me dit :

- Ma petite enfant, c'est juste pour te dire à quel point je t'aime !

Message du 25 mai 1995

« Chers enfants, je vous appelle. Petits enfants, aidez-moi par vos prières à rapprocher de mon Cœur Immaculé le plus de cœurs possible. Satan est fort et, de toutes ses forces, il désire rapprocher de lui et du péché le plus de personnes possible. C'est pourquoi, il se tient aux aguets pour s'emparer à chaque instant de plus de personnes.

Je vous en prie, petits enfants, priez et aidez-moi à vous aider. Je suis votre Mère, je vous aime, et c'est pourquoi je désire vous aider. Merci d'avoir répondu à mon appel. »

QUAND C'EST DEVENU IMPOSSIBLE

Trouver des obstacles insurmontables sur notre route lorsque nous formons des projets humains, voilà qui est déjà difficile à vivre. Mais, lorsque nos projets semblent venir de Dieu et qu'ils doivent servir à sa gloire, alors nous ne comprenons plus, nous nous sentons comme abandonnés ; ou pire, nous développons le soupçon très subtil que Dieu n'achève pas ce qu'il commence et qu'il vaut donc mieux tout laisser tomber.

Un de mes amis avait été appelé au sacerdoce, et, très généreusement, il avait donné son OUI à Jésus. Il avait de grandes qualités de cœur et une intelligence certaine. C'est alors qu'une avalanche de problèmes fondit sur lui, au point que sa décision de devenir prêtre lui sembla vite irréalisable. Un mur devant, une barrière à gauche, une entrave à droite... tout semblait se liguer pour faire avorter sa vocation. Même le Directeur du Séminaire le repoussait. Il commença alors à douter, se persuadant qu'il n'avait pas les compétences. Pourtant, l'appel restait bien lové aux tréfonds de son cœur, incontournable.

Il connaissait Marthe Robin[1], qui avait confirmé son appel, et il alla un jour la trouver pour lui annoncer qu'il ne deviendrait pas prêtre, car tout allait à l'encontre de cela (sauf le cœur !) et qu'il se trouvait dans l'impossibilité totale d'avancer dans ce sens.

---

[1] Marthe Robin (voir cahier photos) Ne manquez pas le beau livre sur elle : « *Si le grain de blé ne tombe en terre* » de Daniel Escoulen - Éditions DDB. Il fourmille d'anecdotes très enrichissantes. Très beau aussi, le livre d'Éphraïm sur elle : « *Une ou deux choses que je sais d'elle* », Éditions des Béatitudes.

Marthe vivait dans une grande intimité avec la Sainte Vierge (celle-ci venait la visiter chaque semaine lorsque Marthe revivait la passion). Elle répondit à mon ami ce mot inoubliable :

- *Quand c'est devenu impossible humainement, alors c'est que cela revient à la Très Sainte Vierge Marie de nous l'obtenir !*

Aujourd'hui mon ami est prêtre, et j'ai rarement vu un aussi bon prêtre.

Message du 25 juin 1995
(14ème anniversaire des apparitions)

« *Chers enfants, aujourd'hui je suis heureuse de vous voir en si grand nombre, de voir que vous avez répondu et que vous êtes venus pour vivre mes messages. Je vous invite, petits enfants, à être mes joyeux porteurs de paix dans ce monde troublé.*

Priez pour la paix, afin que bientôt règne un temps de paix, ce que mon cœur attend avec impatience. Je suis proche de vous, petits enfants, j'intercède devant le Très-Haut pour chacun de vous et je vous bénis de ma bénédiction maternelle. Merci d'avoir répondu à mon appel. »

VAS-Y À TOUTE VITESSE !

Lors de mon passage à Paris, la Gospa n'avait pas vraiment prévu de me laisser au repos. A peine arrivée, je capte le récit encore secret de ce qu'elle venait d'y faire... difficile de ne pas le raconter !

C'était en janvier dernier. La supérieure des Sœurs de la Charité décroche le téléphone. Une voix d'homme résonne à ses oreilles, une voix qui vient de loin, avec un fort accent étranger. Un message urgent de l'archevêque de Recife au Brésil. Depuis qu'elle est supérieure à la Rue du Bac, elle devrait être rodée à ce genre d'appels, mais une fois de plus, son cœur bondit, et elle doit reprendre son souffle pour répondre à l'archevêque. Il dit avoir toutes les preuves en main, tous les documents, et il se porte garant de la véracité de l'histoire...

L'histoire ? Cela nous ramène trois semaines en arrière. Une brési-lienne débarque à Paris. Elle a tenu à faire ce long voyage car, depuis quelques temps, son cœur de mère s'est brisé de douleur, et elle a enten-du dire que, Rue du Bac, la Vierge faisait souvent de grandes choses pour ceux qui venaient l'implorer. Elle a pris la petite Sandra avec elle. Elle va l'emmener Rue du Bac pour demander un miracle. Elle va l'asseoir sur le fauteuil où Marie elle-même s'est assise lorsqu'elle est apparue à Catherine Labouré, et alors, sûrement, il se passera quelque chose. Elle parlera à Marie comme une mère parle à une autre mère. Elle criera vers elle. Sandra n'a que cinq ans, et sa maladie est déclarée incurable. Elle ne peut pas rester comme ça, quel avenir peut-elle espérer avec une telle paralysie ?

Marie verra sa détresse et elle ne la laissera pas partir sans rien faire...

La mère et la petite fille passent le grand porche du couvent, rejoignent au fond de la cour la *chapelle de la médaille miraculeuse*[1] et entrent.

Une foule très dense prie. La mère reconnaît les lieux si souvent contemplés sur les cartes postales et s'avance doucement vers le chœur. Elle prie à genoux avec la petite. Elle a repéré le fauteuil. Dommage, il est entouré d'un cordon et on ne peut pas l'atteindre ! Mais, pour les Brésiliens comme pour les Orientaux, les cordons ne sont pas forcément un obstacle. Et la petite Sandra n'est pas venue de si loin pour toucher seulement des yeux le fauteuil !

Comment faire... ? Ah, justement des sœurs sont là qui s'affairent près de l'autel.

- Ma sœur, s'il vous plaît, laissez la petite s'asseoir sur le fauteuil !
- Excusez-moi madame, je ne peux pas vous le permettre car, alors, tout le monde le demanderait et ce n'est pas possible...

Le cœur de la mère chavire devant l'interdiction. Le fauteuil faisait partie de son plan, de son pèlerinage ! Il faut trouver une solution...

---

[1] En 1830, la Sainte Vierge apparut à Catherine Labouré dans la chapelle du Couvent des Sœurs de la Charité, rue du Bac, à Paris. Au cours de la première apparition, Marie vint s'asseoir sur le fauteuil placé près de l'autel et elle s'entretint avec la petite sœur agenouillée devant elle. C'est à la seconde apparition que Catherine Labouré reçut le message qui lui demandait de faire frapper la *médaille miraculeuse*.

Tiens, les sœurs sont parties, remarque-t-elle un peu plus tard. Une idée éclaire alors son pauvre cœur et elle chuchote à sa fille :

- Écoute-moi bien. Tu vas passer sous le cordon et, à toute vitesse, tu vas te glisser à quatre pattes sous le fauteuil. Quand tu seras dessous, avec la main tu toucheras l'endroit où la Vierge s'est assise, et vite tu reviendras ici. Mais, vas-y à toute vitesse !

La petite ne se le fait pas dire deux fois. Elle rejoint à quatre pattes le fauteuil, aussi vite que son cruel handicap le lui permet, mais au lieu de suivre la consigne, elle pose sa joue longuement sur le velours du siège ! La mère reste figée. Puis, la petite revient calmement vers elle.

- Pourquoi as-tu fais cela, gronde la mère, je t'avais bien dit d'aller seulement dessous, et à toute vitesse !

- Mais maman, répond l'enfant radieuse, c'est la DAME qui m'a dit de poser ma tête sur ses genoux !

De retour au Brésil, l'enfant était complètement guérie. L'histoire fit tellement de bruit là-bas que l'archevêque de Recife voulut prévenir lui-même les Sœurs de la Charité, rue du Bac. Il avait en main tous les documents médicaux, toutes les pièces nécessaires pour affirmer cette guérison humainement inexplicable.

- Vous savez, répondent inlassablement les sœurs, ici, des miracles, il y en a tous les jours !

Message du 25 juillet 1995

« Chers enfants, aujourd'hui encore je vous invite à la prière parce que seulement dans la prière vous pourrez comprendre mes venues ici. Le Saint-Esprit vous illuminera dans la prière afin que vous compreniez que vous devez vous convertir.

Petits enfants, je désire faire de vous un très beau bouquet préparé pour l'éternité. Mais vous n'acceptez pas le chemin de la conversion, le chemin du salut que je vous offre à travers ces apparitions.

Petits enfants, priez, convertissez vos cœurs et rapprochez-vous de moi. Que le bien surpasse le mal. Je vous aime et je vous bénis. Merci d'avoir répondu à mon appel. »

ÊTES-VOUS FATIGUÉS DE MOI ?

Comprendre les venues de la Gospa, ou même désirer simplement les comprendre, ne semble pas être le fait de tous. Pour les amis de Medjugorje, il y a bien sûr la grande blessure de la position négative de l'évêque de Mostar[1], mais il y a aussi le choc douloureux d'entendre parfois : « Quoi ! Elle apparaît encore ? Ça fait vraiment long !!! »

A la question du petit Jakov en 1981 : « Gospa, combien de temps vas-tu nous apparaître ? » elle avait répondu : *« Êtes-vous déjà fatigués de moi ? »*

Il y aussi ceux qui croient aux apparitions de Medjugorje, mais qui sont un peu mal à l'aise face au caractère quotidien et si durable des venues de Marie.

- Ma sœur, me disait en octobre 1993 Monseigneur Brandt, archevêque de Strasbourg (favorable à Medjugorje, il m'avait laissé parler dans une grande église de son diocèse), une seule chose me gêne avec Medjugorje : venir ainsi tous les jours et depuis si longtemps, n'est-ce pas de la part de la Sainte Vierge un manque de sobriété ?

J'ai alors bondi sur ma chaise (ça ne se fait pas devant un évêque !) et n'ai pu m'empêcher de lui répondre :

[1] Voir le livret « *Medjugorje face à l'Église* » - Éditions Téqui, 13 FF. Dans ce livre sont consignés tous les textes et les déclarations touchant à la position de l'Église sur Medjugorje. Indispensable !

- Mon père, si vous aviez un fils accidenté, à l'hôpital, dans le coma, suspendu entre la vie et la mort, ne resteriez-vous pas à son chevet jour et nuit, jusqu'à ce qu'il reprenne vie ?

- Ah, je vois... En somme, Medjugorje, ce sont les *Soins Intensifs !*
Il avait vu juste.

« Non, chère Gospa, nous ne sommes pas fatigués de toi ! Continue encore longtemps à nous apparaître car nous avons dramatiquement besoin de toi, et tes venues maternelles ont déjà fait reprendre vie à des millions de tes enfants. Ne te laisse pas impressionner par notre accueil si froid, il fait partie de cette lèpre de nos cœurs que tu veux guérir ! »

Un jour, Marija m'a confié : « Tu sais, hier, quand la Gospa est venue, j'ai attrapé sa robe et je la tirais en suppliant : « Ne nous abandonne pas, viens encore longtemps, longtemps ! » Je ne voulais plus la lâcher ! »

Le père Daniel-Ange exprime très bien l'importance vitale de ces apparitions aujourd'hui :

« Regardez Medjugorje ! Avec ces apparitions, c'est notre avenir qui s'ouvre et se dévoile. Je vois ce qui m'attend. Je sais qu'un jour je vais voir la couleur des yeux de Marie, je lui donnerai un bon bisou, je caresserai sa joue... Donc je ne suis pas jaloux de Vicka parce que ça m'attend, dans quelques jours, heures, semaines... C'est mon avenir !

C'est le rôle des apparitions d'être eschatologiques, prophétiques, de remettre le cap sur ce qui est au-delà de la mort : voir Dieu et avoir un corps ressuscité comme celui de la Mère de Dieu. Les apparitions ont un rôle très important dans un monde complètement capsulé sur lui-même où l'on vit à ras le béton, complètement fermé. Alors là... ouf ! On respire, on voit le ciel qui s'ouvre ! » (à la Fête des Jeunes organisée par la Communauté des Béatitudes à Nouan-le-Fuzelier, en juillet 1995).

Depuis un siècle, Lourdes n'a-t-il pas fait plus pour la foi du peuple que tous les livres « rationalistes » de certains théologiens ? Aujourd'hui, Medjugorje accomplit ce même sauvetage, mais la dose est bien plus forte car la maladie visée n'est plus seulement grave : elle est mortelle.

Pourquoi se laisser dessécher par le rationalisme, cette subtile peau de banane à la Grâce ? Existe-t-il un texte doctrinal qui interdirait à la Mère de Dieu de venir voir ses enfants chaque jour ? Déjà les pharisiens trouvaient que Jésus en faisait trop. Ça continue. Mais le peuple, lui, sait bien reconnaître Qui lui parle, Qui le nourrit, Qui le guérit, en un mot, Qui l'aime ; c'est pourquoi les foules viennent à Medjugorje par millions.

Les voyants de Medjugorje le savent, et ils vivent ces réalités avec beaucoup d'humilité. Ils respectent leur évêque et prient sincèrement pour lui. Ici, le prêtre est une personne vénérée, sacrée.

Un jour que les six voyants rendaient visite à Monseigneur Zanic pour sa fête, Marija lui dit :

- Monseigneur, vous savez, nous prions beaucoup pour vous !

- Oui, mais vous priez pour moi comme pour un pécheur !

- Non, Monseigneur, nous prions pour vous comme pour notre évêque !

Beaucoup de pèlerins souffrent de voir leur curé rejeter Medjugorje. Mais les choses changent petit à petit. Lorsque l'un d'eux accepte de se joindre à un pèlerinage, c'est gagné, car quelques heures dans un confessionnal de Medjugorje lui suffisent pour comprendre de l'intérieur ce qui se passe d'exceptionnel dans les cœurs. Ceux qui, en France, sont chroniquement au chômage technique du confessionnal, pleurent de joie à Medjugorje : depuis leur ordination, ils n'avaient jamais vu cela.

Il existe un autre moyen. Marija raconta cet épisode :

« En France, j'ai rencontré un prêtre qui s'opposait à Medjugorje et ne croyait plus à sa vocation depuis longtemps. Des paroissiens priaient beaucoup pour qu'il permette l'adoration du Saint Sacrement et le rosaire. Mais tout était bloqué. Ils décidèrent de mettre en pratique ce message de la Gospa : *« Que votre unique moyen soit toujours l'amour. »* Un jour, la *grande dame* du village demanda au curé de pouvoir nettoyer l'église et la fleurir. Il accepta. Rapidement, le curé lui témoigna sa confiance, sans que le mot de Medjugorje fut prononcé. Petit à petit, d'autres personnes aidèrent aussi, à la paroisse. Le curé permit alors leur réunion de prière dans l'église. Par la suite, comme la paix régnait dans ces cœurs de serviteurs, il permit l'adoration, puis le chapelet... On pouvait vivre les messages ! Maintenant, ce prêtre est devenu le père spirituel des jeunes et de tout le village. Il a un groupe de prière en lien avec Medjugorje. »

« Ce qui bloque souvent les prêtres, conclut Marija, c'est le fanatisme. Ils se sentent aussi jugés négativement s'ils ne font pas ceci ou cela que demande la Gospa. Mais si l'on a une attitude humble et aimante, serviable, alors la Gospa fait elle-même tomber les barrières. Par exemple, aux États-Unis, à Bâton-Rouge, je connais une paroisse qui était vide. Maintenant, il y a tant de monde qu'ils ont pu mettre l'adoration 24h/24. Et comment cela est-il arrivé ? Un seul couple qui revenait de Medjugorje... »

Message du 25 août 1995

« *Chers enfants, aujourd'hui je vous appelle à la prière. Que la prière soit vie pour vous. Une famille ne peut pas dire qu'elle est dans la paix si elle ne prie pas chaque jour. Pour cela, que votre matinée commence par la prière du matin et que la soirée finisse par l'action de grâce.*

Petits enfants je suis avec vous et je vous aime, je vous bénis et je désire que chacun de vous soit dans mon embrassement. Vous ne pouvez pas être dans mon embrassement si vous n'êtes pas prêts à prier chaque jour. Merci d'avoir répondu à mon appel. »

LE CHAPELET À L'AMÉRICAINE

Mon ami Denis Nolan (voir cahier photos) exerçait à l'Université de Notre-Dame (Indiana) comme professeur de religion. Étant doté d'un cœur d'enfant remarquable, Denis avait vite conquis ses étudiants car il truffait ses cours de mille anecdotes glanées dans sa propre vie et celle de ses proches, montrant ainsi combien Jésus et Marie sont vivants et actifs dans les circonstances de tous les jours. Je ne suis pas tout à fait sûre qu'il faisait d'eux de bons théologiens studieux, mais plutôt des chrétiens enthousiasmés par leur Dieu, et d'excellents témoins.

Il va sans dire qu'à son retour de Medjugorje, ses étudiants eurent droit à un récit de son pèlerinage en bonne et due forme, avec mise en pratique immédiate des bonnes choses de la Gospa : tous décidèrent d'un commun accord de prier une dizaine de chapelet avant chaque cours. Très vite, les fruits de grâces et de bénédiction, se mirent à pleuvoir parmi les étudiants, ce qui transformait encore plus les cours en carrefours d'échanges sur les merveilles du Dieu vivant. Parmi les autres étudiants, beaucoup de conversions se produisirent, et toute l'affaire de Medjugorje fit tache d'huile. Denis trouva des protestants, des juifs et même des athées qui lui demandaient des chapelets[1] !

En octobre 1987, Denis s'absenta encore pour Medjugorje, et dès son retour, l'une des étudiantes lui confia :

---

[1] « Par exemple, raconte-t-il, le tiroir d'un bureau du Département de Théologie était rempli de chapelets. Durant les onze années précédentes, je ne me souviens pas d'un seul étudiant ou d'un professeur qui en aurait demandé un. Après avoir entendu parler des apparitions de Marie à Medjugorje, non seulement ces chapelets furent-ils pris, mais je n'arrivais plus à pourvoir à la demande ! »

- En votre absence, Monsieur Nolan, nous avons prié une dizaine de chapelet avant chaque heure de cours. Les professeurs remplaçants étaient contre (ils pensaient que nous cherchions à gratter sur l'heure de cours). Comme ils ne voulaient pas animer le chapelet, nous disions notre dizaine nous-mêmes. Il y a quelques jours, alors que nous faisions le tour de la classe pour savoir si quelqu'un avait des intentions de prière à donner, j'ai dit tout haut : « Prions pour que Dieu protège mon frère Brian. »

Denis lui demanda alors : « Pourquoi as-tu prié pour ton frère ? » Elle lui répondit qu'un jour il avait dit en cours : « Si vous n'avez pas d'intentions particulières, priez pour les membres de votre famille. » Elle avait donc tout simplement pris l'habitude de prier pour son frère.

Le matin suivant, mon frère avait un rendez-vous d'affaire avec une dame à l'hôtel *Ramada Inn* à Indianapolis. Du fait de circonstances imprévues, il se rendit compte qu'il aurait dix minutes de retard à son rendez-vous. Il l'appela dix minutes avant l'heure fixée, pour lui demander si elle pouvait l'attendre dix minutes de plus. Elle lui répondit « Oui, entendu. » Exactement dix minutes après l'heure initiale du rendez-vous, alors que mon frère garait sa voiture au parking du *Ramada Inn*, il vit un jet s'écraser sur l'hôtel[1], piquant du nez en plein dans la pièce où cette femme l'attendait. Elle a été tuée sur le coup.

Et Denis d'ajouter :

- Quelle chance a eu cet homme d'avoir une sœur qui avait pris l'habitude de le placer chaque jour sous le manteau de le Sainte Vierge en priant sa dizaine de chapelet avant les cours ! Il reconnaît, ses parents me l'ont dit plus tard, que la foi de sa sœur lui a sauvé la vie. (Et c'est l'appel de la Vierge à Medjugorje qui avait augmenté sa foi et l'avait encouragée à dire le chapelet.)

Denis raconte encore :

- Un jour, une autre étudiante (Linda F.) me confia qu'un mois plus tôt, son père était entré dans sa chambre pour lui annoncer que sa mère et lui allaient divorcer. Elle, une étudiante de dernière année, et son frère, en deuxième année, avaient alors décidé de se retrouver tous les soirs à la cave pour prier le rosaire à l'intention de leurs parents.

Une semaine plus tard, elle me dit que son père était à nouveau entré dans sa chambre pour lui dire qu'il n'y aurait pas de divorce. La

---

[1] Cet accident fit beaucoup de bruit dans les journaux.

semaine d'après, elle m'annonça qu'elle était allée à la messe avec sa famille pour la première fois en dix ans ! La semaine suivante, elle me confia que leur vie de famille était plus heureuse que jamais, aussi loin qu'elle se souvienne. Tout cela venait de ce que son frère et elle avaient commencé à prier le rosaire chaque soir et qu'ils avaient placé toute leur famille sous le manteau de la Sainte Vierge !

Message du 25 septembre 1995

« Chers enfants, aujourd'hui, je vous invite à devenir amoureux du Très Saint Sacrement de l'autel. Adorez-le, petits enfants, dans vos paroisses et ainsi vous serez unis avec le monde entier.

Jésus deviendra votre ami et vous ne parlerez pas de lui comme de quelqu'un que vous connaissez à peine. L'unité avec lui vous sera joie et vous deviendrez témoins de l'amour que Jésus a pour chaque créature. Petits enfants, quand vous adorez Jésus, vous êtes aussi proches de moi. Merci d'avoir répondu à mon appel. »

QUAND JÉSUS FAIT DES VAGUES

Denis Nolan, le même, a été élevé dans un ranch de Californie. Râblé, quarante-six ans, père de huit enfants, ce n'est pas un rêveur, mais un homme de plein pied avec la vie.

Un jour, il se demandait ce qui pouvait arriver de plus beau, de plus fort à notre monde brisé que ces tendres visitations de la Mère de Dieu à Medjugorje. La réponse ne tarda pas à lui arriver, lors d'un pèlerinage.

Ce jour-là, Denis assiste à la messe du soir. Il se cale solidement entre deux femmes croates qui chantent à tue-tête leur foi, et qui élèvent les mains vers Jésus dès qu'il apparaît sur l'autel à la consécration. Denis lève lui aussi les yeux vers l'autel et voilà que des vagues se mettent à sortir de l'hostie ! Elles se propagent doucement dans toute l'église. C'est un rayonnement par vagues successives, des vagues qu'aucun mot de la terre ne peut décrire, mais tellement réelles qu'elles viennent heurter Denis, jusqu'à lui en faire perdre l'équilibre physiquement. Percuté en plein cœur, son corps bascule sous le choc de l'amour de Jésus. Les vagues se succèdent à un rythme doux et régulier comme celles de l'océan par beau temps.

Après la messe, Denis fait d'abord discrètement sa petite enquête auprès d'autres hommes de son groupe :

- Tu n'as rien remarqué de spécial durant la messe ?

- Si, on aurait dit qu'une irradiation sortait de l'hostie par vagues. Mon corps lui-même en chancelait... Mais je me disais que j'étais seul à voir ça, que Jésus voulait me toucher par sa présence réelle... alors, toi aussi tu l'as vu ?

Durant les huit jours de son pèlerinage, cette expérience se renouvela à chaque fois que Denis assistait à la messe ou priait devant le Saint Sacrement. Les vagues remplissaient toute l'église (ou la chapelle de l'adoration), rien n'échappait à leur toucher. Cette semaine-là, tout un petit groupe de pèlerins expérimenta la même grâce.

Denis avait sa réponse, et, dans sa joie, il ne put s'empêcher de la partager à tous : le don le plus grand offert à Medjugorje, ce ne sont pas les apparitions, mais c'est l'Eucharistie[1] !

« Adorez mon Fils, nous dit la Gospa. *Adorez le Saint Sacrement continuellement. Je suis toujours présente pendant l'adoration des*

---

[1] Il ressort des apparitions et des messages que Marie veut nous centrer sur Jésus, et Jésus-Eucharistie. Le fait qu'elle apparaisse vingt minutes avant la messe du soir est significatif : sa venue nous prépare à recevoir infiniment plus qu'elle, Dieu lui-même.
Les quelques enseignements qu'elle a donnés au groupe de prière sur le jeûne nous éclairent dans le même sens. Le jeûne qui lui plaît le plus, dit-elle, est le jeûne du péché. *« Rejetez le péché qui vous habite ! »*. Cela nous permet de recevoir Jésus avec un cœur purifié. Mais, la Gospa n'a jamais parlé du jeûne au pain et à l'eau comme d'un sacrifice, nous disent les voyants, et cela nous surprend. En revanche, si Marie a choisi de nous faire jeûner le mercredi au pain et à l'eau, c'est afin de nous préparer à recevoir le Pain Eucharistique. Elle nous redonne le sens du pain comme LA nourriture de base, vitale. Ce jeûne du mercredi nous épargne la distraction des autres nourritures qui flattent nos sens extérieurs. Nous sommes alors suspendus au pain. Ainsi, lorsque le jeudi (jour qu'elle veut nous voir vivre à chaque fois comme le Jeudi Saint) arrive, nous sommes préparés à recevoir un autre Pain, celui du ciel.
Et, si Marie nous demande de jeûner aussi le vendredi au pain et à l'eau, c'est pour rendre grâce à Dieu de ce Pain Vivant donné au monde le Jeudi Saint. Elle nous laisse en quelque sorte sur du pain, comme pour prolonger en nous, protéger ce don du Pain Eucharistique, loin des autres denrées qui en éloigneraient notre cœur. Ainsi, le grand don du Jeudi Saint est comme serti dans un écrin d'amour, à travers ce jeûne au pain et à l'eau qu'elle n'a jamais associé, notons-le, à la mémoire de la Passion. Le jeûne est une joyeuse célébration du pain !
Il ressort ainsi que le centre de notre vie est bien la sainte Messe. Vu sous cet angle, il nous est aisé de comprendre pourquoi le jeûne est si puissant contre les démons.

fidèles, alors s'obtiennent des grâces particulières. »[1] (15 mars 1984).
Là encore, elle ne s'est pas contentée de dire les choses mais, pour
Denis, pour ses amis et pour tant d'autres, elle a un peu, un tout
petit peu soulevé le voile...

Sœur Faustine écrivait dans son journal :

« Adoration nocturne de jeudi. J'ai fait cette Heure Sainte, de 23 heures à minuit,
pour la conversion des pécheurs endurcis, ceux-là surtout qui n'espèrent plus en la
divine Miséricorde. Je considérai combien Dieu avait souffert, combien grand est
l'amour qu'il nous manifeste, et encore nous hésitons à y croire ! O mon Jésus, qui
le comprendra ? Quelle souffrance pour notre Rédempteur ! Comment nous con-
vaincra-t-il de son amour, si sa mort même n'arrive pas à nous convaincre ? J'ai
invité le ciel entier à réparer avec moi pour l'ingratitude de certaines âmes. Jésus
m'a fait entendre combien lui est douce la prière réparatrice. Il m'a dit : *« La prière
d'une âme humble et pleine d'amour désarme la colère de mon Père et attire des
torrents de grâces.* » Après l'Heure Sainte, à mi-chemin de ma cellule, je fus cernée
par une meute de chiens puissants et noirs qui se mirent à bondir et à hurler comme
s'ils voulaient me mettre en pièces. Tout à coup je me suis rendu compte que ce
n'étaient pas des chiens, mais des démons. L'un d'eux hurla avec rage : « Nous
allons te déchiqueter parce que, cette nuit, tu nous as arraché tant d'âmes ! » Je
répondis : *« Si tel est le bon plaisir de Dieu, mettez-moi en lambeaux, je l'ai bien
mérité. Je ne suis qu'une pauvre pécheresse, mais Dieu est saint, juste et infiniment
miséricordieux.* » A ces mots les démons rugirent : « Fuyons, car elle n'est pas
seule, le Tout-Puissant est avec elle ! » Et ils disparurent comme un tourbillon de
poussière sur la route.
Je rentrai tranquillement en récitant le *Te Deum* et en adorant l'inépuisable Miséricorde. » (Extrait de « *L'Icône du Christ Miséricordieux* » de Maria Winowska
Éditions Saint-Paul)

Message du 25 octobre 1995

« Chers enfants, aujourd'hui je vous invite à aller dans la nature car là, vous rencontrerez Dieu le Créateur. Petits enfants, je vous invite aujourd'hui à remercier Dieu pour tout ce qu'il vous donne. En le remerciant, vous découvrirez le Très-Haut et tous les biens qui vous entourent. Petits enfants, Dieu est grand et son amour est grand pour chaque créature.

C'est pourquoi, priez pour pouvoir saisir l'amour et la bonté de Dieu. Dans la bonté et l'amour de Dieu le Créateur, je suis moi aussi avec vous comme un don. Merci d'avoir répondu à mon appel. »

LA PETITE FLORENCE DE MONTPELLIER

Ceux qui voient de leurs yeux la Vierge à Medjugorje ne sont pas si rares parmi les pèlerins. Ce serait dommage de rater une belle occasion de capter à travers ces témoignages un des traits les plus touchants de la personnalité de notre Mère. Qui choisit-elle ? Parmi ses enfants qu'elle attire ici par milliers, tous tendrement aimés, lesquels reçoivent d'elle le privilège de la voir ? Seuls les faits peuvent répondre à cela et une des plus belles réponses que je connaisse, la plus splendidement évangélique est l'histoire de la petite Florence.

La petite Florence Majurel de Montpellier, seize ans, est mongolienne et peut à peine parler. Le soir du 15 août, à 22 heures, elle se rend à la Croix Bleue avec sa mère, au pied de Podbrdo, pour l'apparition du groupe d'Ivan. Deux mille personnes se recueillent. Au moment où Ivan entre en extase, la petite se met à sourire en fixant un point près de la croix et dit :

- C'est quoi maman ? (elle ne sait pas dire « c'est qui ? »).

La maman devine qu'il se passe quelque chose de spécial et l'observe. Florence répète plusieurs fois un salut de la tête, comme pour reproduire ce qui lui est enseigné, puis se met à joindre ses mains et à entrelacer doucement ses doigts, chose qu'elle n'avait jamais encore pu faire. Elle souriait toujours quand elle envoya trois baisers avec sa main, comme font les enfants pour dire au-revoir, juste avant que l'apparition prenne fin.

Alors sa maman lui demande :

- Qu'est-ce que tu as vu ?

- Sainte Vierge ! répond Florence.

- Et comment était-elle ?

- Beau ! (Florence ne sait pas mettre au féminin).

Le lendemain, pour la première fois de sa vie, Florence se met spontanément à dire « *Je vous salue Marie, pleine de grâce* » (pas plus), alors que jamais elle n'avait pu prononcer les mots de la prière. Maintenant, elle prie deux mots sur trois de l'*Ave Maria*. Restait un test à faire. Comme Florence ne sait pas désigner les couleurs, sa mère posa devant elle six feuilles de papier de couleurs différentes, lui demandant de montrer laquelle était comme la robe de la Sainte Vierge. Tout de suite Florence posa son doigt sur le papier doré. Pour l'éprouver, la mère montra le papier de couleur jaune et dit : « Je crois plutôt que c'est comme ça ! » Mais Florence se mit en colère : « Non, ça ! » dit-elle en montrant encore le doré. Alors la maman fut bouleversée : en effet, le 15 août, comme à Pâques ou à Noël, la Gospa apparaît toute vêtue d'or...

Beau cadeau pour Florence et pour tous ceux que le monde méprise si souvent, bel exemple de l'indicible tendresse de Dieu pour les plus petits, les plus vulnérables ! Belle réponse du ciel à la médecine moderne, qui programme si vite l'avortement de leur petite vie à cause de leur handicap, alors que ces innocents réparent si souvent pour les péchés de ceux-là mêmes qui les excluent. Ils sont les temples du Dieu Vivant, et en choisissant d'honorer Florence, ce sont tous les handicapés que la Gospa veut honorer.

Message du 25 novembre 1995

« Chers enfants, aujourd'hui je vous appelle, afin que chacun de vous commence à nouveau à aimer Dieu en premier, Lui qui a sauvé et racheté chacun de vous, et ensuite, les frères et sœurs qui vous sont proches. Sans amour, petits enfants, vous ne pouvez pas croître dans la sainteté et vous ne pouvez pas accomplir de bonnes œuvres.

C'est pourquoi, petits enfants, priez, priez sans cesse afin que Dieu vous révèle son amour. Je vous ai tous invités à vous unir à moi et à aimer. Aujourd'hui encore je suis avec vous et je vous invite à découvrir l'amour dans vos cœurs et dans les familles. Afin que Dieu puisse vivre dans vos cœurs, vous devez aimer. Merci d'avoir répondu à mon appel. »

DES PETITS PIEDS SUR LE PARQUET

François-Joseph (voir cahier photos) vient d'avoir six ans - c'est mon neveu et mon filleul. Chaque soir, ses parents prient avec lui, tandis qu'il est assis dans son lit avant de s'endormir, et ils le bénissent selon l'école de la Gospa à Medjugorje. Dans la prière, il y a un espace pour que l'enfant spontanément remercie Dieu pour les belles choses de la journée, et fasse ses demandes. Par exemple : « Bénis un tel qui souffre », etc.

Ce soir-là, tout semble normal et les parents quittent l'enfant, non sans laisser la porte entrouverte pour la nuit, porte qui donne sur leur propre chambre. Dix minutes s'écoulent, puis ils entendent le bruit de deux petits pieds sur le parquet. Ils s'attendent à voir l'enfant faire irruption dans leur chambre pour réclamer un ultime câlin ou quelque chose du genre. Mais non ! Les pieds s'arrêtent net, et les parents se glissent discrètement dans l'embrasure de la porte pour voir ce qui se passe. L'enfant se tient debout devant le petit autel qu'il a lui-même aménagé avec une croix, une minuscule statue, des fleurs (fanées, il faut le dire), des images (pas toujours du meilleur goût), des articles religieux qu'il a dénichés ici ou là... Il tient dans les bras le petit chiot qu'il a reçu en cadeau deux jours auparavant et dont il est tombé inconditionnellement amoureux. Il le serre contre son cœur à l'étouffer. La pauvre bête a quand même réussi à poser sa tête sur l'épaule de François-Joseph, la scène est attendrissante. C'est alors que l'enfant exprime à Dieu une prière jaillie du fond de son cœur :

« Seigneur, bénis mon petit chien comme tu as béni l'Enfant-Jésus dans le sein de Marie ! »

Message du 25 décembre 1995

« Chers enfants, aujourd'hui encore je me réjouis avec vous et je vous apporte le Petit Jésus pour qu'il vous bénisse. Je vous invite, chers enfants, à unir votre vie à lui.

Jésus est le Roi de la paix et lui seul peut vous donner la paix que vous recherchez. Je suis avec vous et je vous présente de façon spéciale à Jésus, maintenant en ce temps nouveau où il faut se décider pour lui. Ce temps-ci est un temps de grâce. Merci d'avoir répondu à mon appel. »

IL A SOUFFLÉ LES BOUGIES !

Le petit Loïck n'a que 6 ans, mais son cœur est déjà tourmenté par des peurs incontrôlées et un sentiment d'insécurité. Ses parents ne s'entendent pas bien et l'enfant a capté ce manque de paix jusque dans son psychisme : il faut presque deux heures à sa mère pour calmer ses peurs le soir et l'aider à s'endormir. Un couple ami de la famille, la marraine de Loïck et son mari, propose alors de l'emmener à Medjugorje avec d'autres enfants. De Bretagne, le voyage sera long, mais tout a été bien conçu pour que les enfants y trouvent leur compte de détente et d'édification. On va bien jouer et bien prier !

Un soir à Medjugorje, Loïck va trouver sa marraine, son petit visage tout baigné de lumière :

- Marraine, marraine ! Tu sais pas quoi ? Eh ben pendant la prière Jésus il est venu me voir ! Je l'ai vu en vrai et même que il avait deux bougies. Alors il m'a montré les bougies, elles étaient allumées et tu sais quoi ? Il m'a dit : « *Loïck, tu vois ces bougies ?* » Et il les a soufflées toutes les deux. Et il a dit : « *Tu as vu comment j'ai soufflé sur les bougies ? Eh bien, comme j'ai soufflé sur les bougies, je souffle sur tes peurs !* »

La transformation de Loïck se manifesta le soir même, une grande paix l'habitait ; depuis lors, il s'endort aussitôt couché, comme un bébé contre sa mère.

Le lendemain, il alla retrouver sa marraine, il avait du mal à contenir sa joie. Dans l'après-midi, en effet, elle les avait emmenés devant le Saint Sacrement exposé, et les enfants avaient pu prier ainsi longuement tandis que, de temps à autre, elle animait une petite méditation à leur portée.

- Tu sais quoi ? Eh ben Jésus pendant l'adoration il est venu parler dans mon cœur ! Il m'a dit : « *Fais souvent ton signe de croix, et fais-le bien ! Quand tu vois une croix, fais ton signe de croix.* »

La marraine comprit alors que Jésus, après avoir guéri le cœur du petit Loïck de tourments trop lourds pour lui, lui avait indiqué le bouclier à utiliser pour empêcher le mal du monde et son Auteur de venir à nouveau le troubler. A six ans, Loïck avait reçu la paix et aussi un moyen simple pour la protéger dans son cœur : le signe de croix.

Comme cela arrive souvent à Medjugorje, les enfants purent assister à une apparition. Il n'y avait pas d'autres pèlerins avec eux ce jour-là et la Gospa en profita pour donner à Ivan un message pour eux. D'après Ivan, elle était très joyeuse de voir les enfants présents et elle les bénit tous, chacun séparément. Dans le message, elle demanda aux enfants de bénir leurs familles, maintenant qu'ils avaient été eux-mêmes bénis. Chacun devait transmettre cette bénédiction. Elle ajouta aussi (à l'adresse des accompagnateurs) : « *Continuez à amener des enfants !* »

A cette apparition était présente la petite Magali qui allait vers ses douze ans. Cette petite fille avait toujours été maladivement accrochée à sa mère, au point qu'elle ne supportait pas la moindre séparation d'avec elle. Camps de guides, école, vacances, tout cela la mettait à la torture et elle pleurait toutes les larmes de son corps. Comme elle grandissait, cela devenait de plus en plus handicapant.

Au cours de l'apparition, sur le conseil de la *marraine*, elle profita de la venue de Marie pour lui présenter sa mère terrestre et elle lui demanda de devenir vraiment sa maman. Elle lui dit : « Je te choisis comme ma maman ! » De retour à la maison, alors que la *maman terrestre* ignorait tout de cette prière, elle téléphona à la marraine pour lui exprimer son étonnement.

- Je ne reconnais plus ma fille, dit-elle, elle est devenue calme, gentille, libérée, elle ne s'accroche plus désespérément à moi, il a dû se passer quelque chose...

Effectivement, Magali avait vécu une grande délivrance à Medjugorje, elle s'était déposée dans le sein de Marie.

FLASH-BACK SUR 1995

Février : Le Père Petar Ljubicic quitte Medjugorje, à la grande tristesse de tous. Il s'occupera des Croates de Zurich (Suisse).

2 février : Une statue de la Vierge de Medjugorje, rapportée par un prêtre à un père de famille de Civittavecchia (Italie), pleure des larmes de sang. Des analyses sont entreprises.

Février : Le Père Jozo en France. Plusieurs églises l'accueillent, dont la cathédrale de Chartres. A Paris, il rencontre le Nonce, Monseigneur Antonelli, très ouvert à Medjugorje.

18 mars : Apparition annuelle à Mirjana :

« Chers enfants, comme Mère, je vous enseigne depuis tant d'années déjà la foi et l'amour de Dieu. Vous n'avez pas montré de gratitude envers le cher Père, ni ne lui avez rendu gloire. Vous êtes devenus vides et votre cœur est devenu dur et sans amour pour les souffrances de vos proches.

Je vous enseigne l'amour et je vous montre que le cher Père vous a aimés, et que ce n'est pas vous qui l'avez aimé. Lui a sacrifié son Fils pour votre salut, mes enfants ! Tant que vous n'aimez pas, vous ne reconnaîtrez pas l'amour de votre Père. Vous ne le reconnaîtrez pas, car Dieu est amour.

Aimez et n'ayez pas peur, parce que, mes enfants, il n'y a pas de peur dans l'amour. Si vos cœurs sont ouverts au Père et s'ils sont pleins d'amour pour lui, alors pourquoi avoir peur de ce qui vient ? Ont peur ceux qui n'aiment pas, parce qu'ils attendent les punitions et qu'ils savent combien ils sont vides et durs. Je vous conduis, enfants, vers l'Amour, vers le cher Père. Je vous conduis vers la vie éternelle. La vie éternelle est mon Fils. Recevez-le et vous aurez reçu l'Amour. »

23 mars : Vicka conduit 310 invalides de guerre qui seront reçus par le Pape à Rome (voir photo p. 166).

2 avril : Manifestation du peuple devant la résidence de Monseigneur Peric à Mostar, pour demander que les Franciscains gardent leurs paroisses.

6 avril : Le Cardinal Kuharic et le Docteur Radic (vice-président de Croatie) visitent le Pape à Rome pour l'inviter à Split. Le Pape répond qu'il souhaite y aller ainsi qu'à Maria Bistrica et à Medjugorje (*Sloboda Dalmacija*, du 8 avril, page 3)

15 avril : Quatre jeunes de la Communauté du Cénacle se font baptiser dans la nuit de Pâques. A Medjugorje, ils sont ressuscités de la drogue.

Mai : Le Père Jozo aux USA et Canada. Il est élu *Chef Spirituel* de la Nation indienne Mic Mac et reçoit la coiffe traditionnelle (à plumes).

10 mai : Monseigneur Lagrange, de Gap (France) vient à Medjugorje, suivi du Cardinal Wamala (Ouganda) et du Cardinal Margéot (Ile Maurice).

15 juin : Le pilote américain Scott O'Grady dont l'avion fut abattu en Bosnie, déclare à la presse qu'il doit son salut à la Vierge de Medjugorje qui se manifesta à lui au cours des six jours où il se cacha, dans la région explosive de Banja Luka, avant d'être secouru.

17 juin : Monseigneur Grillo, évêque de Civittavecchia (Italie), intronise la statue de Medjugorje et l'offre à la vénération des fidèles : « Cette grâce nous vient de Medjugorje », déclare-t-il (début février, la statue avait pleuré des larmes de sang dans ses propres mains, devant trois témoins, dont sa sœur). Le Père Jozo concélèbre la messe avec lui et quatre vingt autres prêtres, devant trois mille personnes.

25 juin : Apparition annuelle à Ivanka. La Vierge demande de prier pour les familles car Satan veut les détruire. Elle nous invite à être les messagers de la paix.

Juillet : Une Communauté contemplative s'installe à Medjugorje, « Le Précieux Sang ». La fondatrice, Gugliermina, est italienne.

Inauguration des quatre premières maisons d'orphelins près de Medjugorje, sous le patronage du Père Slavko. Chacune d'elles est financée par un pays. Renseignements : Père Slavko, Zupni Ured, 88266 Medjugorje, via Split, Croatie, fax : 00 (387) 88 651 444.

29-30 juillet : Marija et le Père Tardiff au stade de Monza (Italie).

9 août : Inauguration de la « *Casa San Giuseppe* » entre les montagnes, pour les retraites du Père Jozo. Marija y a parfois ses apparitions.

30 août : Vicka accompagne 1000 orphelins de guerre à Rome pour une audience avec Jean-Paul II, dans la basilique Saint-Pierre.

Octobre : Jelena poursuit ses études de théologie, mais à Rome.

15 octobre : Naissance de Kristina Maria, première enfant d'Ivan et Laureen, à Boston. La famille vit tantôt à Medjugorje, tantôt à Boston.

17 octobre : Tous les évêques de Bosnie-Herzégovine sont convoqués par Jean-Paul II à Rome pour parler de la paix.

ANNÉE
1996

Message du 25 janvier 1996

« Chers enfants, aujourd'hui je vous invite à vous décider pour la paix. Priez Dieu afin qu'il vous donne la vraie paix. Vivez la paix dans vos cœurs et vous comprendrez, chers enfants, que la paix est don de Dieu.

Chers enfants, sans amour vous ne pouvez pas vivre la paix. Le fruit de la paix est l'amour et le fruit de l'amour est le pardon. Je suis avec vous et je vous appelle tous, petits enfants, à pardonner en premier lieu dans vos familles, et alors vous serez capables de pardonner aux autres. Merci d'avoir répondu à mon appel. »

QUAND LE SEIN MATERNEL EST UN TOMBEAU

« Sans amour, vous ne pouvez pas vivre la paix » ? Mais si le sein de ma mère était un tombeau, si la racine de ma vie plonge dans le « non-amour », suis-je condamné à ne jamais goûter la paix ?

Sophie débarqua par miracle à Medjugorje. Professeur d'anglais, quarante ans, pleine de charme, elle me raconte son aventure avec enthousiasme et ne cesse de répéter : « C'est fou, c'est vraiment fou ! » Il faut avouer que dans sa vie ni Dieu ni Satan n'ont chômé...

Le fiasco commença pour Sophie dès sa conception : sa mère ne voulait pas de cette grossesse. Lorsqu'elle apprit qu'elle attendait des jumeaux, le rejet se fit encore plus profond. A la naissance, le fiasco continua, le frère jumeau arriva mort-né. Sophie ressentira à la fois la mort due au non-amour et un vide dans les relations humaines : son premier vis à vis, son premier amour était un mort ! Elle grandit sans Dieu, et sans support humain.

A vingt ans, elle se marie car elle est enceinte. Nouvel échec : elle n'arrive pas à aimer et lui non plus. La vie conjugale ressemble à deux murs qui se cognent et s'abîment. Elle divorce. Sa petite Claire commence elle aussi le tragique parcours de l'enfant écartelé. Espérant avoir trouvé mieux, Sophie se remarie et constate avec horreur que c'est plutôt pire. Elle est étouffée par un sentiment de *non-identité* et ne peut communiquer avec son mari. Leurs échanges se résument en « colère-reproche-rancune » dans l'ordre ou dans le désordre. C'est à nouveau le mur opaque du non-amour. Mais un événement bien pire déclenche pour Sophie une véritable descente aux enfers : alors qu'elle accouche d'un petit garçon, elle revit tout le drame de la mort de son jumeau, toute la culpabilité qu'elle en a gardée, et elle réalise qu'à la suite de sa propre mère, son sein maternel est vide de vie, vide d'amour.

Dans son désespoir, elle oblige même son corps à rejeter la vie. Après l'accouchement, elle développe une maladie mortelle que la médecine qualifie « d'auto-immune », c'est-à-dire d'auto-destruction. Ses anti-corps, destinés à lutter contre l'agression des maladies, se retournent contre son propre organisme pour le détruire de l'intérieur. Dans son corps c'est la guerre, car dans son cœur c'est la mort. Elle tombe sur un poème de Paul Éluard : « *Merci, Maman, de m'avoir créé.* » Elle hurle... ! Sa vie, comme elle la déteste !

Collagénose, polyarthrite rhumatoïde, anémie... le fauteuil roulant se profile à l'horizon, suivi à coup sûr d'une mort lente dans de terribles souffrances. La voilà écrasée de médicaments durs.

Évidemment, comme toute personne qui ne connaît pas le Sauveur, elle se trouve un pseudo-sauveur : le guérisseur-Machin. Il est cher, il faut lui fournir des mèches de cheveux toutes les trois semaines, mais il a une image du Christ dans son bureau, alors... « L'homme doit être bon au fond » se dit-elle. En effet, la maladie cesse d'évoluer.

Mais évidemment, comme toute guérison obtenue par les guérisseurs, le mal s'arrête d'un côté pour se déplacer ailleurs, et empirer. L'homme initie Sophie à l'ésotérisme et aussi à des pratiques occultes. Fascinée, Sophie se lance chaque jour dans l'écriture automatique.

- Ma main partait toute seule, j'étais obligée d'écrire ! me dit-elle.

Elle fait toutes les librairies glauques de Paris pour y acheter des livres genre New Age et les dévore avidemment. Elle fait du yoga et pratique vite les ouvertures de chakras. Des peurs terribles surgissent alors en elle, le jour, la nuit, sans crier gare. Des angoisses inconnues jusqu'alors la paralysent.

Une nuit, alors qu'elle venait d'écrire sous la dictée d'un démon (croyant de bonne foi que cela la reliait à des « énergies du cosmos »), elle se réveille en sursaut, trempée de sueur et morte d'angoisse. Elle voit alors Satan près d'elle, son horrible main noire tendue vers elle. L'horreur ! Pour la première fois de sa vie, elle prononce le nom de Dieu et l'appelle au secours ; c'est sa toute première prière... avec le cœur !

A sa grande surprise, le Seigneur répond à son cri et lui fait ressentir sa présence. Sophie comprend alors que ce Dieu-là est VIVANT, il est BON, il est PAIX. Sa vie prend vite un virage à angle droit. Elle se met à prier chaque jour et découvre la foi catholique. Plus tard, elle comprend que l'ésotérisme ne peut se marier avec la vie chrétienne et elle fait son choix : elle va marcher avec Jésus, le vrai Sauveur, celui qui n'a pas une bombe cachée sous le tapis pour la détruire.

- Et Medjugorje ? demandai-je.

- C'est fou ! Jésus m'a donné sa mère !

- Raconte Krizevac... ta nouvelle naissance...

- Je faisais le chemin de croix avec le groupe. Arrivée à la treizième station, celle où Marie reçoit le corps de Jésus dans ses bras, le frère Cyrille me dit : « Sophie, tu peux lire la méditation du Père Slavko ? » Moi, naïvement, je dis oui et je lis.[1]

Je vois les yeux de Sophie s'humidifier... Sa voix devient blanche...

- Donc, je lis ; mais, à un passage, voilà tout le cauchemar qui me revient ! J'ai craqué, j'ai éclaté en sanglots, quelqu'un a dû continuer à ma place... Marie m'attendait là, à cette treizième station.

Le passage disait : « *Marie, je te prie pour les enfants rejetés qui ne connaissent pas la chaleur d'un sein maternel. Sois leur mère, redonne-leur le goût de vivre. O Marie, je te prie pour les mères dont le sein est devenu le tombeau de la vie, parce qu'elles ont tué leur enfant ou l'ont rejeté après leur naissance. Rends-leur la vie !* »

En un éclair, j'avais touché la racine de toute ma souffrance : le sein de ma mère avait été comme un tombeau ! J'avais commencé à vivre dans un lieu de mort ! Je n'avais pas reçu la vie !

Et la méditation continuait par ce message :

« *Chers enfants..., je vous ai choisis d'une façon particulière, tels que vous êtes. Je suis votre mère et je vous aime tous...* »

Alors, Marie est devenue ma mère ; ma racine, le sein où je prends corps. Le plus surprenant, c'est que tout s'est passé en douceur. J'ai senti comme un souffle, quelque chose de très léger, et c'était fait. Je m'attendais à une secousse, mais non ! Avant ce chemin de croix, j'étais orpheline ; après, j'avais ma mère, Voilà, ça s'est fait en douceur. J'ai maintenant une grande paix, une paix incroyable !

---

[1] Dans le livre « *Prier avec le cœur* », disponible à Medjugorje.

Et Sophie d'ajouter tout bas, comme pour protéger le sommeil d'un enfant :

- Et maintenant, je peux dire tout au fond de mon cœur : « *Seigneur, je te remercie de m'avoir créée !* »

Message du 25 février 1996

« *Chers enfants, aujourd'hui je vous invite à la conversion. Ceci est le message le plus important que je vous ai donné ici.*

Petits enfants, je désire que chacun d'entre vous soit porteur de mes messages. Je vous invite, petits enfants, à vivre les messages que je vous ai donnés au cours de ces années. Ce temps est un temps de grâce, particulièrement maintenant, alors que l'Église aussi vous invite à la prière et à la conversion. Moi aussi, petits enfants, je vous appelle à vivre les messages que je vous ai donnés depuis le temps que j'apparais ici. Merci d'avoir répondu à mon appel. »

UN PEU DE SCOTCH ET BEAUCOUP D'AMOUR

Véronique D., quarante ans, va se suicider, c'est décidé. « Ç'en est assez de souffrir comme ça, la vie est trop cruelle ! » Le moral au-dessous de zéro, elle erre dans Paris et longe une file de voitures garées au bord du trottoir d'un pas lent. Elle remarque un petit papier collé à une vitre, elle s'approche.

« Message de la Bienheureuse Vierge Marie à Medjugorje » lit-elle et il lui semble tomber sur une autre planète.

«*[...] Petits enfants, n'ayez pas peur, car je suis avec vous, même quand vous pensez qu'il n'y a pas d'issue et que Satan règne. Je vous apporte la paix. Je suis votre Mère et la Reine de la Paix. Je vous bénis avec la bénédiction de la joie afin que Dieu soit tout pour vous dans la vie. Merci d'avoir répondu à mon appel.* »

Elle lit, relit et re-relit. Il lui semble boire à une source invisible. Elle distille longuement chaque mot, et son cœur se met à revivre, le voilà qui bat à nouveau, sans cette effroyable entrave de mort ! Plus tard, Véronique cherche la piste de ce fameux « Medjugorje », ce nom inconnu et bizarre. Et un jour elle arrive à Medjugorje... pour rendre grâce ! C'est comme cela que l'on a su sa trajectoire.

La Gospa cherche des bras et des mains, elle est en manque ! Mais lorsqu'elle en trouve, elle les utilise à fond et ils servent de soupape d'échappement à cet incommensurable amour maternel qu'elle a peine à contenir et qui ne pense qu'à sauver. Le propriétaire de la voiture n'a jamais su l'histoire de Véronique. Mais il sait qu'il a offert ses mains à la Gospa, pour scotcher ses messages sur sa voiture, entre autres choses[1].

---

[1] Nous vous avons facilité la tâche : voici quatre pages à photocopier, qui vous permettront de répandre quelques messages. Une belle tradition à lancer lorsque vous recevez des amis ou fêtez Marie dans votre groupe de prière : découpez-les et, après avoir prié, offrez-en un à chacun.

« L'important, c'est de prier l'Esprit Saint pour qu'il descende sur vous. Quand on l'a, on a tout. » (21.10.83)	« Quand vous éprouverez des difficultés et que vous aurez besoin de quelque chose, venez à moi. » (1983)
« Chers enfants, j'ai besoin encore maintenant de vos prières. Vous vous demandez pourquoi tant de prières ? Regardez autour de vous, chers enfants, et vous verrez combien le péché a pris de l'emprise sur cette terre. C'est pourquoi, priez, pour que Jésus soit vainqueur ! » (13.09.84)	« Quand vous vous rendez à la messe, votre chemin, depuis la maison, devrait être un temps de préparation pour la messe. Vous devez aussi recevoir la communion avec un cœur ouvert et pur... Pureté de cœur et ouverture ! Ne quittez pas l'église sans action de grâces convenable. » (octobre 1984)
« Chers enfants, ce soir je vous prie de vénérer le Cœur de mon Fils Jésus. Apportez des réparations pour la blessure infligée au Cœur de mon Fils. Ce Cœur est blessé par toutes sortes de péchés. » (05.04.84)	« Priez pour l'effusion du Saint-Esprit sur vos familles et sur vos paroisses. Priez, vous ne le regretterez pas ! Dieu vous donnera des dons pour lesquels vous le glorifierez jusqu'à la fin de votre vie terrestre. » (02.06.84)
« Chers enfants, cette semaine je vous demande de vivre ces paroles, j'aime Dieu ! Chers enfants, par l'amour vous pouvez tout obtenir, même ce que vous croyez impossible. » (28.02.85)	« Chers enfants, aujourd'hui je vous demande de lire la Bible chaque jour dans vos maisons et de la placer en évidence dans un endroit, pour toujours vous inciter à la lire et à prier. » (18.10.84)
« Priez, petits enfants, pour la santé du plus cher de mes fils qui souffre, et que j'ai choisi pour ces temps. » (25.08.94)	« Priez, chers enfants, afin que le plan de Dieu s'accomplisse, et que toutes les œuvres de Satan soient changées en faveur de la gloire de Dieu. » (17.02.85)
« Chers enfants, aujourd'hui, je vous le demande : priez, priez, priez. Vous connaîtrez dans la prière la joie la plus grande. Par la prière vous trouverez une issue aux situations impossibles. » (28.03.85)	« Chers enfants, je veux vous dire qu'en ces jours, la croix doit être au centre de vos vies. Priez de façon spéciale devant la croix d'où viennent de grandes grâces. » (12.09.85)

« Je vous demande d'appeler les prêtres à la prière du Rosaire. Par le Rosaire vous allez vaincre tous les malheurs que Satan veut infliger à l'Église catholique. Priez le Rosaire, vous tous les prêtres. » (25.06.85)

« Chers enfants, aujourd'hui je vous invite à commencer, particulièrement maintenant, le combat contre Satan par la prière. Chers enfants, revêtez l'équipement du combat et soyez victorieux, le chapelet à la main. » (08.08.85)

« Donnez-moi vos sentiments et vos problèmes. Je veux vous consoler dans vos épreuves. Je veux vous combler de paix, de joie et d'amour divin. » (20.06.85)

« Chers enfants, aujourd'hui je vous demande de mettre dans vos maisons le plus possible d'objets bénis. Que chaque personne porte sur soi un objet béni. » (18.07.85)

« Chers enfants, je vous invite de nouveau à la prière avec le cœur. Si vous priez ainsi, chers enfants, la glace qui est en vos frères fondra. Toute barrière disparaîtra. » (23.01.86)

« Comme Mère je voudrais vous appeler tous à la sainteté, pour que vous puissiez la transmettre aux autres. Vous êtes un miroir pour les autres. » (10.10.85)

« Chers enfants, je vous appelle à l'amour envers le prochain. A l'amour envers celui dont vous vient du mal. Ainsi vous pourrez avec amour juger les intentions des cœurs. Priez et aimez, chers enfants. Avec l'amour vous pourrez faire même ce qui est impossible. » (07.11.85)

« Aujourd'hui, je vous invite à travailler sur vos cœurs. Tous les travaux des champs sont terminés. Vous avez trouvé le temps de nettoyer même les endroits les plus délaissés. Mais vous avez laissé de côté vos cœurs. Travaillez davantage et nettoyez chaque recoin de vos cœurs avec amour. » (17.10.85)

« Je ne veux rien pour moi, mais tout pour le salut de vos âmes. Satan est puissant, c'est pourquoi, petits enfants, par la prière persévérante, blottissez-vous contre mon cœur de Mère. » (25.10.88)

« Chers enfants, je vous demande de vivre la sainte messe. Beaucoup ont ressenti la beauté de la sainte messe. Mais il y en a d'autres qui n'y viennent pas volontiers. Que chaque venue à la messe soit une joie. Venez-y avec amour. » (03.04.86)

« Vous ne savez pas, chers enfants, combien mon amour est grand. Et vous ne savez pas l'accueillir. Je veux vous le prouver de multiples façons, mais vous, chers enfants, vous ne vous en rendez pas compte. Chers enfants, accueillez-moi dans vos vies. » (22.05.86)

« Chers enfants, vous êtes occupés par les choses matérielles et, dans la matière, vous perdez tout ce que Dieu veut vous donner. Je vous demande, chers enfants, de prier pour les dons du Saint-Esprit. » (17.04.86)

« Chers enfants, aujourd'hui je vous appelle à la sainteté. Sans la sainteté, vous ne pouvez pas vivre. C'est pourquoi, par l'amour, soyez victorieux de tout péché. Par l'amour, surmontez toutes les difficultés qui vous viennent. » (10.07.86)

« Chers enfants, à l'endroit où vous vivez, agissez avec amour. Que votre unique moyen soit toujours l'amour. Par l'amour, tournez en bien tout ce que Satan veut détruire et s'approprier. Seulement ainsi vous serez tout à fait à moi et je pourrai vous aider. » (31.07.86)

« Chers enfants, merci pour l'amour que vous me montrez. Sachez, chers enfants, que je vous aime sans mesure. De jour en jour, je prie le Seigneur, pour qu'il vous aide à comprendre l'amour que j'ai pour vous. » (21.08.86)

« Chers enfants, aujourd'hui je vous demande de prier, de jour en jour, pour les âmes du purgatoire. Chaque âme a besoin de la prière et de la grâce pour arriver jusqu'à Dieu et à son amour. Par cela, vous aussi, chers enfants, vous obtenez des inter-cesseurs qui vont vous aider dans la vie. » (06.11.86)

« Chers enfants, vous oubliez que je vous demande des sacrifices pour vous aider et pour chasser Satan de vous. C'est pourquoi, je vous appelle de nouveau à apporter des sacrifices avec un respect particulier de Dieu. » (18.09.86)

« Chers enfants, sans vous je ne peux pas aider le monde. Je veux que vous coopériez avec moi en tout, même dans les choses les plus petites. Que votre prière vienne du cœur, et abandonnez-vous complètement à moi. » (28.08.86)

« Je vous invite à la consécration à mon Cœur Immaculé. Je souhaite que vous vous consacriez personnellement, mais aussi en tant que familles et que paroisses. Ainsi tout appartiendra à Dieu par mes mains. » (25.10.88)

« Ne soyez ni anxieux, ni inquiets. Dieu vous aidera et vous montrera la voie. Je veux que vous aimiez tous les hommes de mon amour, les bons comme les méchants. Seulement ainsi l'amour pourra conquérir le monde. » (25.05.85)

« Chers enfants, je vous en prie, donnez au Seigneur tout votre passé, tout le mal qui s'est accumulé dans vos cœurs. Je souhaite que chacun soit heureux, mais, avec le péché, personne ne peut l'être. Ainsi, chers enfants, priez, et dans la prière vous connaîtrez le nouveau chemin de la joie. » (25.02.87)

« Chers enfants, j'appelle chacun à commencer à vivre dans l'amour de Dieu. Chers enfants, vous êtes prêts à pécher et à vous mettre entre les mains de Satan sans réfléchir. Je vous appelle, que chacun se décide en toute conscience pour Dieu et contre Satan ! » (25.05.87)

« Je veux que chacun soit heureux ici sur la terre et qu'il soit ensuite avec moi au ciel. C'est cela, chers enfants, le but de ma venue ici et c'est mon désir. » (25.05.87)

« Chers enfants, je vous appelle à l'abandon complet à Dieu. Que tout ce que vous possédez soit entre les mains de Dieu. Ainsi, seulement ainsi, aurez-vous la joie dans le cœur. » (25.04.89)

« Vous savez que je vous aime, que je brûle d'amour pour vous. C'est pourquoi, chers enfants, décidez-vous à aimer, brûlez d'amour. Apprenez à connaître de jour en jour l'amour de Dieu. Que l'amour prédomine en chacun d'entre vous, non pas un amour humain, mais un amour divin. » (20.11.86)

« Chers enfants, comprenez que Dieu a choisi chacun d'entre vous pour l'utiliser dans un grand plan de salut de l'humanité. Vous ne pouvez comprendre l'importance de votre rôle dans les desseins de Dieu. C'est pourquoi, chers enfants, priez pour pouvoir comprendre le plan que Dieu a à travers vous. Je suis avec vous pour vous permettre de le réaliser dans sa plénitude. » (25.01.87)

« Petits enfants, réjouissez-vous en Dieu le Créateur car il vous a créés de façon si merveilleuse. Priez pour que votre vie soit un joyeux remerciement qui coule de vos cœurs comme un fleuve de joie. » (25.08.88)

« Petits enfants, n'ayez pas peur, car je suis avec vous même quand vous pensez qu'il n'y a pas d'issue et que Satan règne. Je vous apporte la paix. Je suis votre Mère et la Reine de la Paix. » (25.07.88)

« Il faut beaucoup prier, ne pas dire : « Oh, si aujourd'hui nous n'avons pas prié, ce n'est pas grave ». Il faut vous efforcer de prier. La prière est le seul chemin qui conduit à la paix. Si vous priez et jeûnez, vous obtiendrez tout ce que vous demandez. » (à Jelena, 29.10. 83)

« Chers enfants, Satan est assez puissant et c'est pour cela que je recherche vos prières ; présentez-les pour ceux qui sont sous son influence, afin qu'ils soient sauvés. Sacrifiez vos vies pour le salut du monde ! Au ciel, vous recevrez du Père la récompense qu'Il vous a promise. » (25.02.88)

Message du 25 mars 1996

« *Chers enfants, je vous invite à vous décider à nouveau à aimer Dieu par-dessus tout. En ces temps où, à cause de la consommation on oublie ce que signifient aimer et apprécier les vraies valeurs, je vous invite à nouveau, petits enfants, à mettre Dieu à la première place dans vos vies. Que Satan ne vous attire pas avec les choses matérielles mais, petits enfants, décidez-vous pour Dieu qui est liberté et amour. Choisissez la vie et non la mort de l'âme.*

Petits enfants, en ces temps où vous méditez la Passion et la mort de Jésus, je vous invite à vous décider pour la vie qui refleurit par la Résurrection et que votre vie aujourd'hui se renouvelle à travers la conversion qui vous conduira à la vie éternelle. Merci d'avoir répondu à mon appel.»

LE MINISTÈRE DE COLETTE

« Cancer du sein, très avancé... ! »

Le Professeur Joyeux repose les résultats d'analyse de Colette et prévient Christian, son mari, que Colette doit être opérée de toute urgence.

Choc pour toute la famille et pour la Communauté des Béatitudes à laquelle elle appartient, car Colette est une femme dynamique, pleine de vie, jeune, belle...

Après l'opération, un long chemin de croix commence pour Colette car des métastases gagnent d'autres organes. Elle s'affaiblit de jour en jour. En janvier 1994, Christian et elle décident de faire une folie : ils viennent à Medjugorje malgré l'état critique de Colette qui tient à peine debout. Une forte angine se greffe sur le tout, si bien que Colette gardera le lit durant six de ses huit jours à Medjugorje. Elle qui rêvait de pouvoir prier sur les montagnes et d'aller chez Vicka ! Elle offre tout à Marie, sans se plaindre.

Mais une surprise l'attend : on a prévenu Vicka qui accourt dans la chambre de Colette et prie sur elle un long moment, avec la simplicité qu'on lui connaît. Tandis qu'elle murmure ses bénédictions en croate, elle lui sourit d'un air encourageant. En la quittant, elle l'embrasse et lui dit :

- Ne t'inquiète pas, la Gospa est toujours avec toi !

Toujours ignorants des plans de Dieu sur nos vies, tellement plus beaux que les nôtres, nous guettons tous la guérison de Colette et apprenons avec désappointement que les choses ne font qu'empirer à grande vitesse. Les souffrances de Colette deviennent intolérables, malgré tous les traitements de la médecine moderne. Mais Colette étonne tout le monde par son inébranlable paix, et la joie primesautière qu'elle manifeste au cœur des situations les plus tragiques de son douloureux cursus vers la mort. Depuis Medjugorje, la bénédiction de Marie la tient toute entière, on dirait même qu'elle s'amplifie jusqu'à transfigurer le visage de Colette.

- Après la prière de Vicka, la Vierge ne m'a pas quittée une seconde, me dira-t-elle, c'est elle qui m'a appris à souffrir en union avec Jésus, comme elle, et tu ne vas pas me croire si je te dis que plus je souffre, plus je me sens intimement unie à Jésus. Les moments de plus intense souffrance sont pour moi les moments de la joie la plus intense, une joie vraiment divine que je ne peux pas te décrire. Je ressens Sa joie de sauver les âmes. C'est extraordinaire ! A me voir comme ça, pauvre chose malade au fond d'un lit, on ne croirait pas que je suis la femme la plus heureuse du monde !

En juillet 1995, c'est la fin. Son pauvre corps ravagé est à bout de force. Sa famille vient l'entourer avec tous ceux qui l'aiment, et glissent à son oreille les chuchotements classiques : « Colette, quand tu seras là-haut, n'oublie pas... » Colette se prépare à partir avec Marie, dans la paix d'une vie qui a donné tout ce qu'elle avait et bien au-delà. Quelques mois auparavant, au cours d'une adoration (elle a le Saint Sacrement dans sa chambre), Jésus lui a montré comment se passerait son arrivée au ciel... Elle voit un délire de joie de la part de tous les élus lorsqu'elle fait son entrée dans une magnifique robe blanche, elle est la plus belle, l'unique, et Jésus vient la chercher pour la prendre dans ses bras et la faire danser, danser, danser...

Mais, juillet 1995 n'était pas la date de Dieu car, contre toute attente (médicale !), Colette ne s'en va pas et reprend une nouvelle énergie, toute surnaturelle. Que s'est-il passé ?

Aux portes de la mort, Colette eut la « visite » de Marthe Robin et celle-ci lui demanda si elle voulait bien vivre encore quelques temps, afin de prolonger son ministère de « crucifiée d'amour »[1] pour aider ses

---

[1] C'est le terme employé par Jésus lorsqu'il expliqua à Marthe sa vocation et sa mission : *« Tu seras ma petite crucifiée d'amour »* (1929).

frères, Colette n'était pas une grande familière de Marthe, mais cette visite fut le début d'une extraordinaire collaboration entre ces deux âmes (voir cahier photos).

Colette n'avait-elle pas offert sa maladie et sa vie pour ses frères et sœurs de la Communauté ?

Des signes tangibles de cette miséricorde pour les âmes ne se font pas attendre. Dans les jours qui suivent, Colette est saisie par une compassion si intense envers chacun qu'elle ne se reconnaît plus. Cela ne vient pas d'elle ! Au fond de chaque cœur elle voit, comme au cinéma, les blessures, les secrètes souffrances de chacun et, dans tous leurs détails, les circonstances qui ont occasionné ces blessures. Elle voit, elle entend, elle perçoit jusqu'au dialogue ou aux pensées secrètes des parents au moment de la conception de l'enfant. Elle voit cet enfant dans le sein de sa mère, l'extraordinaire conscience d'amour qui est la sienne, malgré sa taille microscopique, et elle découvre comment ce minuscule petit être a capté les manques d'amour, les conflits, les impuretés, voire les rejets de la part de ses parents. Le bébé est conscient de tout, et avec quelle acuité ! Elle sanglote de chagrin, mais ce ne sont pas ses larmes, elle sent que c'est la Sainte Vierge qui pleure en elle devant ces cœurs déchirés, torturés avant même d'avoir vu le jour. C'est la Vierge qui pleure devant les orientations tordues, malheureuses, prises au plus tard par l'enfant à cause de ses toutes premières et plus profondes blessures.

Alors commence pour Colette un ministère jamais vu encore auparavant : Dans la prière, elle exprime à chacun ce que Dieu lui montre[1], et les moments précis où l'enfant a dit non à la vie, non à Dieu, non à l'amour, comme pour se prémunir du non-accueil dont il était victime. Mais, voir est une chose, guérir en est une autre ! Ce que vingt ans de psychanalyse ne sauraient faire pour se remettre quelqu'un debout, Colette, comme instrument de Dieu, le faisait en une ou deux rencontres avec la personne[2].

---

[1] Cela relève du charisme de sciences et de prophétie, comme nous le trouvons dans la Bible. Par exemple, le prophète Nathan vient trouver David, et lui dit de la part de Dieu ce qu'il a fait, afin d'entraîner une conversion (2S 12, 1-15). Cela n'a bien sûr rien à voir avec la « divination » où la personne se sert de supports (photos, marques de café, pendules, tarots...) pour interroger les esprits, (et non le Saint-Esprit) !
Cf. l'excellente cassette du Docteur Sanchez : « *La Divination* » (Maria Multimédia).

[2] Ceux qui désirent recevoir une image de Colette peuvent écrire à : Christian Estadieu, « Béatitudes », 2 rue des Poiriers, F-76530 Les Essarts (joindre une enveloppe timbrée à leur nom).

La compassion de Jésus et de Marie en elle jaillissait de son cœur comme une source impétueuse et la guérison était amorcée[1].

Dieu seul sait combien de résurrections ont eu lieu dans la chambre de Colette. On allait la voir, et derrière son sourire, son humour, sa joie, sa patience... on voyait Marie, on trouvait la Mère de nos vies, celle qui nous prend sur son cœur pour nous redonner goût à la vie, pour nous rendre notre véritable identité[2].

Huit mois plus tard, le 2 mars 1996, (premier samedi du mois), Colette vit enfin son entrée au ciel. A l'heure de sa Pâque, Christian se trouve près d'elle avec deux de leurs enfants et une sœur de la communauté. Colette ne peut plus rien exprimer, mais elle entend encore. Près de son lit, ils prient le rosaire. Arrivée au dernier mystère glorieux, le Couronnement de Marie au ciel, sœur Catherine dit à Colette :

- Allez, Colette, maintenant tu peux y aller ! Ils t'attendent tous, là-haut !

Et Colette les quitta à ce moment-là, sa respiration s'arrêta tout doucement.

Elle continue aujourd'hui son travail au milieu de nous d'une autre manière, se rendant présente à ceux qui sollicitent son aide. Mais comme elle est bien de chez nous et sait que nous avons toujours besoin de voir de nos yeux, toucher de nos mains et entendre de nos oreilles les plus belles choses de Dieu, elle était à peine arrivée au ciel qu'elle parlait déjà à d'autres cœurs préparés par Dieu, pour prendre le relai de son incroyable ministère...

Oui, si nous arrosons soigneusement la grâce reçue à Medjugorje, voilà comment la Gospa la fait croître et multiplier. Quelle promesse pour chacun de nous ! Car Colette n'a rien fait de plus que de recevoir la bénédiction de Marie dans une bonne terre.

---

[1] J'ai moi-même bénéficié de ce charisme. En effet, depuis trente ans je ne pouvais dormir qu'en prenant des médicaments et j'étais sujette à de terribles insomnies. Colette vit que cela n'était pas physique, mais les séquelles de séances de spiritisme auxquelles j'avais participé étant jeune, avant ma conversion. « Le Malin s'est introduit à travers cela, et il a encore un point d'impact sur ton sommeil. Il cherche à t'épuiser et te détruire de cette manière, me dit-elle. Il est furieux car tu es appelée à porter Jésus et Marie à ceux qu'il avait programmés comme ne devant jamais entendre parler d'eux. » Colette pria et en deux mois les insomnies disparurent, les médicaments aussi.

[2] Ce ministère était vécu par Colette avec l'accord de son père spirituel qui contrôlait l'authenticité des grâces reçues.

Message du 25 avril 1996

« Chers enfants, aujourd'hui je vous invite à nouveau à mettre la prière à la première place dans vos familles. Petits enfants, si Dieu est à la première place, alors, en tout ce que vous faites, vous chercherez la volonté de Dieu. De cette manière, votre conversion quotidienne deviendra plus facile.

Petits enfants, cherchez avec humilité ce qui n'est pas en ordre dans vos cœurs et alors vous comprendrez ce qu'il faut faire. La conversion sera pour vous un devoir quotidien que vous accomplirez avec joie.

Petits enfants, je suis avec vous, je vous bénis tous et je vous invite à devenir mes témoins par la prière et la conversion personnelle. Merci d'avoir répondu à mon appel. »

UN FRUIT DE COLETTE

« Pécheur ma mère m'a conçu »[1] se répète Fabienne, *« mais Immaculée ma Mère a été conçue »*. Elle a entendu cette phrase à Lourdes en octobre 1994 au cours d'une conférence[2] et depuis lors, elle ne cesse de la retourner dans son cœur. Elle sent confusément qu'une grande vérité et une planche de salut, pour elle, se cachent dans cette petite phrase.

A vingt-cinq ans, Fabienne n'en peut plus de souffrir. Son malaise intérieur ne la laisse jamais tranquille. Elle n'a pas trouvé son identité, elle a l'impression pénible d'être une usurpatrice et son terrible manque de confiance en elle-même lui gâche tous ses rapports avec les autres. Elle a peur de leur regard et sa timidité maladive altère son comportement. « Une vraie sauvage ! » se dit-elle avec amertume. Fabienne a fait le bon diagnostic : elle s'est emmurée en elle-même.

Sa rencontre avec Colette se fait par étapes et, dès la première prière, Fabienne s'étonne : Pourquoi Colette lui parle-t-elle tant de saint Jérôme ? D'abord, c'est qui celui-là ???

- Saint Jérôme, lui dit Colette, avait tout donné au Seigneur, tout, sauf son péché.

---

[1] Psaume 50.

[2] Cf. Cassettes : *« Marie, un sein pour renaître »* d'Éphraïm et *« L'éducation des enfants »* du Docteur Bernard Dubois (Maria Multimédia).

- Comment un saint a-t-il pu ne pas confesser son péché... ? se demande alors Fabienne intriguée, et ne voyant pas le lien avec son problème...

Poussée par Colette, Fabienne décide d'aller à Medjugorje. Au retour, tout se précipite. Dans la prière, Colette voit Fabienne « dans une boule amniotique et ne désirant pas en sortir ». Elle sait deux choses sur Fabienne : ses parents ont perdu une petite fille de deux ans et Fabienne a été très désirée et naquit un an après ce décès. Alors, le Seigneur lui révèle le pot aux roses. En effet, les parents de Fabienne l'ont beaucoup désirée, mais pas comme une deuxième enfant, unique et particulière. Ils la désiraient pour remplacer leur première petite fille. Ils voulaient retrouver leur enfant disparue. Et Colette va plus loin, elle explique à Fabienne que dans le sein de sa mère, elle s'est révoltée contre ses parents à cause de cela, elle a refusé de naître, elle a dit *non* à la vie. Parallèlement à cela, elle a refusé d'être une fille.

Dès que Colette exprime à Fabienne ce qu'elle a vécu et souffert dans le sein de sa mère, alors qu'elle était à peine conçue, Fabienne expérimente une guérison immédiate. (Pour Colette, ce fut une consolation merveilleuse, elle y repensait toujours aux heures d'épuisement total, alors que son ministère la réclamait de plus en plus pour aider les âmes.)

Une semaine plus tard, Fabienne se prépare à repartir pour Medjugorje. Colette l'appelle et lui demande :

- Quand tu seras là-bas, va trouver un prêtre pour confesser ce péché.

Consternation de Fabienne... Comment va-t-elle expliquer à un prêtre qu'elle a péché dans le sein de sa mère en refusant la vie !?!

- Tu iras voir le Père Slavko, lui dit Colette, il comprendra.

« J'irai..., j'irai pas... » Fabienne vit un grand combat durant le voyage. A Medjugorje, le prêtre canadien qui célèbre la messe du premier jour déclare dans son homélie :

- Comme le Seigneur l'a demandé à saint Jérôme, offrons-lui nous aussi ce qu'il désire le plus : notre péché !

Fabienne n'en croit pas ses oreilles, son esprit s'illumine, elle comprend maintenant pourquoi cette parole lui revenait sans cesse *« Pécheur ma mère m'a conçu, mais Immaculée ma Mère a été conçue »*. Ce que le Seigneur avait demandé à saint Jérôme, elle devait le faire à son tour.

Elle alla donc trouver le Père Slavko et cette confession permit à la guérison intérieure de Fabienne de se déployer pleinement. Avec le pardon, avec la miséricorde, toute l'acceptation de la vie s'engouffra dans le cœur de Fabienne. Après toutes ces horribles années de tunnel où elle devait avancer dans la vie comme au radar et contre son gré, Fabienne put enfin goûter la joie de voir la main de Dieu sur elle. Elle prit conscience qu'il pouvait enfin réaliser son plan divin sur elle, qu'elle en valait la peine. Elle sut dans son cœur qu'elle avait été créée, aimée, choisie d'une manière unique. Tout le trouble causé par le sentiment d'avoir à remplacer quelqu'un disparut. Fabienne réalisait enfin qu'elle était née de Dieu et que la vraie source, la vraie racine de sa vie plongeait dans les entrailles du Père bien plus que dans celles de sa mère humaine. Elle découvrait son Créateur ! Elle commença à respirer d'une autre manière et le fruit le plus tangible de sa guérison éclata aux yeux de tous : Fabienne la sauvage, l'inaccessible, la bourrue de service devint une jeune fille compréhensive, remplie de miséricorde et de paix, au point que c'est devenu un réel bonheur de l'approcher.

Colette ignorait deux choses sur la vie de Fabienne... Vous voulez les connaître ?

1° Elle avait reçu cette année-là saint Jérôme comme saint protecteur[1] (elle avait trouvé ça bizarre : un saint quasi-inconnu !).

2° Neuf mois s'étaient écoulés entre le moment où elle s'était plongée, à Lourdes, dans les eaux maternelles de la Sainte Vierge (vous savez, ces piscines glaciales...) et le moment où, à Medjugorje, elle avait expérimenté ce ré-enfantement, cette nouvelle naissance, portée par la prière de Colette.

Parmi les personnes aidées par Colette, le cas de Fabienne n'était pas le pire, loin de là, si l'on considère tous ceux qui n'ont pas été désirés par leur mère ou qui ont subi un véritable rejet. Beaucoup de désespoirs profonds s'enracinent dans ces blessures, beaucoup d'angoisses chroniques ou de blocages handicapants. Mais, à toute misère Dieu a préparé une miséricorde et il l'a cachée dans le Cœur Immaculé de sa Mère... Maintenant, vous avez l'adresse !

---

[1] Voir le chapitre « *Un compagnon tombé du ciel* » (25/10/94).

Message du 25 mai 1996

« Chers enfants, aujourd'hui je désire vous remercier pour toutes les prières et les sacrifices que vous avez offerts au cours de ce mois qui m'est consacré. Petits enfants, je désire que vous tous aussi soyez actifs en ce temps qui, à travers moi, est uni d'une manière spéciale au ciel. Priez afin de pouvoir comprendre qu'il est nécessaire que vous tous, à travers votre vie et votre exemple, collaboriez à l'œuvre du salut.

Petits enfants, je désire que les hommes se convertissent et qu'en vous ils me voient et voient mon Fils Jésus. J'intercéderai pour vous et je vous aiderai à devenir lumière. Aidez les autres parce qu'en les aidant, votre âme aussi trouvera le salut. Merci d'avoir répondu à mon appel. »

OUI, MAIS SI JE FAIS UNE BÊTISE ?

Je suis fière des enfants, car lorsque la Gospa nous invite à offrir des prières et des sacrifices, ils sont les premiers à répondre, et avec quelle application !

En avril 1992, lorsque j'ai eu vent qu'il existait des camps de concentration dans le pays, je ne tenais plus en place. Je voulais y aller, crier au monde l'horrible scandale... mais cela n'aurait fait qu'un mort de plus. J'ai alors prié la Gospa de se servir de moi d'une autre manière. Ça n'a pas traîné ! Quelques jours plus tard, alors que j'achevais mon temps d'adoration, je dus prendre un crayon pour noter tout ce qui déferlait dans mon cœur. Et, conduite par Vicka, une opération très spéciale est née : *« Petits enfants, sauvez Medjugorje !* [1] *»* Des milliers d'enfants ont ainsi entendu l'appel de la Gospa à l'aider pour arrêter la guerre et le déferlement du mal par leurs prières et leurs sacrifices. On ne saura qu'au ciel les miracles que ces cœurs innocents auront obtenus pour que notre monde ne sombre pas tout entier dans l'horreur.

Mais les moyens du bord en temps de guerre étaient très réduits ; de plus, le mot « Medjugorje » ou le mot « sacrifice » ne plaisent pas à tout le monde parmi les instances de catéchèse. J'ai donc passé un accord avec la Gospa : « Le jour où tu voudras lancer une autre

---

[1] Voir dans le livre *« Medjugorje, la Guerre au jour le jour »* de Sœur Emmanuel : *« Les enfants vaincront la haine »* (p. 88) - Éditions des Béatitudes.

Opération-Enfants, je suis à fond partante... Mais, cette fois-ci, on prendra Fatima, pour que personne ne fasse sa crise d'urticaire, et on demandera l'*imprimatur* pour ne pas entendre que proposer des sacrifices aux enfants est un grave péché de lèse-liberté. »

Et, deux ans plus tard... Le moment est arrivé ! Sachant que je manquais de temps, Marie m'a fourni elle-même tout ce qu'il fallait ! La meilleure dessinatrice s'est proposée, un cardinal a accordé l'*imprimatur* en 24 heures..., bref le livre[1] était prêt un peu avant le « mois de Marie ». Et que dit Marie aux enfants en ce mois de mai ? « *Aujourd'hui, je désire vous remercier pour toutes les prières et les sacrifices....* » !!!

Depuis lors, je reçois les cahiers de coloriage des enfants qui ont achevé leur neuvaine pour Marie. On ne peut que fondre en lisant ce qu'ils ont trouvé à offrir, à donner, à demander. Vous trouverez à la page suivante quelques extraits.

Le petit Olivier reçut le livre juste neuf jours avant sa première communion. Ses parents lui proposèrent alors de se préparer en faisant la neuvaine. Chaque jour, Olivier choisissait donc un sacrifice à offrir, mais le petit frère de quatre ans ne voyait pas d'un bon œil que son frère ait seul ce privilège. Il finit par faire sa crise en déclarant : « Et moi, et moi ! C'est quoi mon sacrifice aujourd'hui ? » On lui fournit quelques idées, qu'il s'empressa de réaliser. Il y mettait comme son frère un tel cœur que, cette fois-ci, se furent les parents qui se sentirent tout bêtes... « Et nous... ? »

Ils décidèrent alors de suivre leurs fils dans leur aventure avec la Gospa, et toute la famille vécut un grand renouveau dans ses liens d'amour.

***

---

[1] « *Les enfants, aidez mon cœur à gagner !* » Pour enfants de 6 à 11 ans. Éditions des Béatitudes. Traduit en 11 langues. Existe aussi en cassette-audio à Maria Multimédia.

Ma prière : Mercie Marie de faire comprendre aux gens que faire du mal ce n'est pas bien

Marie aide la famille à sémer et que mon papas reviien siltéplai et que côme ne angeule maman et que papa et maman reviez ensemble et que la famille ne di pas de cromo.

marie reine immaculée conception, je t'aime beaucoup. françois

Maman, fais de moi un enfant comme jésus. Ô Marie conçue sans péchés, aide moi car je voudrais être gentille, obéissante et te suivre. Je voudrais surtout, aussik, être une saint.
Blandine

Mon sacrifice : en disant ma prière, la penser

Mon sacrifice : J'ai supporter quelqu'un

Mon sacrifice : J'ai donné un bonbon à mes sœurs, à mon frère et à ma chienne

J'ai mal à mes dents et je te l'ai offère.

Mon sacrifice : J'ai prêtais mon pinocio à ma sœur émilie.

Mon sacrifice : Me coucher de bonne heure ce soir sans rouspéter

Peu après, la petite Chrystelle, sept ans, nous donna à tous, en une phrase, un cours de profonde théologie mystique sur le combat spirituel. Elle achèva sa neuvaine et déclara à sa mère :

- Maman, maintenant je sais comment me consacrer à Marie : moi je lui donne mon cœur et elle, elle me donne son Cœur Immaculé ! On fait comme un échange !

Mais une question épineuse ébranla soudain Chrystelle.

- Oui, mais si je fais une bêtise... qu'est-ce qui va se passer... ?

Elle réfléchit un instant, et la lumière jaillit :

- Ah, je sais !!! Si une bêtise arrive vers moi, elle verra tout de suite le Cœur Immaculé et elle repartira en courant !

Message du 25 juin 1996
(15ème anniversaire des apparitions)

« *Chers enfants, aujourd'hui je vous remercie pour tous les sacrifices que vous m'avez offerts ces jours-ci. Petits enfants, je vous invite à vous ouvrir à moi et à vous décider pour la conversion. Vos cœurs, petits enfants, ne me sont pas encore pleinement ouverts, et c'est pourquoi je vous appelle à nouveau : ouvrez-vous à la prière, afin que, dans la prière, l'Esprit Saint vous aide et que vos cœurs deviennent des cœurs de chair et non des cœurs de pierre.*

Petits enfants, merci d'avoir répondu à mon appel et d'avoir décidé de cheminer avec moi vers la sainteté. »

VOUS NE SERIEZ PAS DE JÉRUSALEM ?

Le site de Medjugorje pourrait se trouver aux abords de Safed ou de Cana, tant ses paysages ressemblent à la Galilée. Même flore, même lumière blanche et splendide qui éclaire les pays méditerranéens, mêmes vallons mitigés, où se côtoient épineux, figuiers, vignes et grenadiers, sans oublier ces inévitables cailloux, cauchemard qui hante aujourd'hui encore les paysans israéliens. La Vierge de Nazareth ne risque pas d'être dépaysée, comme elle le serait en Norvège !

Mais l'extraordinaire rappel biblique offert par les apparitions de Medjugorje ne réside pas essentiellement dans la parenté extérieure et visible de l'Herzégovine avec la terre d'Israël. Il réside dans la personne même de Marie, dans sa manière de faire, sa manière de prier, dans ses attitudes et jusque dans son vocabulaire. Tout son être respire magnifiquement la femme biblique issue de la race de David.

Rita F., l'assistante américaine du Père Slavko, fêta l'autre jour son anniversaire. Pour marquer l'événement, Marija l'invita à assister à l'apparition dans sa petite chapelle et Rita apporta une rose pour la Sainte Vierge. Marija ne savait pas que Rita était d'origine juive. La Vierge apparut et Marija, après avoir récité le Magnificat qui suit toujours l'apparition, expliqua à tous ce qu'elle venait de vivre, en souriant d'un air espiègle :

- Ce soir, la Gospa nous a tous salués puis bénis ; et tout de suite après, elle a tourné son regard vers la rose. Elle était toute contente de cette rose ! Mais après, je n'ai plus rien compris du tout, car elle s'est mise à prier dans sa langue maternelle !

Les amis de Rita, eux, comprirent le cadeau ! Surtout Bernard Ellis, notre ami anglais issu d'une famille juive très pratiquante et qui se trouvait parmi nous ce jour-là.

- Elle a prié dans sa langue maternelle parce qu'elle s'est sentie en famille ! lui dis-je pour le réjouir.

Bernard avait les larmes aux yeux : le matin même, il avait demandé un signe à Dieu lui confirmant que celle qui venait à Medjugorje était bien la mère du Messie. Ce signe dépassait son attente !

La Vierge parle un parfait croate ; pourquoi alors prier dans sa langue maternelle au risque de dérouter sa petite Marija qui ne peut plus la comprendre[1] ?

Nos traductions ne rendent pas toujours le sens originel[2]. Il est vrai que nous nous sommes éloignés du sens des mots d'origine, ces mots prononcés par Dieu lui-même ou par des anges, ces mots qui émanent des trois mille ans de formation intensive du peuple du Livre et qui portent en eux la teneur inviolée du Cœur de Dieu.

---

[1] La langue maternelle de Marie était l'araméen, mais elle parlait très probablement l'hébreu.

[2] En juin 1996, Jean-Paul II a déclaré que le « *Hail Mary* » anglais ne rendait pas la véritable salutation de l'Ange, salutation toute empreinte de joie.

Quelle joie pour nous de voir que, dans ses messages, Marie utilise les mots mêmes de la Bible, les mots de la Révélation ! Mais quelle résonance ces mots peuvent-ils avoir dans nos cœurs si l'équivalent français exprime une toute autre réalité ?!

A titre d'exemple, parcourons ensemble quelques mots du message du 25 juin ci-dessus :

* *Conversion* : la racine hébraïque de ce mot qui jalonne l'histoire du peuple d'Israël (donc l'histoire de chacune de nos âmes) est à mille lieues de la connotation assez pénible que nous lui attribuons aujourd'hui, avec tout ce cortège rébarbatif de renoncements et d'efforts surhumains. Le mot *Teshouva*, « retour », exprime au contraire l'idée positive et rassurante de l'exilé qui revient. Et qui revient où ? A la maison !

Il revient enfin sur sa terre, chez les siens, dans la maison où son père et sa mère l'ont conçu, là où il fait bon vivre et aimer, là où sont toutes ses sources. Il a fait la rude expérience d'être éloigné de la maison familiale, l'expérience du manque, au niveau du cœur mais aussi au niveau matériel, l'expérience de l'esclavage chez des peuples barbares, et voilà qu'il retrouve les siens, il reprend possession de son domaine, il est enfin en sécurité, comblé en tout.

Ma conversion réoriente mes pas vers ma maison natale et je reviens habiter chez les miens. Dans la prière, je vois ma boussole intérieure, je réalise que j'étais perverti (j'allais de travers) et je réajuste ma direction.

A Medjugorje, Marie nous dit que son message le plus important est la conversion. Bien sûr ! Si je n'habite pas le *sein du Père* (Jn 1,16) avec Jésus, je suis un homme mort !

« *Le monde est loin de Dieu, c'est pourquoi il n'a pas la paix* », « *Je suis venue vous rapprocher du Cœur de Dieu* » nous dit-elle, et elle le fait

* *Sainteté* : pour la plupart des chrétiens... c'est l'horreur ! A fuir, car : renoncement le matin, renoncement à midi, renoncement encore le soir et re-renoncement la nuit ! Mais nous, nous voulons respirer, vivre, nous éclater ! Et ces pauvres saints dans leurs niches, quelles épreuves n'ont-ils pas eues ! Agonies de l'âme et du corps... non ! Nous, nous voulons jouir des bonnes choses de la vie, nous voulons le bonheur !

Et puis, pour qui je me prends ? La sainteté, c'est inaccessible, totalement hors de ma portée ! Vais-je faire des miracles, léviter, multiplier les pains ? Faut pas rêver ! Tout ça, c'est pour des gens très rares, très spéciaux qui sont nés dans l'eau bénite. Moi, je suis normal, comme tout le monde. Et puis ça serait de l'orgueil de penser qu'un pauvre type comme moi deviendra un saint ! Pourquoi pas Napoléon !

« *Chers enfants,* disait Marie au groupe de prière, *je sais que parmi vous beaucoup ont peur de la sainteté...* »

Kadosh, « saint », veut dire « séparé » en hébreu. Comme Dieu sépara la lumière des ténèbres, comme on sépare le bon grain de l'ivraie. Je suis « saint » lorsque je ne suis pas « du monde » bien que dans le monde. Je suis « mis à part » depuis mon baptême, pour appartenir à Dieu. C'est lui qui me donne part à sa propre sainteté, car lui seul est Saint.

La Gospa demanda au groupe de Jelena *de ne pas imiter les autres jeunes qui vont à la recherche des plaisirs.* Loin d'impliquer une privation, cela implique au contraire l'idée d'abondance : pourquoi dilapider stupidement les précieux trésors de mon héritage en pactisant avec le Voleur, le Menteur et l'Homicide, alors qu'en choisissant la sainteté, j'ai tout ce que Dieu a, car je fais bloc avec lui ? A Medjugorje, la Gospa rassure magnifiquement tous ceux qui ont peur de la sainteté : loin d'être un « privé de dessert », le saint est celui qui a en son cœur la plénitude de l'amour. Et n'est-ce-pas là le désir le plus viscéral, le plus lancinant, le plus profond de tout homme ? « *Sans la sainteté, vous ne pouvez pas vivre !* » dit-elle.

Je cite souvent aux jeunes ce mot de Marie: « *Vous vous mettez inconsciemment entre les mains de Satan* » et j'ajoute : « Vous voulez connaître le meilleur moyen de vous mettre entre les mains de Satan ? C'est très facile ! Il vous suffit de faire comme tout le monde. Ça ne rate pas. En revanche, si vous faites comme l'Évangile et la Gospa nous disent de faire, ça ne rate pas non plus, vous vous mettez dans les mains de Dieu et vous aurez tout ce que vous recherchez. Si vous vivez la sainteté, le monde affamé de Dieu sera comme aspiré, il viendra à vous et vous demandera, comme ces jeunes communistes athées de Sarajevo à Mirjana : « Nous voyons que tu as quelque chose que nous n'avons pas. Une paix, un bonheur... Nous voulons avoir cela nous aussi ! Dis-nous comment tu fais ? »

* **Cœur** : « Tu aimeras le Seigneur ton Dieu de tout ton cœur... ». *Levav,* « cœur » en hébreu, inclut le bon et le mauvais penchant. Ce verset du Deutéronome cité par Jésus signifie : dans ton cœur il y a de la chair et de la pierre. Aucun cœur humain n'est que chair ou que pierre. Il a en revanche une dominante chair ou une dominante pierre. Dieu est celui qui change le caillou en source. Aime Dieu avec tout toi-même et, peu à peu, il transformera en chair ce qui chez toi est en pierre. C'est ce que veut dire Marie dans ce message.

Oh, mais je m'aperçois que je suis partie pour un deuxième livre avec toutes ces racines hébraïques ! Je dois m'arrêter... Mais pas vous ! N'acceptez plus jamais de lire les messages en pensant : « Mais c'est incolore, inodore et sans saveur... », non ! Cherchez parmi vos pasteurs celui qui vous ouvrira aux trésors de la Bible et vous révélera l'extraordinaire saveur du moindre iota ! Et lorsque vous traiterez avec Notre-Dame de Lourdes, Notre-Dame de Fatima, Notre-Dame de Guadalupe, Notre-Dame de Czestochowa, Notre-Dame de Paris, demandez-lui toujours :

- Mais au fond, Madame... vous ne seriez pas de Jérusalem ?

Message du 25 juillet 1996

« Chers enfants, aujourd'hui je vous invite à vous décider chaque jour pour Dieu. Petits enfants, vous parlez beaucoup de Dieu mais vous témoignez peu par votre vie. C'est pouquoi, petits enfants, décidez-vous pour la conversion afin que votre vie soit vraie devant Dieu, de sorte que dans la vérité de votre vie, vous témoigniez de la beauté que Dieu vous a donnée. Petits enfants je vous invite à nouveau à vous décider pour la prière parce qu'à travers la prière vous pourrez vivre la conversion.

Chacun de vous deviendra dans la simplicité semblable à un enfant qui est ouvert à l'amour du Père. Merci d'avoir répondu à mon appel. »

UN JOUET IRRÉSISTIBLE

Pour le tournage de mes émissions de télévision sur les messages, Marija et Paolo nous avaient laissé leur maison. Avec l'équipe américaine super-pro de Mark Chodzko et de Denis Nolan, nous avons installé notre studio dans la petite chapelle où Marija reçoit ses apparitions quotidiennes, lorsqu'elle séjourne à Medjugorje. La lumière aveuglante des spots remplaça donc momentanément la douce lumière céleste et incréée qui accompagne Marie lorsqu'elle visite cette chambre haute.

Ruzka, la sœur aînée de Marija nous faisait la cuisine et nous devînmes très amies. Je me régalais de voir l'entente parfaite - voire la connivence - entre ce cinéaste d'Hollywood qu'est Mark et cette femme croate qui a passé sa vie à servir, aider et travailler durement pour survivre. Une Marthe de Béthanie qui aurait en plus le cœur de Marie. Ruzka, c'est pour moi l'image bouleversante de la femme biblique qui sait garder le *Shalom* dans la maisonnée : le cœur en Dieu, les pieds bien plantés sur le carrelage, les mains dans les couches de bébé et le visage joyeux quoi qu'il arrive. Rien ne lui échappe des êtres et des choses. Elle médite tout cela dans son cœur et parfois, lorsqu'elle se sent en confiance, elle exprime des perles qui valent de l'or. Son contact me guérit des derniers virus parisiens qui m'habitent encore ! Par ailleurs, elle représente l'un des témoins les plus fiables du Medjugorje des premiers mois, vu du côté de l'humble peuple des familles des voyants.

Un soir où elle achevait de préparer un café des plus corsés, elle se lança spontanément dans des flash-back sur les temps héroïques de Medjugorje, lorsque la police et les faux-frères leur rendaient la vie impossible et où les grâces les plus sublimes tombaient sur le village.

« Un soir, raconte-t-elle, j'étais à l'église et l'on était tellement nombreux que certains avaient même dû s'entasser dans le chœur. Je me trouvais à un mètre du Père Jozo. Soudain, pendant la prière du rosaire, son visage changea et marqua la plus grande surprise. Pendant quelques minutes, il fixa un point un peu au-dessus de l'assemblée, en direction de la tribune et il resta bouche bée, comme fasciné. Je voyais très bien son expression et je savais qu'il se passait quelque chose. Puis il baissa la tête et resta pensif, absorbé. Après la prière, comme je le connaissais bien, je lui ai demandé : « Qu'est-ce que vous avez vu ? » Il me regarda sans rien dire, me faisant comprendre qu'il n'y aurait pas de réponse. Pour moi, je savais qu'il avait vu la Gospa. Je connaissais ma sœur, je savais comment on regardait la Gospa. Ce n'est que par la suite qu'il affirma que la Gospa se tenait présente comme la Mère au milieu de ses enfants, de son peuple, et qu'elle priait avec nous. De ce jour, il perdit tous ses doutes et il défendit les voyants. »

Plus tard, la conversation se porte sur l'évêque, Monseigneur Zanic. « J'étais là lorsqu'il est venu après les premières apparitions. Il a parlé longuement avec les voyants. Le soir, à l'église, je le revois encore avec son pouce et son index qui formaient un rond (elle mime le geste) et avec fermeté et conviction, il disait au peuple : «*Les voyants ne mentent pas, ils disent la vérité !*» et il répétait avec insistance : «*Istina, Istina !*» (vérité, vérité !) Il criait même ! »

- Mais toi-même, Ruzka, tu as tout de suite cru ?

- Oui, tout de suite ! On sait bien avec le cœur quand quelque chose est vrai. Je ne vois rien, je n'entends rien, mais je sais bien qu'elle est là. Mon Ivana, elle, elle l'a vue ! Ce jour-là, le service d'ordre était presque nul, c'était impossible de contrôler toutes ces foules, et les pauvres voyants étaient compressés, on avait peur qu'ils finissent écrasés ! J'étais venue à l'apparition avec Ivana qui, à l'époque, n'avait que dix-huit mois. Je la tenais assise sur mon bras, un peu en l'air pour qu'elle respire. Sans le vouloir, poussée par les gens qui entouraient Marija, je me retrouvai pratiquement à l'endroit même où la Gospa se tenait, à environ un mètre cinquante devant les voyants. C'est alors qu'une scène étrange se produisit. La petite Ivana se hissa sur mon bras, et de ses mains cherchait à s'emparer de quelque chose d'invisible qu'elle tirait de toutes ses petites forces mais qui ne semblait pas venir. Non loin d'elle, un prêtre de Split regardait le manège, fasciné. Il éclata en sanglots.

Après l'apparition, Marija raconta que la petite avait vu elle aussi la Sainte Vierge et qu'elle jouait avec sa couronne de douze étoiles, cherchant à l'attraper ce qui faisait beaucoup rire la Sainte Vierge. Quant au prêtre, il expliqua : il ne croyait pas aux apparitions et était venu dans le but de prouver qu'elles étaient feintes. Mais la Vierge lui avait donné un signe incontournable :

- Un enfant ne peut pas mentir, répétait-il en pleurant.

Ce prêtre devint un grand défenseur de Medjugorje. »

Ruzka ajouta qu'à cette époque la foule était truffée d'espions communistes et qu'il était interdit de dire quoi que se soit sans risquer gros. Mais sa petite Ivana avait parlé au nom de tous, plus fort que toutes les déclarations des évêques ou des théologiens !

Pour convaincre, c'est un enfant que la Gospa avait placé près d'elle.

Message du 25 août 1996

« Chers enfants, écoutez, car je désire vous parler et vous inviter à avoir plus de foi et de confiance en Dieu, qui vous aime sans mesure.

Petits enfants, vous ne savez pas vivre dans la grâce de Dieu, c'est pourquoi je vous appelle tous à nouveau à porter la Parole de Dieu dans vos cœurs et dans les pensées. Petits enfants, placez les saintes Ecritures dans un lieu visible dans votre famille, lisez-les et vivez-les.

Enseignez vos enfants car, si vous n'êtes pas un exemple pour eux, les enfants s'éloignent dans l'absence de Dieu. Réfléchissez et priez, alors Dieu naîtra dans votre cœur et votre cœur sera joyeux. Merci d'avoir répondu à mon appel. »

LE TROC DE THÉRÈSE

Imaginez une petite bretonne de cinquante-trois ans, exploitante agricole, croyante avant même d'être née, qui vient faire à Medjugorje le voyage de sa vie. Voilà Thérèse. Il fallait un cas de force majeure pour l'extraire de son village et la jeter aux pieds de la Gospa : Thérèse a en effet un chagrin aussi vaste que son bon cœur maternel. Depuis trois ans, son gendre mène une guerre constante contre sa fille Véra et, aussi, contre sa belle-famille, qu'il juge « bigote ». Il dit clairement qu'il ne croit pas en Dieu, et qu'il n'a pas l'intention de s'ouvrir à ces bêtises-là. Thérèse part alors pour Medjugorje, afin de confier tout cela à Marie.

Ce jour-là, sa fille doit se rendre chez l'avocat pour entamer une procédure de divorce. Thérèse remue toutes ces peines dans son cœur au cours du long voyage en car. Elle est catastrophée de voir Harmony, sa petite-fille, déchirée entre papa et maman. Ils se battent et parlent de divorce devant elle. Harmony, de son côté, ne fait que rêver d'avoir un petit frère ou une petite sœur !

Arrivée à Medjugorje, Thérèse entend parler du *troc* que l'on peut faire avec la Sainte Vierge[1]. Elle décide donc d'abandonner

---

[1] C'est le pèlerin Albert qui a inauguré, à Medjugorje, ces échanges avec le ciel, dont Jésus parlait à sainte Catherine de Sienne : « *Occupe-toi de mes affaires, je m'occuperai des tiennes.* » L'étonnante histoire d'Albert est racontée dans la cassette « *Une Mère pour guérir du vide* » - Maria Multimédia et dans le livre « *Medjugorje, la guerre au jour le jour* » (p. 153) - Éditions des Béatitudes.

complètement son problème et sa souffrance à la Gospa et lui dit :
« Occupe-toi de Véra et de sa famille tandis que moi, de mon côté, je
m'occuperai de prier à tes intentions. » Ce contrat conclu, elle se rend à
la Croix Bleue, où elle prie avec ferveur pour ce que Marie demande :
les incroyants, les jeunes, les pécheurs, les prêtres, la paix dans les
cœurs, etc.

Le premier soir, un coup de fil lui apprend que sa fille a finalement
annulé son rendez-vous avec l'avocat, car elle veut tenter une nouvelle
fois de sauver son couple.

Les jours passent et chaque soir, après le programme de la paroisse,
Thérèse s'échappe à la Croix Bleue, où elle intercède longuement pour
les intentions de Marie, dans une grande confiance.

De retour en France, elle apprend avec stupéfaction que son gendre
n'est plus le même. Sa fille lui raconte qu'un soir, vers 22h, il regardait
la télévision de son lit quand, tout à coup, il l'appela :

- Véra, viens vite voir ! Regarde cette grande croix bleue au-dessus
de la télé !

Véra ne voyait rien du tout, mais son mari insiste :

- Mais si, regarde, elle y est !

Il était secoué par la peur... un rationnaliste comme lui !

C'est alors que Thérèse expliqua à sa fille que cette Croix Bleue, elle
la connaissait ! A Medjugorje, elle priait chaque soir devant cette croix,
précisément à cette heure-là.

La Gospa avait bien agréé son troc : elle s'était occupée du gendre,
tandis que Thérèse s'occupait de ses intentions.

Dès lors (c'était en juin 1995), Véra et son mari ont repris le chemin
de l'Église. Ils ont reçu le sacrement de réconciliation, ce qui n'était pas
arrivé depuis dix ans pour Véra, et vingt ans pour son mari... La
violence, les coups, les propos haineux ont cessé ; ils prient chaque jour
en famille et la petite Harmony a une bonne nouvelle à vous annoncer :
elle attend pour l'automne un petit frère !

Message du 25 septembre 1996

« *Chers enfants, aujourd'hui je vous invite à offrir vos croix et vos souffrances à mes intentions. Petits enfants, je suis votre Mère et je désire vous aider en recherchant la grâce auprès de Dieu pour vous.*

Petits enfants, offrez vos souffrances comme un cadeau à Dieu afin qu'elles deviennent une très belle fleur de joie. C'est pourquoi, petits enfants, priez pour comprendre que la souffrance peut devenir joie et la croix le chemin de la joie. Merci d'avoir répondu à mon appel. »

MYRIAM, TOI TU ES COMME MOI !

Hiver 1991. Stade terminal. Eugénie se tord de douleur sur son lit. Les chimiothérapies successives l'ont épuisée mais n'ont pu enrayer le cancer des poumons qui la ronge sans merci. Dans la petite maison du Val d'Oise, ses enfants et petits-enfants perpétuent la vie, tandis que, pour elle, la rencontre avec le Dieu de ses pères approche à grands pas. Et elle n'apprécie pas du tout !

Eugénie est née à Blida, en Algérie, d'une belle lignée juive qui compte en son sein rabbins et hommes de prière, fidèles piliers des synagogues locales, où la liturgie sépharade se mêle sans heurt aux appels des muezzins. Sa mère, Rachel, l'a élevée dans la pure tradition juive, mais, pour dire toute la vérité, Eugénie n'a gardé de tout cela que la foi du charbonnier. Pour rien au monde, elle n'omettrait de célébrer *Kippour* (le jour du Grand Pardon), d'allumer les bougies du Shabbat le vendredi au coucher du soleil, et de placer sur la table le pain de shabbat tressé de ses mains. Mais, hors de cela, Eugénie préfère oublier quelque peu ce Dieu qu'elle ne connaît guère et qui pourrait bien exiger d'elle des heures de prière alors qu'il y a tant à faire dans la maison. Pour survivre, elle a dû ramer très dur, ce qui n'a pas arrangé son caractère difficile. C'est une lève-tôt qui a passé son existence à servir, et qui doit finir ses jours en banlieue parisienne comme une émigrée, méprisée de tous. Une torture du cœur la broie secrètement, car l'un de ses fils vit dans un centre pour handicapés. La coupe s'avère bien amère, malgré l'affection de son autre fils, Paul, qui l'a gardée avec lui et partage son sort.

Le froid de décembre s'est abattu sur Paris, et Noël approche. La petite Esther, six ans, fille de Paul, déclare à tous que non, on ne va pas bientôt enterrer mamie, car elle va guérir... « Imagination de petite fille » pense la famille.

Dans un coin du salon trône une icône de Marie, car Paul a épousé une catholique, Éliane, et le mélange ne gêne personne. Cette icône, d'ailleurs, a fait des siennes l'autre jour, lorsque mamie Eugénie l'a regardée. Comme elle se faisait un sang d'encre pour Paul qui cherchait du travail, elle ne put s'empêcher de crier tout fort à l'icône :

- Myriam, toi tu es comme moi, tu es mère et tu es juive ! Aide mon fils Paul !

C'est alors qu'une voix retentit derrière elle, cristalline et bien distincte :

- *Ne t'inquiète pas, je serai près de ton fils !*

Eugénie se retourne... personne ! Le timbre était féminin, jeune et si divinement doux qu'Eugénie en reçut une décharge d'amour à peine supportable. Elle chavire d'étonnement, de bonheur, de crainte aussi... Elle court dans la cuisine voir si quelqu'un ne serait pas là ; rien ! Elle est seule, alors... c'est *Myriam* qui lui a parlé ! L'icône dégage alors un parfum extraordinaire ; rose ? jasmin ? Eugénie ne saurait dire. Le parfum demeurera longtemps, sensible à tous ceux qui entreront.

D'ailleurs, le rendez-vous d'embauche a été fructueux pour Paul. Conte toute attente, il est accepté comme ingénieur commercial. En rentrant à la maison, il lance à la cantonade :

- C'est incroyable, pendant le rendez-vous on a senti un parfum inexplicable, quelque chose de très délicat, entre la rose et le jasmin... Mais... ici aussi ! C'est le même parfum !

La petite Esther n'a rien perdu de la conversation des grands, elle vénère l'icône et entretient elle aussi une relation avec la Sainte Vierge qui la mènera sur des chemins tout à fait spéciaux. Si elle déclare haut et fort que mamie Eugénie guérira, elle sait pourquoi elle dit cela. Effectivement, Eugénie est guérie peu de temps avant Noël. Les médecins ne trouvent plus aucune trace de cancer. Et elle a un appétit de loup !

Une nuit de janvier, Eugénie crache du sang et ça lui fait très peur. Elle appelle à nouveau *Myriam* à son secours. Cette fois-ci, c'est l'icône qui vient toute seule dans ses bras, à quatre heures du matin et se tache d'éclats de sang, tandis qu'Eugénie entend la même voix céleste lui parler, venant de l'icône :

- *Ne t'inquiète pas, ce n'est rien de grave !*

Lorsqu'on la transporte à l'hôpital, elle ne se doute pas du choc qu'elle va avoir en entendant le radiologue lui dire :

- Ce n'est rien de grave, ne vous inquiétez pas, c'est juste un petit vaisseau qui a claqué.

Le vendredi suivant, Eugénie demande à Paul de lui traduire *le Notre Père* en hébreu car ce soir, à *shabbat*, tout le monde le priera.

Le lien qui s'instaure alors entre *Myriam* et Eugénie est très mystérieux, mais si fort qu'en quelques jours Eugénie change de façon spectaculaire. Elle, la femme pratique toujours affairée et autrefois si prompte à vinaigrer la vie de son entourage, devient un ange de patience, de bonté et de gaieté. Elle apprend le *Je vous salue Marie* et le prie sans cesse. En pleine nuit, elle se réveille avec cette prière jamais interrompue, et la continue en paix jusqu'à l'aube, avant d'aborder sa journée de grand-mère juive avide d'aider, de consoler et d'intercéder. Dès qu'un problème surgit, ou une peine, elle s'écrie « Maman ! », puis s'entretient secrètement avec sa *Myriam* pour obtenir d'elle tout ce qu'elle veut. N'a-t-elle pas su, un jour, toucher son point sensible en lui disant « tu es comme moi, tu est mère et tu es juive ! » ? *Myriam* a visiblement craqué ce jour-là !

Eugénie n'a aucune culture chrétienne, et elle gère tous ces événements avec l'innocence d'un enfant. Comme toute la petite troupe a déménagé à Lyon, ils viennent m'écouter parler de Medjugorje à l'église Saint-Nizier, en janvier 1995. Efferverscence générale dans la famille, qui réalise que *Myriam* vient expliquer la Foi dans ce village de l'ex-Yougoslavie ! Il faut y aller ! Seule Éliane peut se dégager et Eugénie de recommander avec candeur à sa belle-fille : « Là-bas, sûrement, tu comprendras ce qui m'est arrivé, et au retour tu m'expliqueras ! Ah, si je pouvais y aller ! »

De Medjugorje, Éliane lui rapporte une statue de la Vierge, qu'Eugénie garde dans sa chambre. Elle tourne même son lit pour lui faire face. Elle sent sa présence et lui parle à cœur ouvert. Des faveurs de toutes sortes pleuvent alors sur la maisonnée ! Chaque jour, lorsque le soir tombe, Eugénie déclare doucement mais sûrement : « On va prier ». Toute la famille s'agenouille alors devant la statue de Medjugorje et prie le chapelet aux intentions de la Reine de la Paix. Souvent, comme elle a son franc-parler et ne fait pas mystère de ses relations avec *Myriam*, Eugénie lance : « Elle est là, elle est là ! tu vois pas ?! »

Avec Medjugorje, Eugénie comprit un secret nouveau pour elle : la fécondité de la souffrance. Le mot *Myriam*, en hébreu, ne signifie-t-il pas « océan de parfum » et aussi « océan d'amertume » ? C'est le Cœur Immaculé et douloureux de Marie qui se révéla peu à peu à Eugénie, dont les fibres maternelles s'étaient élargies à toute l'humanité pécheresse et souffrante. Elle, si possessive autrefois, si centrée sur ses propres enfants, s'était mise à vouloir sauver chaque homme et disait de Myriam : « Elle, elle a souffert beaucoup plus que moi ! » Les crucifix la fascinaient. Elle pensait à son autre fils, crucifié et humilié.

Elle tomba à nouveau malade car un cancer se déclara dans son autre poumon. Mais elle vécut la souffrance d'une toute autre manière. Elle dut rester souvent sous oxygène et, au cours de ce dernier chemin de croix, montra une attitude héroïque. Jamais elle ne se plaignait de sa souffrance ! Au contraire, son visage était comme transfiguré. Lorsque sa famille l'entourait, elle aimait à chanter : « Enfant-Jésus, O Roi d'Amour, j'ai confiance en toi, je t'offre mon cœur, viens y faire ta demeure, et garde-moi toujours près de toi ! »

Voisins et amis sortaient de sa chambre radieux d'avoir trouvé en elle une telle lumière. Même des prêtres venaient la voir et lui demandaient : « Priez pour moi, priez pour ma paroisse ! » Elle promettait et chacun repartait pacifié, enrichi, embelli.

Eugénie s'éteignit dans une grande paix le 5 juin 1996 à l'âge de quatre-vingt un ans, et fut enterrée selon le rite juif traditionnel, sur lequel se greffèrent avec bonheur quelques *Notre Père, Je vous salue Marie* et autres invocations à l'Enfant-Jésus...

Deux cœurs de mère s'étaient rencontrés, compris et aimés, voilà toute l'histoire...[1]

---

[1] La petite Esther est baptisée et a les mêmes charismes que sa grand-mère. Elle nous livrera elle-même ses secrets, un jour. Je ne pense pas la trahir en disant que *Myriam* lui a fait vivre bonheur et martyr mêlés car en se manifestant à cette pitchounette de six ans, elle lui confia le poids d'une redoutable mission : « *Le rosaire que je t'ai appris à prier, va maintenant l'enseigner aux enfants de ton école.* » La petite Esther s'exécuta mais fut vite crucifiée par les moqueries des enfants, les accusations des parents et les persécutions de la gent professorale. Une *petite gosse d'émigrés* allait-elle révolutionner cette école laïque si fière d'avoir jeté Dieu dehors ? La Vierge en pleurs avait dit à Esther : « *S'ils savaient combien je les aime ! Dis-leur ! Et que les enfants prient pour la France !* » Quelques enfants cependant la crurent et ils formèrent une petite équipe de rosaire en lien avec l'église du Pecq, toujours très vivante.

Message du 25 octobre 1996

« *Chers enfants, aujourd'hui je vous invite à vous ouvrir à Dieu le Créateur afin qu'il vous change. Petits enfants, vous m'êtes chers, je vous aime tous et je vous invite à être plus proches de moi et à aimer mon Cœur Immaculé avec plus de ferveur. Je désire vous renouveler et vous conduire avec mon cœur au cœur de Jésus qui, aujourd'hui encore, souffre pour vous et vous invite à la conversion et au renouvellement. Par vous, je désire renouveler le monde. Comprenez, petits enfants, que vous êtes aujoud'hui le sel de la terre et la lumière du monde.*

Petits enfants, je vous appelle, je vous aime et d'une manière spéciale, je vous supplie : convertissez-vous ! Merci d'avoir répondu à mon appel. »

C'EST L'ARBRE QUI A PAYÉ

Il a fallu l'événement de New York pour mieux réaliser la puissance extraordinaire de la vertu d'humilité. Déjà le saint Curé d'Ars l'avait exaltée un jour où on lui demandait quelle était la plus grande des vertus : « l'humilité ! » répondit-il aussitôt.

- Et la seconde ?
- L'humilité.
- Et la troisième ?
- L'humilité...

OK, mais il nous faut des exemples concrets.

Il en est un que je ne peux évoquer sans tomber à genoux. Une de mes amies, Keren, demanda un jour à Marija :

- Lorsque la Gospa est devant toi, quel regard pose-t-elle sur toi ? qui sens-tu que tu es pour elle ?

Marija sourit et se recueillit quelques secondes, comme pour vivre l'apparition au fond d'elle et trouver les mots justes. Alors elle prononça de sa petite voix claire :

- Lorsque la Gospa vient, lorsqu'elle me regarde, j'ai l'impression que pour elle c'est moi qui suis la Reine de la Paix et qu'elle, elle est émerveillée d'avoir le privilège de venir me voir.

- Quoi ! Tu peux répéter !?

- Oui, c'est ça, elle est émerveillée de ce privilège qui lui est accordé par Dieu...

- Mais c'est le monde à l'envers !!

- C'est l'humilité de la Gospa.

Keren resta sans voix. Mais quelques temps plus tard, elle fut invitée à parler de Medjugorje dans une grande église, en plein cœur de New York, l'église Saint-Pie X. Évidemment, une foule se pressa pour l'écouter. Il faisait déjà nuit, une claire nuit d'été.

Keren se lança dans une magnifique description de la Vierge, d'après ce que les voyants de Medjugorje peuvent en percevoir, eux pour qui un petit coin du voile se soulève chaque jour. Elle parla de l'humilité de Marie, en évoquant bien sûr les paroles bouleversantes de Marija citées plus haut.

- Marie est la plus puissante des créatures contre Satan, car elle est la plus humble...

Elle s'arrêta net, sourit et ajouta :

- Ce que je vais vous dire, je vous préviens, ne plaît pas du tout à Satan, car c'est quelque chose qu'il ne peut pas inventer, ni imiter, ni accepter... Voilà : dans le Royaume, c'est Marie qui est la plus petite...[1]

A peine avait-elle prononcé cette dernière parole qu'un bruit infernal retentit dans toute l'église, la faisant trembler jusque dans ses fondations. L'électricité sauta, on se retrouva dans le noir, sans micro. Muette de peur, l'assemblée resta figée un moment, et certains se demandèrent si la fin du monde ne s'abattait pas sur eux ! Dans un rire tout paisible, on entendit alors la petite voix de Keren :

- Vous voyez, je vous l'avais dit : il n'aime pas du tout que Marie soit si petite !

Les prêtres sortirent les torches pour examiner la situation, et il fallut une demi-heure pour redonner un peu de lumière à l'assemblée en prière. Prière houleuse, certes, mais plus que jamais avec le cœur ! Dehors, à quelques mètres de la nef, l'énorme platane gisait à terre, fendu en deux, noir anthracite. La foudre l'avait terrassé. La foudre ? Il n'y avait pourtant ni pluie, ni orage ce soir-là, ni même aucun éclair ; les étoiles brillaient comme des lustres dans le ciel de New York. Je n'étais

---

[1] Le qualificatif de *la plus petite*, fait bien sûr référence ici au tressaillement de joie de Jésus : « *Je te bénis, Père, Seigneur du ciel et de la terre, d'avoir caché ces choses aux sages et aux savants et de les avoir révélées aux tout petits* » (Lc 10, 21) et « *Celui qui parmi vous tous est le plus petit, c'est lui qui est grand* » (Lc 9, 48).

pas là pour les observer, mais pour célébrer leur Reine... peut-être se mirent-elles aussi à danser !

L'humilité de Marie ? Oh, supportez de moi une dernière anecdote :

Un membre du groupe de prière entretenait une activité secrète : habitant très proche des voyants, il se débrouillait pour déposer sur le lieu-même des apparitions un petit billet à l'attention de la Vierge, et cela lorsqu'elle venait chaque jour. Souvent, la formulation de ces petits mots d'amour se limitait à très peu de choses, car le manque de temps lui faisait écrire à la sauvette. Il lui arrivait même parfois de se borner à dessiner un simple petit cœur sur un bout de papier ; mais le geste y était. Un jour, il rompit sa belle tradition car les pèlerins très nombreux absorbaient tout son temps, et durant huit jours il se mit en « chômage du billet doux », se disant : « Oh, de toutes façons, ces petits mots ne sont rien, qu'est-ce que la Gospa a à faire de mes misérables petites grifouilles (sic), elle voit mon cœur, c'est l'essentiel... » Le neuvième jour, pourtant, il replaça trois ou quatre lignes dans sa petite planque secrète, juste avant l'apparition, à l'insu de tous, bien sûr. Après l'apparition, à peine Marija s'était-elle relevée qu'elle chercha du regard ce frère, d'un air intrigué.

- Zéliko ? Viens voir...

- Qu'est-ce qu'il y a ? demande-t-il d'une voix blanche.

- La Gospa est apparue très, très heureuse ! Elle m'a dit de te transmettre ceci, mais je n'ai pas compris : *« Je te remercie beaucoup pour ta lettre, qui m'a procuré un joie très grande. Car, durant ces huit jours, tes lettres m'ont beaucoup manqué... »* Voilà ce qu'elle a dit pour toi.

Ce jour-là, Zeliko fondit de bonheur et en resta muet un bon moment !

Telle est la Mère sublime que Jésus a donnée à chacun de nous. Qui sondera jamais les divines délicatesses de son Cœur, qui soupçonnera le centième de sa joie au moindre petit geste gratuit de notre part ?

Chère Gospa, le jour où Jésus m'a dit : *« Voici ta Mère »*, il m'a donné plus que le ciel et la terre et tout ce qu'ils contiennent. Il m'a fait cadeau de son trésor le plus cher !

Et ma joie de t'avoir, qui pourra me la ravir ?

Message du 25 novembre 1996

« Chers enfants, aujourd'hui à nouveau je vous invite à la prière pour que vous vous prépariez à la venue de Jésus par la prière, le jeûne et les petits sacrifices. Petits enfants, que ce temps soit pour vous un temps de grâce. Mettez chaque instant à profit et faites le bien car c'est seulement ainsi que vous pourrez sentir la naissance de Jésus dans vos cœurs. Si vous donnez l'exemple par votre vie et devenez un signe de l'amour de Dieu, la joie prévaudra dans le cœur des hommes. Merci d'avoir répondu à mon appel. »

LA MESSE DU PETIT MARIO

Assise sur le bord de notre canapé, à Medjugorje, Rita Delbon pleure à chaudes larmes et parvient avec peine à me raconter son incroyable chemin de croix. Modeste et réservée par nature, elle aurait préféré se taire, mais je lui ai promis que son récit aiderait d'autres couples. Alors, par pur amour, elle repasse chaque étape du passé.

Rita était une solide flamande du petit bourg de Brasschaat en Belgique, affectueuse, belle et jamais malade, jusqu'au jour où elle attendit un enfant.

« Mon premier enfant était mort-né, à huit mois de grossesse, explique-t-elle. En apprenant cela, mon cœur se déchira de chagrin, d'autant plus que je ne pus même pas voir mon bébé, une petite fille qui pesait un kilo. Comme mes amies avaient elles aussi accouché, je voyais constamment des photos de nourrisson et moi je n'avais rien, pas même une photo, pas même un souvenir ! Les médecins avaient diagnostiqué une insuffisance placentaire, et bien d'autres problèmes. »

Le cauchemar devait continuer pour elle, et se reproduire encore six fois : sept enfants morts dans le sein ou à la naissance. Et à chaque fois, nouveau traitement médical pour tenter de protéger ces petites vies, mais traitements nuisibles à la mère par leurs effets secondaires, l'embonpoint entre autres. A chaque fois, nouveau choc affectif, nouveau transpercement pour Rita.

Puis Rita découvre Medjugorje par son amie Anne-Marie et décide de faire le pèlerinage. Là, elle réapprend la prière, abandonnée depuis sa prime jeunesse. Sa foi se fortifie et elle commence à regarder Dieu comme un ami, un allié, un père. Du fond de son cœur, elle lui demande un enfant vivant, en prononçant aussi ces mots qui tracent la ligne de démarcation entre l'inconversion et la conversion : « Seigneur, que Ta volonté se fasse et non la mienne ! »

Elle revient à Medjugorje quatre mois plus tard, et Vicka lui promet de prier pour qu'il lui soit accordé un enfant. Elle se rend à Tihaljina, et ce jour-là, le Père Jozo propose de bénir toute l'assemblée. Les pèlerins se mettent en file et reçoivent de lui l'imposition des mains sur la tête. Arrivé à Rita, sans rien savoir de sa souffrance, le Père ne la bénit pas comme les autres, mais lui impose les mains sur le ventre et prie longuement en silence, avant de passer au pèlerin suivant. Ce que Rita ne savait pas encore, c'est qu'elle était enceinte de quatre semaines. La grossesse s'avéra aussi difficile que les autres mais... le petit garçon naît bien vivant ! Un jour se passe, deux, trois, dix, cinquante, cent, il est vivant ! Rita lui donne le nom de Mario, pour remercier la Sainte Vierge. Sa joie est indicible.

Aujourd'hui le petit garçon a huit ans. Il vient d'apprendre ici à Medjugorje par quel miracle il est né et la raison de son nom. Sa mère nous raconte que dès l'âge de quatre ans, se trouvant seul dans sa chambre, il passait des heures à « faire la Messe ». Il rassemble alors quelques linges blancs de son choix, quelques ustensiles, quelques livres d'images dont il tourne les pages avec le plus grand sérieux et prononce à mi-voix des prières de son cru, bribes de ce qu'il a retenu à l'église et formules remaniées, inventées, enrichies de son petit vocabulaire à lui. Dire que les anges gardent leur sérieux en l'écoutant serait risquer de se tromper ! Et pas question d'oublier un élément important de la Messe : la présence active et priante de l'assemblée. Lions, girafes, léopards sont sensés donner les répons ! Puis ils ne coupent pas à une, deux ou trois homélies des plus moralisantes. Au moment de la communion, toute la ménagerie est bien rangée face à l'autel, et l'enfant passe religieusement devant chaque petite bête en peluche comme devant chaque soldat romain, chaque pilote d'avion à réaction pour lui donner la communion.

Et sa mère d'ajouter avec cette tendresse caractéristique de ceux qui ont beaucoup souffert :

- Je n'ai jamais compris, ma sœur, pourquoi il donnait la communion à certains et pas à d'autres... ?!

- Peut-être jugeait-il que certains fidèles ne s'étaient pas confessés depuis trop longtemps !!

Rita sourit et ajoute :

- Que deviendra cet enfant ? Je le confie chaque jour à Marie. Son papa a quitté la maison. Je me retrouve seule et suis en mauvaise santé...

- Mais maintenant, Rita, grâce à votre témoignage, vous avez des milliers d'amis qui vont vous soutenir dans la prière !

- Vous savez, ma sœur, Notre-Dame de Medjugorje m'a conduite à son Fils Jésus. Je me rends compte que dans ma joie comme dans mon chagrin, je peux compter sur ces amis invisibles, ils me donnent plus d'aide que quiconque !

Message du 25 décembre 1996

« Chers enfants, aujourd'hui je suis avec vous d'une manière spéciale, tenant le petit Jésus dans les bras, et je vous invite, petits enfants, à vous ouvrir à Son appel. Il vous appelle à la joie.

Petits enfants, vivez avec joie le message de l'Évangile que je vous répète depuis le temps que je suis avec vous. Petits enfants, je suis votre Mère et je désire vous révéler le Dieu d'Amour, le Dieu de Paix. Je ne souhaite pas que votre vie soit dans la tristesse mais qu'elle soit réalisée dans la joie pour l'éternité, selon l'Évangile. Seulement ainsi votre vie aura-t-elle un sens. Merci d'avoir répondu à mon appel. »

MÊME DIEU JOUE À CACHE-CACHE !

À Medjugorje, les voyants attendent avec impatience le soir de Noël, car alors, ils peuvent revoir l'Enfant Jésus. Chaque année, j'interroge l'un ou l'autre pour prendre des nouvelles du Petit. Cette année, Marija nous a expliqué que l'Enfant reposait dans les bras de sa *Mère tutto tranquillo*, et la contemplait avec amour. Comment est-il habillé ? A vrai dire, il n'est pas habillé, il apparaît enveloppé dans le voile doré de sa Maman.

Certains Noëls, l'Enfant Jésus dort à poings fermés, mais à d'autres, il est bien éveillé et regarde avec étonnement tour à tour chaque personne présente à l'apparition. « Normal, dit Vicka, il découvre le monde, comme tous les enfants ! »

Mais le Noël le plus mémorable fut celui de 1981, le « premier Noël » :

« Au début des apparitions, raconte Marija, comme nous étions un peu gauches et intimidés, l'Enfant Jésus a voulu nous mettre à l'aise. Alors que sa Mère priait et parlait avec nous, Jésus reposait dans ses bras sans que nous puissions le voir. Mais soudain il leva son petit bras et se mit à jouer avec le voile de sa Mère, comme font les enfants. Puis lentement et timidement il fit dépasser ses yeux du voile, puis toute la tête, et nous regarda bien en face. Il nous sourit puis recacha sa petite tête derrière le voile. A nouveau il réapparut, et nous regarda avant de redisparaître derrière sa petite cachette. Nous comprîmes alors que l'Enfant Jésus jouait à cache-cache avec nous ! Une troisième fois il recommença cela, ce qui nous mit bien sûr dans une grande joie. Après nous avoir souri, il nous fit un clin d'œil, ce qui nous toucha énormément. Un bébé ne peut pas regarder et sourire ainsi. Mais nous comprîmes que c'était vraiment Dieu qui était là, devant nous... »

Il faut ajouter que Marija prit bonne note de cette espièglerie, et commença à imiter son Maître devant ses amis. Consternation de la part de son entourage croato-traditionnel ! Une jeune fille ne fait pas de clin d'œil ! Alors Marija de déclarer, avec un humour fier : « Mais, c'est l'Enfant Jésus qui me l'a appris ! »

On ne vantera jamais assez le bain de simplicité[1] offert par Medjugorje à nos pauvres cerveaux occidentaux écrasé d'informations excessives, saturés de paperasseries inhumaines, asséchés par un intellectualisme confusionnel, qui nous aide davantage à perdre le nord qu'à le trouver. Oh, comme j'aime nager dans ce bain ! Quelle guérison !

Les voyants sont restés enfants, et j'entends encore Marija nous raconter cet épisode :

---

[1] Dans son *Petit Journal*, Sœur Faustine écrit : « Aujourd'hui, pendant la Sainte Messe, j'ai vu près de mon prie-Dieu l'Enfant Jésus. Il semblait avoir un an et il m'a demandé de le prendre dans mes bras. Lorsque je l'eus pris dans les bras, il se blottit contre mon cœur et dit :
- *Je me sens bien près de ton cœur.*
- Bien que tu sois si petit, je sais pourtant que tu es Dieu. Pourquoi prends-tu l'apparence d'un tout petit pour venir me voir ?
- *Parce ce que je veux t'apprendre l'enfance de l'âme. Je veux que tu sois très petite, car lorsque tu es toute petite, je te porte sur mon Cœur, tout comme tu me tiens en ce moment sur le tien.* » (§ 1480).

« C'était dans les premiers temps. Les communistes nous avaient ramassés pour nous faire subir des interrogatoires sans fin à Ljubuski. Là, ils nous traitèrent très durement, nous laissant sans boire ni manger, cherchant à nous faire peur de mille manières, en nous menaçant de nous mettre en prison ou en hôpital psychiatrique... Nous étions épuisés. Mais nous n'avons pas cédé et ils finirent par nous relâcher. Lorsque la Gospa nous apparut, nous lui racontâmes ensemble l'horrible journée que nous venions de passer, lui expliquant en détail chaque moment, chaque menace, lui répétant chaque parole entendue. Elle nous écouta avec grand intérêt et resta avec nous presqu'une heure, jusqu'à ce que nous ayons achevé notre récit. Puis à la fin, elle nous rassura et nous dit en souriant : *« J'étais là moi aussi avec vous et j'ai tout vu ! »*. Nous comprîmes alors qu'elle nous avait écoutés par pur amour, car elle savait déjà tout. En tant que Mère, c'était une grande joie pour elle que nous lui ouvrions notre cœur avec confiance pour lui partager nos peines. »

Medjugorje, école d'enfance !

Ce récit me rappelle un mot de Jésus à Sœur Faustine :

« Ma fille, on me dit que tu possèdes beaucoup de simplicité, pourquoi donc ne me parles-tu pas de tout ce qui te concerne, même des moindres détails ? Parle-moi de tout. Sache que cela me procure beaucoup de joie.

- Mais, puisque vous savez tout, Seigneur.

- Oui, je sais tout. Mais le fait que je sache ne t'excuse pas, toi. Dis-moi tout avec la simplicité d'un enfant, parce que j'ai l'oreille et le Cœur à ton écoute et que ta parole m'est agréable. » (§ 920).

FLASH-BACK SUR 1996

15 janvier : mission de Mirjana et du Père Slavko aux îles Maurice et Réunion. Le Père Slavko continue seul en Ouganda.

24 janvier : naissance de Francesco Maria, deuxième fils de Marija.

27 au 29 janvier : visite d'un évêque français, Monseigneur Gilbert Aubry, de Saint-Denis (la Réunion).

Janvier : tournée apostolique du Père Jozo en Italie, soutenue par le Cardinal Piovanelli de Florence. Le Père Jozo rencontrera treize cardinaux et évêques favorables à Medjugorje.

18 mars : Apparition annuelle à Mirjana :

« Chers enfants, je veux que vous réfléchissez longuement au message que je vous donne aujourd'hui à travers ma servante. Mes enfants, l'Amour de Dieu est grand. Ne fermez pas les yeux, ne fermez pas les oreilles tandis que je vous répète : Grand est son Amour ! Entendez mon appel et la supplication que je vous adresse. Consacrez votre cœur et faites-y la demeure de Dieu. Puisse-t-Il y habiter toujours. Mes yeux et mon cœur seront ici, même quand je n'apparaitrai plus. Agissez en toutes choses comme je vous le demande et de la manière dont je vous guide vers Dieu. Ne rejetez pas le Nom de Dieu afin de n'être pas rejetés. Acceptez mes messages afin de pouvoir être acceptés. Mes enfants, décidez-vous ! Ce temps est celui de la décision. Ayez un cœur juste et innocent pour que je puisse vous conduire à votre Père, car si je suis ici c'est à cause de Son grand Amour. Merci d'être ici. »

17 au 21 mars : Rencontre annuelle des leaders de Medjugorje à Tucepi.

Avril : Ouverture de la maison germanophone des Béatitudes : « Saint Joseph » (sur la route de Krizevac).

Avril-Mai : Tournage de 52 émissions télévisées avec Sœur Emmanuel pour les USA. Contact : *« Children of Medjugorje »*, P.O. Box 1110, Notre-Dame, IN 46556 (USA) - Fax : 00 (1) 219 28 77 875.

Juin : Mirjana perd le bébé qu'elle attendait. Elle dit : « Seigneur, tu as donné, tu as repris, merci... ».

6 juin : Le quotidien *La Croix* titre « Le Vatican confirme que les pèlerinages à Medjugorje sont interdits... ». L'information sera reprise par des journaux étrangers. Cette erreur n'a jamais été corrigée. Des milliers de personnes annulèrent leur pèlerinage.[1]

21 juin : Concert avec le ténor José Carreras. Le Président Tudjman (Croatie) saisit l'occasion pour venir à Mejdugorje.

25 juin : 15ème anniversaire. Apparition annuelle à Ivanka : la Vierge demande de *prier pour ceux qui sont sous l'emprise de Satan*
Ce 15ème anniversaire fut célébré dans une joie immense et une pluie de grâces tomba sur les foules venues des cinq continents, si nombreuses qu'elles se pressaient à perte de vue autour de l'église. Plus de 250 prêtres, trois évêques, des milliers de pèlerins et, le plus impressionnant, des centaines d'incroyants venus là « par hasard » et repartant le cœur rempli de Dieu. La Vierge marqua la fête en venant sur la montagne avec trois anges, elle dit à Ivan combien elle était heureuse de nous voir en si grand nombre. *« Je vous porte tous dans mon cœur. Priez davantage car vos prières me sont nécessaires. Dans vos groupes, priez pour les prêtres. »*

Fin juillet : Ivan part aux USA pour sept mois.

31 juillet-6 août : Festival International des Jeunes.

1er août : Reprise du groupe de prière de Jelena, interrompu depuis 1991.

Mi août : Vicka se rend incognito en France (Paris).

---

[1] Le Docteur Navarro Valls a démenti le 21 août 1996 a travers l'agence CNS (Catholic News Service) que le Vatican interdisait les pèlerinages à Medjugorje. Voici sa déclaration :
*« Vous ne pouvez pas dire aux gens qu'ils ne peuvent pas aller à Medjugorje à moins que les apparitions n'aient été prouvées fausses. Or, cela n'a pas été déclaré ; toute personne peut donc s'y rendre si elle le veut. Quand les fidèles catholiques se rendent quelque part, ils ont droit à un accompagnement spirituel. L'Eglise n'interdit donc pas aux prêtres d'accompagner les voyages à Medjugorje (BH), organisés par des laïcs, tout comme elle ne leur interdit pas d'accompagner un groupe de fidèles en Afrique du Sud.
Rien n'a changé dans la position du Vatican sur Medjugorje. Le problème est que si un évêque organise des pèlerinages, vous donnez une approbation canonique aux événements de Medjugorje (alors que l'Eglise les examine encore). C'est différent d'un groupe qui vient en pèlerinage accompagné d'un prêtre pour confesser. Il est triste que les paroles de Monseigneur Bertone aient pu être interprêtées d'une manière restrictive. L'Eglise et le Vatican ont-ils dit non (au fait de se rendre à Mejdugorje ?) Non ! ».*
Ce document est disponible à Rome - Tél : 00 39 6 67 84 612.

21 août : Devant la prolifération des contre-vérités sur Medjugorje, le Docteur Navarro Valls, porte-parole du Saint-Siège, fait une déclaration officielle pour repréciser la position de l'Eglise (cf. note).

5 septembre : Naissance de David-Emmanuel, deuxième enfant de Jakov et Annalisa (baptisé le 20 octobre).

21 septembre : Le Père Jozo anime la veillée d'adoration préparatoire à la venue du Pape, à Reims. Il fait églises combles à Lille, Rennes et Paris.

1er au 20 novembre : Mission du Père Jozo dans sept pays d'Amérique latine : Porto Rico, Panama, Costa Rica, Nicaragua, Honduras, El Salvador et Mexique. Le 15, il s'adresse à sept mille gangsters de Mexico...

14-15 novembre : Réunion extraordinaire des Franciscains d'Herzégovine avec leur Père Général, à Mostar. Tentative d'apaiser le conflit « Diocésains-Franciscains ».

15 novembre : Ephraïm (fondateur de la Communauté des Béatitudes), son épouse et Sœur Emmanuel rencontrent Jean-Paul II à Rome au sujet de Medjugorje (cf. note page 214).

ANNÉE

1997

Message du 25 janvier 1997

« Chers enfants, je vous invite à réfléchir à votre futur. Vous créez un monde nouveau sans Dieu uniquement par vos propres forces, c'est pour cela que vous n'êtes pas satisfaits et que vous n'avez pas la joie au cœur. Ce temps est mon temps, c'est pourquoi petits enfants, je vous invite à nouveau à prier. Quand vous trouverez l'unité avec Dieu, vous sentirez la faim pour la parole de Dieu et votre cœur, petits enfants, débordera de joie et vous témoignerez de l'amour de Dieu partout où vous serez. Je vous bénis et je vous redis que je suis avec vous pour vous aider. Merci d'avoir répondu à mon appel. »

LA PROVIDENCE, ÇA MARCHE ENCORE ?

En ce qui concerne le futur, j'ai une piste !

Mieux que Greta Garbo, la sainte Providence est « La Divine » par excellence. Elle a ses us et coutumes bien à elle, et je définirais ses deux atouts majeurs par « Amour » et « Humour ». S'il existe quelqu'un qui nous en fait voir de bonnes, c'est elle ! Elle excelle tellement dans sa manière de traiter ses amants que chacun d'eux s'estime à bon droit le plus heureux des hommes. Comment expliquer alors qu'elle en ait si peu ?

Rares sont ceux qui connaissent son adresse, voilà le problème ; plus rares encore ceux qui y habitent. Vous voulez le tuyau ? Rien n'est plus simple : Si vous ne l'avez jamais rencontrée et que vous roulez dans la vie *au petit bonheur la chance*, amorcez tout de suite un tournant à angle droit, de là où vous êtes, oui là-même. Déjà vous brûlez, car sa maison est toute proche. Mais attention, il faut suivre les indications à la lettre ; vous serez tentés de ne pas prendre ce tournant radical, car sur votre chemin, vous trouverez d'autres panneaux attirants, surtout si vous aimez les larges voies. Evitez-les ! Par exemple, une large avenue très fréquentée, Av. Sagripper : n'y allez pas ! Un boulevard très séduisant de prime abord, Bd Amassérinmax : ne le prenez pas, les magasins semblent alléchants mais ils ne vendent que des anxiolytiques. Une artère très populeuse, Promenade Méfiance : fuyez-la, il y a des gaz toxiques. Une rue piétonne, rue Sefairinvélo : inutile, c'est un cul-de-sac. Enfin, l'avenue mondialement connue, Av. Saint-Quiété : surtout pas, ça aboutit à des marécages sordides et glauques. Non, tout cela ne vous mènera pas chez la Divine Providence car sa rue est modeste (on risque facilement de la rater). C'est la rue Fairconfiance. Là, elle habite une maison particulière, et sur la plaque de son portail vous lirez : « Sabandonner ». C'est là ! Faites comme chez vous, entrez, elle vous attend comme le Messie...

Une fois chez elle, vous irez de surprises en surprises !

Un incroyable sentiment de sécurité vous saisira tout entier, telle sera la première surprise. Puis peu à peu, vos vieilles accointances avec Amassérinmax, Méfiance, Sefairinvélo, Saint-Quiété, etc., tomberont de vos épaules comme de vieux haillons puants que vous n'aurez plus envie de porter. La Divine vous introduira dans un monde inconnu de vous, vous y nagerez comme un poisson dans l'eau et vous goûterez une liberté extraordinaire. Il faut savoir que La Divine déploie un tel génie par son intelligence, ses connaissances, son savoir-faire et l'indicible délicatesse de son cœur, qu'elle se joue avec aisance des situations les plus bouchées, voire les plus tragiques de ses amants. Aucune ne lui résiste !

A Medjugorje, la Gospa pouvait difficilement nous cacher son adresse sans prendre le risque de se mettre son Fils à dos. C'est pourquoi elle ne cesse de nous rappeler les étapes-clef de cet itinéraire divin :

« Abandonnez toujours vos fardeaux à Dieu et ne vous inquiétez pas. » (11 octobre 1984)

« Dieu vous donnera de grands cadeaux si vous vous abandonnez à Lui. » (19 décembre 1985)

« Abandonnez-vous à moi pour que je puisse vous guider entièrement. Ne soyez pas occupés par les choses matérielles. » (17 avril 1986)

« Abandonnez-vous à Dieu[1] *afin qu'Il puisse vous guérir, vous consoler et pardonner en vous tout ce qui est un blocage sur le chemin de l'amour. »* (25 juin 1988)

---

[1] Un couple de ma Communauté rencontra Marthe Robin en 1977. Marthe leur parla de l'abandon comme solution à leurs difficultés :
- Mais Marthe, quand on arrive pas à s'abandonner ?
- Eh bien, il faut s'abandonner quand même !
Elle aimait à dire :
« L'abandon est vigilant, actif, attentif aux exigences les plus secrètes, les plus intimes de Dieu. Dans l'abandon, continue-t-elle, le Bon Dieu ne nous laisse pas tranquilles. C'est une appartenance à Lui. »
« Il ne s'agit pas seulement de donner ce que l'on a, mais d'offrir jusqu'à la racine de ce que l'on est, qui vient du Père, qui est pour le Père. Il s'agit non pas de donner seulement du superflu, une part, voire une large part de notre vie, de notre activité, de notre apostolat mais toute la substance de l'être. S'abandonner, c'est aller au summum des exigences de Dieu. » (Cité par le P. Pagnoux, in *Marthe Robin*, 1996).

« *Je vous appelle à l'abandon complet à Dieu ; que tout ce que vous possédez soit entre les mains de Dieu.* » (25 avril 1989)

« *Abandonnez vos soucis à Jésus. Ecoutez ce qu'Il dit dans l'Evangile : Et lequel d'entre vous peut, par son inquiétude, ajouter une seule coudée à la longueur de sa vie ?.* » (30 octobre 1983)

« *Soyez confiants et demeurez dans la joie. Adieu mes anges chéris.* » (26 novembre 1981)

Si ces points de repère jalonnant les messages de la Gospa sont si peu suivis, c'est que malheureusement, les autres itinéraires proposés par le monde ambiant clignotent de tous leurs feux. Et puisque ça brille, tout le monde (ou presque) s'y engouffre tête baissée ! Mais voilà, ça ne brille pas longtemps et qui dira les ravages terribles perpétrés dans les cœurs, les âmes, les psychismes, voire même les corps, par un Saint-Quiété ou un Amassérinmax ! Qui en décrira les tristesses mortelles, les vides et les déceptions secrètes !

Armelle vivait paisiblement avec son mari et ses enfants. Or le Malin déteste cela. Il décide donc de lui mettre sous les yeux une de ces nombreuses prophéties de malheur dont il est friand, et qui pullulent chez les libraires de mauvaise augure. Bien sûr, il avait pris soin de mentionner la date imminente du prétendu grand « crash », comme à son habitude. Le piège fonctionne à merveille et la dame, par ailleurs bonne chrétienne, commence à se ronger les sangs. Une pensée obsessionnelle la hante : elle doit coûte que coûte parer au pire pour la survie de sa famille ; et la voici qui commence à tirer des plans pour emmagasiner des provisions massives. D'abord se chauffer, s'éclairer, cuisiner. Qu'à cela ne tienne, elle achète trente grosses bouteilles de gaz. Mais où stocker ? Tant pis pour la voiture, les bouteilles envahissent le garage. Un jour passe, deux jours passent, et la paix trépasse. Non contente d'avoir embrassée le démon « Amassérinmax », la dame se livre maintenant corps et âme à son jumeau « Saint-Quiété ». Durant le jour, le regard vague, elle fixe le vide en se rongeant les ongles, et la nuit, elle tremble à l'idée qu'un mégot de cigarette pourrait bien faire exploser les bouteilles et toute la maison avec. Le film d'horreur s'accélère car ses insomnies provoquent un épuisement alarmant, ses absences d'esprit agacent mari et enfants, ses peurs la rendent agressive... bref, le Malin a réussi son stratagème : il y a de l'eau dans le gaz. Une famille est si vulnérable, si vite détruite !

Mais non ! Ce témoignage a une « happy end » car une pèlerine de Medjugorje sût parler de La Divine à notre amie, qui changea de cap et opta pour la confiance en la Providence. Le naufrage de ce foyer fut évité à temps, merci Seigneur !

Tout autre est l'histoire de Cathy, ma merveilleuse amie des Etats-Unies. Quarante-sept ans, huit enfants, elle exploite avec bonheur les trésors de la Divine Providence depuis son mariage avec Denis, d'autant plus que tous deux travaillent à fond pour Medjugorje et sont des instruments de choix entre les mains de la Gospa. Lorsque Cathy me raconte ses aventures, je ne sais jamais si je dois rire ou pleurer. Sa dernière aventure ?

Elle décide de suivre à la lettre la demande de Marie donnée dans le message du 25 août 1996 : « *Chers enfants, écoutez, car je désire vous parler et vous inviter à avoir plus de foi et de confiance en Dieu...* » Un mois plus tard, tandis qu'elle se rendait dans sa chambre pour s'y recueillir, elle se réjouit de pouvoir souffler un peu. A peine avait-elle fermé la porte qu'elle perçoit en son cœur que le Seigneur lui demande de sortir et d'aller faire ses courses. Or, ce n'était pas la volonté de Cathy car le moment était mal choisi (heure de grande affluence). Pourtant, à cause de sa décision, elle obéit à cette motion intérieure et fait l'effort coûteux de sortir. Elle remplit un énorme caddy et achète deux fois plus que d'habitude, afin de ne pas avoir à revenir au supermarché avant longtemps. Alors qu'elle fait la queue, une dame passe devant elle et prend son tour. Cathy choisit de garder la paix et de prier en silence. Arrivée elle-même à la caisse, un homme du magasin l'accoste pour lui dire : « Félicitations chère Madame, vous êtes notre 5000ème cliente ! C'est donc vous la gagnante de notre grand jeu promotionnel ! Tout le contenu de votre caddy vous est offert gratuitement ! »

Elle remercia le Seigneur avec un sourire entendu, d'autant plus qu'elle lui avait confié sa situation financière préoccupante. Elle se félicita d'avoir écouté cette motion, mais encore plus d'y avoir obéi[1] !

Parfois La Divine intervient dans des histoires de sous[2]. Mais elle a mille autres cordes à son arc, notamment le génie des rencontres humaines, comme le montre la suite de cet épisode glorieux :

---

[1] Cathy prie beaucoup chaque jour, ce qui lui permet de mieux entrer dans cette « conversation » avec Dieu. Jésus disait à Sœur Faustine : « *Tâche de vivre recueillie, pour que tu entendes ma voix qui est un murmure ; seules les âmes recueillies peuvent l'entendre.* » In *Petit Journal*, § 1778.

[2] Helen Call est employée de bureau aux USA. Elle raconte : « Lorsque j'ai entendu parler pour la première fois de Medjugorje, c'était comme si j'avais été percutée par un flash de lumière. Je sus dans mon cœur que je devais y aller. Mais où trouver l'argent, ça, je ne le savais pas ! En mars 1996, tandis que je travaillais sur Internet, j'eus l'idée de regarder s'il s'y trouvait des pages sur Medjugorje. Il y en avait plein ! Je vis les nouvelles des « *Enfants de Medjugorje* » citant les mots d'un pèlerin : « Si vous n'avez pas l'argent, demandez à la Gospa de vous le donner ! » Je sentis alors une attraction si forte envers Medjugorje que je me promis à moi-même (et à Dieu !) d'y aller. Puis je priai pour recevoir la somme nécessaire. Un agent de voyage me précisa le prix : 1.500 $. C'était cher, pourtant je gardais un calme et une certitude inouïs. Cet après-midi-là, mon patron me dit à

Si Cathy était entrée au Supermarché avec des boulets aux pieds ce jour-là, voilà qu'elle en ressort avec des ailes au cœur ! Elle retrouve sa voiture au parking, charge son coffre et... *avanti* ! à la maison ! Mais La Divine n'avait pas dit son dernier mot (d'ailleurs, elle ne le dit jamais, il vaut mieux le préciser tout de suite). A la première ligne droite, Cathy perçoit à nouveau une inspiration intérieure : « tourne à gauche ! »

- Mais, Seigneur, ce n'est pas le chemin, ça me rallonge !

- Tourne à gauche...

Toujours à cause de sa promesse, Cathy tourne à gauche, avec ce léger sentiment d'absurde qui apparaît parfois dans le cœur avant que notre abandon soit total. Elle prie en se disant : « On verra bien ! » Et qui aperçoit-elle un peu plus loin, attendant devant une vitrine ? une chère amie de jeunesse qu'elle n'avait pas revue depuis plus de vingt ans !

- Jane ! Incroyable, te voilà à South Ben ? !

- Cathy ! Quelle Providence !

En réalité, Jane était au trente-sixième dessous car à l'âge de quarante-cinq ans elle se retrouvait enceinte de son sixième enfant, et tout le monde lui faisait comprendre que ce petit n'avait pas lieu d'être. Toute désemparée par les remarques humiliantes de ceux qu'elle aimait, les blagues déplacées et surtout les conseils unanimement abortifs, Jane glissait dans la dépression. Elle craquait au point d'envisager que cet enfant, déjà secrètement chéri, allait devoir rejoindre lui aussi ses millions de petits frères qui n'ont jamais vu le jour...

- Tu comprends, j'ai quarante-cinq ans !

- Et alors, s'écrie joyeusement Cathy, moi, à quarante-cinq ans, ce n'est mon sixième que j'ai eu, mais mon huitième ! Et si tu voyais comme il fait la joie de tous ! Allez viens, je vais te le présenter.

---

propos du projet informatique sur lequel je travaillais :
- Je pense que nous pourrions obtenir une prime pour vous ; vous devriez faire la demande.
Cela me remplit de joie, car j'étais sûre d'obtenir ainsi les 1.500 $ de mon voyage.
- Combien recevrai-je à votre avis ?
- Oh, au moins 5.000 $! répondit mon patron.
- Non, je me contenterais de 1.500 $...
- Faites quand même la demande pour 5.000 $!
Après avoir parcouru toutes les étapes, le dossier nous revint, et la prime octroyée s'élevait à... 1.500 $!
Mon patron était très déçu, mais pour moi c'était un merveilleux clin d'œil ! J'avais reçu exactement la somme dont j'avais besoin, à 1 dollar près ! » Merci la Divine !

Le baromètre moral de Jane remonte tellement en flèche ce jour-là que les voix abortives se turent, comme stupéfaites. Aujourd'hui, l'Amérique compte un petit trésor de plus. Merci La Divine !

Message du 25 février 1997

« Chers enfants, aujourd'hui encore je vous appelle d'une manière particulière à vous ouvrir à Dieu le Créateur et à devenir actifs. Je vous invite, petits enfants, durant ce temps, à voir qui a besoin de votre aide spirituelle ou matérielle. Par votre exemple, petits enfants, vous serez les mains tendues de Dieu que cherche l'humanité. Seulement ainsi, vous comprendrez que vous êtes appelés à témoigner et à devenir les joyeux porteurs de la Parole de l'amour de Dieu. Merci d'avoir répondu à mon appel. »

LES 5 MILLIONS, ON LES AURA !

Allison a cinq ans et je connais bien sa mère, Mary McDonald, qui vit près de Chicago. Elle me taquine souvent car sa fille connaît par cœur mes cassettes en anglais sur Medjugorje. Elle lui en récite des tirades entières, reproduisant aussi mes fautes de syntaxe... aïe ! Un jour, Allison demande à sa mère :

- Maman, est-ce qu'il y a une sainte Allison ?
- Ah... non, ma chérie, dommage, je crois qu'il n'y en a pas...
- Alors, maman, ce sera moi !

Depuis ce jour, Allison travaille dur ce projet de devenir sainte et ne raterait pas une occasion offerte par la Providence (pardon,... la Divine !). Lorsque le livre *Les Enfants, aidez mon Cœur à gagner* est arrivé dans la famille[1], sa mère lui en fit la lecture. Mais la petite ne voulut pas en décoller avant la dernière page, tant elle buvait avidement chaque mot. La lecture terminée, sa mère voulut passer à une autre activité, mais la petite insista :

- Eh ben maintenant, maman, c'est tout de suite qu'on va commencer les prières et les sacrifices pour aider la Sainte Vierge !

---

[1] Voir note p. 286. La version anglaise est éditée par St Andrews Production. Pittsburgh (USA). Fax : 00 412 787 52 04.

Mary est une convertie de Medjugorje, émergeant d'un passé plutôt sombre que lumineux, et elle garde une conscience aigüe que si sa vie est sortie de l'abîme c'est grâce à la prière. Elle acquiesça :

- Bien sûr, ma chérie, mais comment vois-tu la chose ?

- Euh... viens dans ma chambre !

La chambre d'Allison ressemblait aux chambres de tous les enfants américains : pléthore de jouets et d'objets en tous genres. Allison avisa d'abord ses chères poupées. Elle empoigna sa préférée, la tendit à sa mère et déclara :

- Donnons cette poupée à Kate (sa petite sœur). Et ça à Don, (son frère Donald). Puis avec un calme et une joie qui bouleversa sa mère, la petite Allison prit un à un ses objets préférés et les attribua à un enfant de sa connaissance. « Ça pour Untel, ça pour Untel. » La vraie tornade blanche ! Mary retenait à peine ses larmes.

Ce jour-là, les sacrifices ne faisaient que commencer pour Allison. Mary me dit parfois : « Je me demande ce que Dieu est en train de préparer pour elle... ? » En attendant, Allison fait le régal de sa famille par sa présence d'esprit.

L'autre jour, tandis qu'Allison accompagnait sa mère à l'église, elle fit la découverte de l'encens qui s'élevait devant le Saint Sacrement exposé.

- Maman, qu'est-ce que c'est ?

- C'est de l'encens, ma chérie. Tu vois, c'est comme nos prières, ça monte, ça monte vers le Ciel, et tu as remarqué comme ça sent bon ?

- Oh, maman, l'encens, il vient dans mon cœur !

- Non, ma chérie, pas dans ton cœur, dans le Ciel.

- Mais maman, le Ciel, il est dans mon cœur !

Le Padre Pio voyait l'invisible. Plus il s'identifiait au Christ dans son corps et dans son âme, plus il découvrait, émerveillé, la beauté des enfants et le rôle primordial qu'ils sont appelés à jouer en ces temps où l'écrasante majorité de l'humanité a perdu la trace de Dieu. Il aimait à répéter : « Les enfants sauveront le monde ! » Un jour, voyant que sa course touchait à sa fin, il appela un jeune frère de son couvent en qui il pressentait une âme de feu :

- Andrea, lui dit-il, écoute-moi bien : il suffirait de cinq millions d'enfants pour sauver le monde. Toi, quand je n'y serai plus, forme des groupes d'enfants. Fais-les prier, adorer, apprends-leur à faire des sacrifices. Que tous se consacrent au Cœur Immaculé de Marie. C'est maintenant la chose la plus importante à faire.

Alors le Père Andrea d'A. entreprit avec d'humbles moyens, de lever une véritable armée de petits priants, dans la mouvance des messages de Fatima. Il constate volontiers que les milieux les plus réceptifs à ses appels sont les groupes de Medjugorje. Lors d'une grande rencontre sur Medjugorje aux USA, il nous fit part des confidences du Padre Pio sur les enfants et lança comme dans un cri :

- J'ai déjà un million d'enfants, où vais-je trouver les quatre millions qui manquent ?

Et si nous les Français, nous offrions à Dieu notre petit million d'enfants ? Après toutes les bêtises que nous avons faites ces dernières décennies, par nos lois entre autres, ce ne serait pas forcément une mauvaise chose... ? !

La Gospa nous invite à *être ouverts à notre Créateur et à devenir actifs...* Eh bien, j'ai une bonne nouvelle pour Elle : nos chérubins, eux, sont très actifs !

Nous recevons à jet continu les livrets des enfants où ils ont « colorié leurs victoires » après avoir offert prières et sacrifices. Voici quelques prières glanées chez eux, orthographe comprise...

- Nous gagnerons marie, je te le promais... merci d'avance (Aude, 9 ans).

- Merci Jésus d'allumer la lumière pour ceux qui sont dans le noir (Violente, 7 ans).[1]

- Marie, j'ai toujours peur de tout. Je te demande de m'aider à vaincre ma peur je te tends mes mains donne la tienne il faut que j'aprenne à nager (Aurore, 10 ans).

- Seigneur et marie aide ta pauvre pécheresse (Blandine, 11 ans).

- avec moi se n'ai pas toujours facile alors pour toi je vais essayer de te rendre heureuse, je ne te dis pas que je vais réussir, mais je vais essayer pour toi ! (Mathias le retour... 10 ans).

- Marie, arrête les guerres dans le monde et que tous les hommes s'aiment, les blancs, les noirs, les jaunes et même les indiens (Emilie, 9 ans).

- Marie, je t'aime et je te demande d'anbracer mon papa qui est au ciel (Marie, 6 ans).

---

[1] Sans le savoir, cette enfant exprime ici la grande supplication de la Gospa en faveur de ceux qui n'ont pas expérimenté l'amour du Père. Le 2 mars 1997, d'après Mirjana, Marie pleura durant toute l'apparition à la Croix Bleue. « *Illuminez toutes les âmes où règnent les ténèbres*, dit-Elle, *priez pour ceux pour qui la vie sur cette terre est la plus importante...* ».

- je souhaiterais que mon papa finisse un jour par comprendre la vie de JESUS (Coralie, 9 ans).

- Marie aide sceux qui sont toc-toc (Manon, 8 ans).

- Ma chère maman, pour moi tu es tout, tu es ma patrone, ma mère céleste, ma rose mystique... (Marie, 8 ans).

- Marie, je t'aime et tu le sais forcément car l'amour que je te porte, pour moi et plus haut que tout et surtout fait arrêter les guerres quant on se bat s'est nul (Audrey, 9 ans).

- guéris-moi de mon asthme, mon œil gauche, de mes dents. Afin que je sois en bonne santé à tout jamais. Ma prière, c'est que Jésus puisse guérir ma maman pour mieux suivre la messe ; que papa et maman ne puisse pas s'énerver (Amélie, 8 ans).

- Guéris moi de mes poux, de mes lentes, de mes mauvaises pensées ; je prie pour que mon père aime aller à la messe ; que l'esprit saint continue à descendre sur Sonia (Christel, 8 ans).

- Je comprends ta soufrance quand tu as vu de tes propres yeux la mort de ton fils sur la croit ; Marie, fais que les familles ne se disputent plus et que satan les laissent tranquilles (Isabelle, 11 ans).

- ... maintenant, pour me faire pardonner auprès de toi mène si je sais que tu ne m'enveus pas, je te fais cet acte de consécration. Marie, aujourd'hui, je te donne mon cœur et je prends chez moi ton cœur immaculé pour qu'il m'apprenne à aimer comme toi tu aimes... signé, ta fille préféré : Jennifer (10 ans).

- Seigneur, donne la joie au famille san nouritur quar il ceron rassasier (Jean, 8 ans).

- Marie, je sais que mon papa va revenir, mais je te demande à m'aider à tenir jusqu'à son retour, mais fait qu'il reviène vite. Je te présente mon cœur avec cette neuvaine qui je l'espère te feras plaisir. Camille qui t'aime fort (10 ans).

- Chère Marie, come tu le vois, je suis toute émoustillée de commencer ma neuvaine. Maman dit que Jésus et toi sont partout sur la terre en mème tant. Est-ce vrai ? Est-ce que si je prie et de tout mon cœur j'irai au ciel ? Est-ce que tu pourra m'aider à arété mes péchés ? j'espère que tu répondras « oui » à toutes ses questions. Est-ce qu'un jour je te verrai ? Bon peutêtre que je t'embête ? Si oui tu n'ai pas obligée de lire ma lettre mais je la continue parce que je suis sûre que tu la lira (Lettre de Myriam).

- Marie, fait qu'il y ait beaucoup de joie de vivre, s'il y en a peu, je t'aiderai (Blandine, 11 ans).

- Marie, aide-moi à dire non à la guerre que je provoque quelque fois Amen (Simon, 13 ans).

- Marie, priez pour mes grandparents merci d'avoir répondu à mon appel (Armel, 9 ans).

- Mes prières, un chapelet pour les aveuglés de Dieu, six dizaines pour les femmes qui pensent qu'elles vont avorter, un chapelet pour les gens perduent dans l'alcool (Amandine, 7 ans).

- Toi qui protège un pays en guerre empêche-les de s'entretuer car je sais que tu le peut. C'est triste. Quant il se tuent un par un et peut-être deux par deux (Audrey, 9 ans).

- Merci de mavouar donée une maman qui m'aime (Anaïs, 9 ans).

- Tu es la plus gentille. je suis sur que tu vas gagner (Lucie, 7 ans).

Nul ne pourra évaluer ici-bas sur cette terre l'impact de la petite Jacinta de Fatima sur les plans de Dieu. Elle n'avait que six ans lorsqu'elle fut invitée par la Vierge à offrir des sacrifices pour les pécheurs. Dans la catéchèse d'aujourd'hui, qui ose introduire les enfants dans cette aventure de l'offrande et de son indicible puissance sur le cœur de Dieu ? Tant d'adultes projettent leurs propres freins... Mais des parents de plus en plus nombreux saisissent la main de la Gospa et enseignent leurs enfants. Voici quelques sacrifices glanés chez leurs délicieux mouflets :

- Suporter con me fase male. continuer la neuvaine alors que j'été décourager (Florian, 7 ans).

- mes souffrances dans ma famille désunie (Amandine, 7 ans).

- d'avoir été le chat alors que ça devait être Claire (Marie, 10 ans).

- Je n'ai pas réclamé Maman pour faire pipi et j'y suis allé seul (Edouard, 6 ans, après une opération).

- Je n'ai pas regardé ALERTE à Malibu et suis partie à la messe (Julie, 10 ans).

- ne pas mouiller Roland quand il est sec (Marie, 9 ans).

- ... Aide moi, s'il te plait, à ce que je ne tombe pas à côté des sacrifices (Maud, 9 ans).

- me mettre à genoux et faire la croix avec les bras (Blandine, 11 ans).

- Mon sacrifice, C'est de me moucher souvent (Amélie, 8 ans).

- J'ai révisé des leçons suplementaires dans le bain ; d'avoir était tailler la haie à mamy au lieux de jouer (Thibaut, 10 ans).

- Je n'ai pas rechigné pour avoir un chewingum entier ; je ne me suis pas trop reposée quand on travaillait (Agnès, 10 ans).

- Je me suis lavaié les dan ; j'ai retrouvé le bouchon (Lucie, 7 ans).

- Je n'est pas tappé ma cœur (lire ma sœur ! Jean, 8 ans).

- J'ai laissé Antoine ouvrir le paquet de saucisse ; je l'ai laissé prendre son bain en premier ; j'ai aidé Antoine à trouver le taille crayons (Mélanie, 8 ans).

- De 11h30 à 14h j'ai fait un efort pour être gentil avec maman (Gabriel, 9 ans).

- Ne pas faire la chef à l'anniversaire de Nathalie (Cécile, 10 ans).

- De manger peut de gateaux et que de me bourré à catreur (Anne, 8 ans).

- Je n'est pas demandé dotre bonbon (Jean, 8 ans).

Oui, certains enfants deviennent si actifs qu'ils ouvrent parfois les yeux de leur entourage. Mathieu a 7 ans, et un prêtre ami le fit participer durant un an à une prière « d'Enfants Adorateurs ». A l'orée de l'année suivante, sa mère lui fait remarquer :

- Mais tu vas déjà au catéchisme ; pourquoi aller en plus aux « Enfants Adorateurs » ?!

- Mais maman, pourquoi tu ne comprends pas ! Au catéchisme j'apprends à connaître Jésus, et aux « Enfants Adorateurs » j'apprends à l'aimer !

Parfois, lors de certaines « missions-enfants », nous invitons les toutpetits à fermer les yeux et à chercher dans leur cœur quel cadeau ils vont pouvoir offrir à Marie avant le soir. Lorsque nous demandons « Qui a trouvé quoi donner ? » presque tous lèvent le doigt en criant : « Moi ! moi ! » et il faut s'accrocher pour que la réunion ne se transforme pas en un « Forum du plus offrant ». Les enfants comprennent plus vite que nous les choses de Dieu. Ils n'ont pas eu le temps de se vacciner contre le Saint-Esprit et de plus, ils ne savent pas encore très bien calculer...

Des enseignants déclarent parfois, les larmes aux yeux : « Après ce qui vient de se passer, nous ne pourrons plus faire le catéchisme comme avant... » Oui, je crois que ces jours-là, bien avant le coucher du soleil, la Gospa fait son tour dans le cœur des enfants et jubile de pouvoir remplir à ras bords son panier à trésors...

A quand les prochaines collectes ?

Message du 2 mars 1997

« Chers enfants, priez pour vos frères et sœurs qui ne connaissent pas l'amour du Père, pour ceux qui donnent la plus grande importance à la vie sur cette terre. Ouvrez-leur votre cœur, et voyez en eux mon Fils qui les aime. Soyez ma Lumière et illuminez toutes les âmes dans lesquelles règnent les ténèbres. Merci d'avoir répondu à mon appel. »

Message du 18 mars 1997

« Chers enfants, en tant que mère, je vous prie de ne pas poursuivre le chemin que vous avez pris. C'est une voie sans amour envers le prochain et envers mon Fils. Sur ce chemin, vous ne trouverez que la dureté et le vide du cœur, et non la paix à laquelle vous aspirez tous. Seulement celui qui voit et aime mon Fils en son prochain trouvera la vraie paix. Celui qui a un cœur où seul mon Fils règne, celui-là connaît la paix et la sécurité. Merci d'avoir répondu à mon appel. »

Message du 25 mars 1997

« Chers enfants, aujourd'hui je vous invite d'une manière spéciale à prendre la croix dans vos mains et à méditer sur les plaies de Jésus. Demandez à Jésus de guérir les blessures que vous, chers enfants, avez reçues pendant votre vie à cause de vos péchés ou à cause des péchés de vos parents. Seulement ainsi vous comprendrez, chers enfants, que le monde a besoin de la guérison de la foi en Dieu le Créateur Par la passion et la mort de Jésus sur la croix vous comprendrez que seulement par la prière vous pouvez devenir vous aussi de vrais apôtres de la foi, vivant dans la simplicité et la prière la foi qui est un don. Merci d'avoir répondu à mon appel. »

Je remercie les personnes qui m'ont donné leur témoignage, afin que Marie soit davantage aimée. Mais l'histoire continue, aussi je lance un appel à tous ceux qui auraient d'autres témoignages, car rien ne touche plus les cœurs que des récits simples et vrais, où le doigt de Dieu se manifeste. Une grâce partagée en entraîne beaucoup d'autres !

Ecrire à Sœur Emmanuel,

Les Béatitudes Poste Restante 88266 Medjugorje, via Split, Croatie

Si vous désirez faire partie des « **Enfants de Medjugorje** », association fondée par Sœur Emmanuel pour aider la Sainte Vierge dans ses plans de paix, demandez la documentation à :

Enfants de Medjugorje 15 rue Joseph Le Brix F - 76800 Saint Etienne de Rouvray

TABLE DES MATIÈRES

III - ANNÉE 1992

IV - ANNÉE 1993

V - ANNÉE 1994

POUR APPROFONDIR, VOICI...

... DES CASSETTES AUDIO :

311 - *« Medjugorje ou la saveur de Dieu »*, avec Cyrille Auboyneau.

312 - *« Medjugorje, l'école de l'amour »*, avec Cyrille Auboyneau.

326 - *« Vicka à Paris »*.

329 - *« Prier avec le cœur »*, par Sœur Emmanuel.

367 - *« Le Père Jozo raconte »*.

396 - *« Le Rosaire avec Medjugorje »*.

417 - *« Une Mère pour guérir du vide »*, par Sœur Emmanuel.

448 - *« La place de Marie dans l'urgence des temps »*,
        par Père Hubert-Marie.

451 - *« Les 24 heures de la Gospa »*, par Sœur Emmanuel.

452 - *« Marie, un sein pour renaître »*, par Ephraïm.

455 - *« Comment se consacrer à Marie ? »*, par Ephraïm.

472 - *« Fatima-Medjugorje »*, par Sœur Emmanuel.

479 - *« Famille, ne te laisse pas détruire ! »*, par Sœur Emmanuel.

J137 - *« Medjugorje raconté aux enfants »*, par Sœur Josette.

J140 - *« Les Enfants, aidez mon cœur à gagner ! »*, par Sœur Emmanuel.

T44 - *« Ce que la Vierge m'a dit à Medjugorje »*, par Ephraïm.

Pour les autres cassettes de Maria Multimédia citées dans ce livre, les conditions sont les mêmes. Prix : 20 F port compris.

... DES VIDÉOS :

VL95 - *« Medjugorje, une oasis de paix »*, avec Ephraïm.

VL98 - *« Medjugorje, continuation de Fatima ? »* avec Sœur Emmanuel.

VL93 - *« Familles, les temps sont urgents »*, avec Père Jozo.

Prix : 90 F port compris.

Ces cassettes-audio et vidéos sont disponibles chez Maria Multimédia, F-35750 IFFENDIC. Tél : 02 99 09 92 10 - Fax : 02 99 09 92 29.

« Medjugorje 90 » - prix : 170 F ; Diffuseur : Rassemblement à son Image 63 avenue Jeanne Leger 78150 Le Chesnay - tél : 01 39 66 90 54.

... DES LIVRES (ces ouvrages sont disponibles en librairie) :

Aux Éditions des Béatitudes :

« *Paroles du Ciel* » - Tous les messages de Marie à Medjugorje jusqu'en août 1994 - Prix : 65 F.

« *Les Enfants, aidez mon cœur à gagner !* » - par Sœur Emmanuel. Un merveilleux livre illustré pour enfants de 6 à 11 ans - Prix : 97 F (possibilité d'avoir la cassette-audio, ajoutez 20 F).

« *Medjugorje, la guerre au jour le jour* » - par Sœur Emmanuel. Récits passionnants, face à l'absurde, la pédagogie maternelle de la Gospa - Prix : 76 F.

à Communion Marie Reine de la Paix, BP 24. 53170 Meslay du Maine :

« *Medjugorje face à l'Eglise* », par Sœur Emmanuel. 20 pages - Prix : 13 F.

Achevé d'imprimer en avril 1997
sur presse Cameron
*par **Bussière Camedan Imprimeries***
à Saint-Amand-Montrond (Cher)

Dépôt légal : avril 1997.
N° d'impression : 1/1133.

Imprimé en France